ANDRÉ LANG

UNE VIE D'ORAGES

Germaine de Staël

CALMANN-LÉVY

30150 014150608

UNE VIE D'ORAGES

Germaine de Staël

DU MÊME AUTEUR

CHEZ LE MÊME ÉDITEUR

Le Septième Ciel ou la Jardinière de Minuit, *roman.*
Fernand Ledoux (Collection *Masques et Visages*).

CHEZ D'AUTRES ÉDITEURS :

Romans.

Le Responsable. — Fausta. — Mes deux Femmes. — L'Affaire Plantin.

Enquêtes littéraires.

Voyage en zigzags dans la république des Lettres. — Déplacements et villégiatures littéraires. — Tiers de siècle. Hommes de lettres, de théâtre et de cinéma.

Essais.

L'Homme libre, ce prisonnier. — Le Tableau blanc. — L'extraordinaire mariage de Germaine Necker.

Théâtre.

Fantaisie amoureuse, l'Herbe tendre. — Les trois Henry. — Fragile. — Une charmante fille. — La paix est pour demain. — L'Impure. — Le voyage à Turin.

Radio.

Le Crime du roi (procès de Louis XVI) en collaboration avec PIERRE LAFUE.

ANDRÉ LANG

UNE VIE D'ORAGES

Germaine de Staël

CALMANN-LÉVY, ÉDITEURS
3, RUE AUBER – PARIS

Imprimé en France

AVANT-PROPOS

Je ne savais à peu près rien de Mme de Staël. Un jour de pluie, dans une station thermale, voilà cinq ans, je pris à la bibliothèque de la ville les trois tomes des Considérations sur les principaux événements de la Révolution française *que je n'avais jamais lus. J'ouvris sans appétit un volume au hasard. De la surprise puis de l'émotion que j'éprouvai, ce livre est sorti : quelques lignes insolites sur son père m'avaient tout à coup rendu vivante Mme de Staël. Par l'indéfinissable vertu du ton, de l'accent, de la foi, la femme qui passe encore souvent aujourd'hui pour la plus célèbre mégère du début du* XIXe *siècle ressuscitait sous mes yeux dans sa grandeur singulière, dans son pathétique quotidien.*

J'entrepris alors la lecture attentive des Considérations *dont le contenu historique ne semble là que pour servir d'aliment à la flamme qui en éclaire les pages. On croit lire en filigrane sous ce testament politique la devise républicaine, amendée, sauvée de la démagogie « Liberté, Dignité, Équité ».*

Mon désir de connaître Germaine de Staël, de tout connaître d'elle, ses origines, sa famille, sa nature, son œuvre, ses amants, ses amis, se précisa et m'entraîna. Je partis à sa recherche, sans guide et sans conseillers, comme on erre dans une grande cité que l'on préfère découvrir seul pour ne pas se gâcher les rares plaisirs du contact et du jugement.

Ce ne fut qu'au milieu du voyage, lorsque je me sentis un peu de la maison, lorsque je commençai à nommer Mme de Staël et ses proches par leurs prénoms que je cédai à la curiosité de comparer mes impressions toutes fraîches et les récentes conclusions des critiques et des historiens. Je constatai alors avec un étonnement mêlé d'inquiétude que je m'écartais en plusieurs points des positions adoptées par plusieurs esprits infiniment plus qualifiés que je ne le suis, par exemple au sujet des rapports de sentiments de Germaine avec Eric de Staël, Benjamin Constant, Juliette Récamier. Je m'avisai en même temps qu'il n'existait pas sur Mme de Staël d'étude d'ensemble destinée ou accessible au grand public qui fût postérieure à 1939 et qu'ainsi des ouvrages parus après cette date, les publications de Mme Dorette Berthoud, de MM. Robert Escarpit, Henri Guillemin, Maurice Levaillant, Emmanuel Beau de Loménie, Jean Mistler, de Mme Jean de Pange, de MM. Alfred Roulin et Charles Roth qui modifient sensiblement certains épisodes et certaines perspectives de la vie de Mme de Staël, n'avaient pas encore été utilisés par un biographe.

Cela me tenta. Une occasion s'offrait de mettre à jour le panorama de la tumultueuse existence et dans la lumière de la retouche de montrer Germaine de Staël telle qu'elle s'était dégagée des lectures et des réflexions d'un historien du dimanche. Je me suis ainsi insensiblement enhardi et risqué à composer un livre que j'avais cherché sans le trouver, car si la bibliothèque staëlienne, considérable, comprend plusieurs centaines d'études fragmentaires très poussées, en français, en allemand, en anglais, en italien, en suédois, en portugais..., elle ne compte qu'un nombre infime d'ouvrages d'ensemble et de synthèse.

Le travail achevé, les divergences de vues que j'ai signalées tout à l'heure cessèrent de m'inquiéter. Outre que l'interprétation des textes et des actes reste la plus empirique des sciences et qu'en une matière aussi fluide les erreurs de bonne foi peuvent se révéler aussi fructueuses que les vérités successives, il y a que Mme de Staël demeure un des personnages les plus controversés de l'histoire littéraire. Si peu croyable que ce soit, il subsiste encore après cent quarante ans de la prévention et de l'humeur contre elle et, par voie de conséquence, de l'aveuglement. Cela tient en partie à la masse grossissante des livres, des brochures, des articles consacrés à telles de ses activités, à telles de ses aventures. La surabondance de la documentation n'est pas loin de produire le même effet que son défaut. On voit cette femme démesurée sous tant d'angles et par tant de côtés, petits et grands, qu'on la voit mal, qu'on perd sa ligne, qu'on ne la voit plus.

« Le public ignore l'histoire contemporaine parce que les savants ont trop de moyens de la savoir », écrivait Charles Seignobos au seuil de son Histoire politique de l'Europe contemporaine. Toutes proportions gardées, je crains aussi que la vie de Mme de Staël qui est partie de l'histoire de la Révolution et de l'Empire ne soit si mal connue du public que parce que les biographes eurent trop de moyens de la connaître.

Dans la forêt staëlienne, les tentations sont multiples, les sollicitations, innombrables. Ce qu'il faut retenir importe moins que ce qu'il faut croire. Les lettres surtout cachent mille pièges. On les juge toutes sincères parce qu'elles sont authentiques et on se laisse aller à leur faire signifier ce qu'elles ont l'air de dire. Que l'on a vite fait de se leurrer et d'entraîner le lecteur sans défense! Quelle redoutable responsabilité est donc celle du biographe! Pour l'avoir assumée un moment, j'ai pris une conscience plus nette de la précarité de mes moyens et de la témérité de ma tentative. Mais comme cela ne m'a pas détourné de la poursuivre, je n'ai droit à aucune indulgence.

NOTES ET SOURCES

Les notes ont été réduites à leur plus simple expression. Elles ne figurent presque jamais en bas de page et sont données, quand elles s'imposent, dans le corps des citations, en italique et entre crochets.

Quant aux sources, en dehors de celles indiquées dans le texte et ci-dessous, elles sont si abondantes et variées qu'on ne peut prétendre à les recenser toutes. La seule nomenclature détaillée des dix-neuf volumes de Germaine de Staël; des quinze de Jacques Necker, son père; des cinq de Suzanne Necker, sa mère; sans parler des œuvres des membres de la famille, Auguste de Staël, son fils; Albertine de Broglie, sa fille; Victor de Broglie, son gendre; John Rocca, son second mari; Albertine Necker de Saussure, sa cousine, prendrait quelques pages. Je crois préférable de m'en tenir à un aperçu sommaire, déjà très impressionnant, de la vie bibliographique de Mme de Staël, que je vois divisée en trois périodes.

***

La première — période familiale — qui dure plus d'un demi-siècle, de 1817 à 1870, est caractérisée par l'action des descendants directs, résolus à moraliser la réputation de Mme de Staël, à embaumer sa mémoire, à s'opposer à toute divulgation, à toute communication, à tout rappel de son passé... sentimental. Une image épurée et blanchie est pieusement et fermement opposée aux libres témoignages et aux souvenirs personnels des contemporains qu'elle parviendra peu à peu à neutraliser, à refouler, à rendre diffamatoires ou au moins tendancieux. Ce sera le règne des Notices qui constitueront à peu près les seules sources des historiens et des biographes pendant cinquante ans.

Notices de Necker sur Mme Necker (1798), d'Albertine Necker de Saussure sur Germaine de Staël (1820), d'Auguste de Staël sur Necker (1820), d'Albertine de Broglie sur Auguste de Staël (1829). Notices sur Germaines de Staël par Sevelinges dans la Biographie Michaud (1843) et par Philarète Chasles dans la Biographie Firmin Didot (1865).

Au lendemain de la mort et de la publication des inédits de Germaine de Staël, les écrivains politiques Bonald et Bailleul en tête, analysent et combattent les idées répandues dans les *Considérations* qui paraissent subversives aux monarchistes et de nature à troubler les sujets de Louis XVIII. Mais les littéraires, Benjamin Constant, Lamartine, Chateaubriand, Stendhal, Hugo... saluent en Mme de Staël la femme généreuse, le défenseur des libertés spirituelles, l'annonciatrice du romantisme français. Son œuvre et sa personne après 1830 ne sont que de loin en loin l'objet d'études sérieuses. La plus attachante, la plus fouillée reste celle de Sainte-Beuve (1835), la plus colorée, la plus vive, celle de Michelet (1854).

***

La seconde période — haussonvillienne — qui couvre elle aussi un demi-siècle environ, de la défaite française de 1871 à la défaite allemande de 1918, est caractérisée, après la mort de Victor de Broglie et d'Adèle de Staël (bru de Mme de Staël) par un timide relâchement des consignes familiales. Le comte Othenin d'Haussonville, petit-fils de Victor et d'Albertine de Broglie, entrouvre prudemment la porte des archives de Coppet et, ne retenant pour les livrer au public que des lettres et des documents de tout repos, alimente les sources sans les troubler avec des communications dans les grandes revues, un plaisant ouvrage *Le Salon de Mme Necker*, que suivront en 1925 *Mme de Staël et M. Necker* et en 1928 *Mme de Staël et l'Allemagne* (Calmann-Lévy).

Dans le même temps une comtesse allemande, Charlotte de Leyden, devenue Lady Blennerhasset — qui n'eut pas accès aux archives de Coppet — composa par ses seuls moyens d'investigation le premier ouvrage biographique de libre inspiration, étude solide, abondante, objective en trois gros volumes dans lesquels on n'a pas fini de puiser. L'œuvre parut d'abord en allemand (1889) puis en anglais et en français (1890). Albert Sorel publia la même année une étude dense, lucide, ramassée en 200 pages (Hachette, 1890), modèle de concision et de clarté. Dans une chronique du « Temps », Albert Sorel présenta chaleureusement l'ouvrage de Lady Blennerhasset, louant le confrère allemand d'avoir voilé les faiblesses de Mme de Staël « sans les dissimuler ».

La sortie simultanée de ces deux livres, le succinct et le prolixe, va stimuler les chercheurs. De 1900 à 1920, deux essais scrupuleux se détachent du groupe des publications : *Mme de Staël et Napoléon* de Paul Gautier (Plon, 1903) et *Mme de Staël et la Suisse* de Pierre Kohler (Payot, Lausanne, 1916). Ce dernier ouvrage, thèse bourrée de notes, de lettres, de renseignements de toutes sortes est devenu un des classiques les plus estimés de la collection staëlienne. Pierre Kohler, après Frédéric Amiel (*Mme de Staël*, 1876), veut que l'auteur de *Corinne*, cosmopolite par ses origines, ses affinités, ses alliances, soit aussi suisse que française.

La troisième période, l'actuelle, sera décisive pour la connaissance de Germaine de Staël. C'est la période pangienne que caractérise en effet l'action de la comtesse Jean de Pange, née Broglie, descendante de Mme de Staël. Tant par ses propres travaux que par l'orientation donnée à la Société des Études staëliennes qu'elle anime et préside, Mme de Pange a marqué sa souriante volonté de sortir Mme de Staël du tunnel, de lui restituer son vrai visage, son vrai caractère, sa vraie vie. La situation s'est retournée. Tout ce qui risquait en 1820 de gêner, voire de léser réellement les familles Staël et Broglie peut être aujourd'hui révélé ou découvert sans offense ni danger. Les descendants de Mme de Staël n'ont plus que des raisons de se réjouir du zèle et de la hardiesse des chercheurs. Les familles d'Haussonville et Le Marois ont à leur tour commencé à lever les anciens interdits et contribuent ainsi au succès de l'œuvre de réanimation de Mme de Staël qui ne pourra plus désormais être compromise ou ralentie.

***

Voici, parmi les très nombreux ouvrages de cette période, ceux qui m'ont été le plus utiles auxquels j'ai ajouté quelques titres importants des périodes antérieures, en particulier pour les recueils de lettres.

ÉTUDES D'ENSEMBLE :

David-Glass Larg : *La Vie dans l'Œuvre* (Essai de biographie morale et intellectuelle. I. 1766-1800 (Champion, 1924). II. 1800-1807 (Champion, 1928). Larg dû malheureusement arrêté à 1807.

Marie-Louise Pailleron : *Mme de Staël* (Hachette, 1931).

R. Mac Nair Wilson : *Mme de Staël et ses amis*, traduit de l'anglais par G. Roth (Payot, 1934).

Pierre de Lacretelle : *Mme de Staël et les hommes* (Grasset, 1939).

(On annonce la publication aux États-Unis d'une biographie anglaise de Christopher Hérold, Indianapolis, 1958).

SUR LES PARENTS ET LA JEUNESSE :

Lavaquery : *Necker, fourrier de la Révolution* (Plon, 1933).

Édouard Chapuisat : *Necker* (Recueil Sirey, 1938).

Pierre Jolly : *Necker* (Presses Universitaires, 1951).

André Corbaz : *Mme Necker* (Payot, Lausanne, 1945).

Édouard de Callatay : *Mme de Vermenoux* (Genève, La Palatine, 1956).

Germaine de Stael : *Journal de mon cœur*, Journal de jeunesse publié par Mme de Pange (Occident, Cahiers staëliens, 1930-1932).

Catherine Rilliet-Huber : *Notes sur l'enfance de Mme de Staël* (Occident, Cahiers staëliens, 1933-1934).

SUR ÉRIC DE STAEL ET LE PREMIER MARIAGE :

AUGUSTE GEFFROY : *Gustave III et sa cour* (Didier, 1867).
COMTE D'HAUSSONVILLE : *Femmes d'autrefois et hommes d'aujourd'hui* (Émile Perrin, 1912).
MME JEAN DE PANGE : *Monsieur de Staël* (Les Portiques, 1931).

SUR LOUIS DE NARBONNE :

ÉMILE DARD : *Le comte de Narbonne* (Plon, 1943).
ACHILLE BIOVES : *Mme de Staël, Narbonne et leurs amis à Juniper Hall* (Nouvelle Revue, juillet 1911).
CLAUDE LÉON : *M. de Narbonne, ministre de la Guerre* (Œuvres libres, décembre 1938).

SUR BENJAMIN CONSTANT :

BENJAMIN CONSTANT : *De l'esprit de conquête* (Paris, 1814), *Adolphe* (Paris, 1816), *Mémoire sur les Cent-Jours* (Paris, 1820), *Cécile*, présentée par Alfred Roulin (Gallimard, 1951), *Journaux intimes*, version intégrale présentée par Alfred Roulin et Charles Roth (Gallimard, 1952).
LUCIE ACHARD : *Rosalie de Constant* (Genève, 1902).
GUSTAVE RUDLER : *La jeunesse de Benjamin Constant* (A. Colin, 1909). *Adolphe de Benjamin Constant* (Malfère, 1935).
ALFRED FABRE-LUCE : *Benjamin Constant* (Fayard, 1939).
DORETTE BERTHOUD : *La seconde Mme Benjamin Constant* (Payot, 1943). *Constance et grandeur de Benjamin Constant* (Payot, 1949).
CHARLES DU BOS : *Grandeur et misère de Benjamin Constant* (Corrêa, 1946).
HENRI GUILLEMIN : *Vous n'êtes pas Français, Benjamin* (Figaro Littéraire, 11 février 1956).
FRANÇOIS MAURIAC : *Quelqu'un ou personne* (Figaro Littéraire, 6 octobre 1956).
MAURICE LEVAILLANT : *Les amours de Benjamin Constant* (Hachette, 1958).

SUR MADAME RÉCAMIER.

MME LENORMANT : *Souvenirs* (Paris, 1859), *Coppet et Weimar* (Paris, 1862). *Mme Récamier et les amis de sa jeunesse* (Paris, 1874).

CHATEAUBRIAND : *Mémoires d'outre-tombe* (Livre 29). *Lettres à Mme Récamier*, présentées par Maurice Levaillant et E. Beau de Loménie (Flammarion, 1951).
ÉDOUARD HERRIOT : *Mme Récamier et ses amis* (Plon, 1904; Payot, 1924; Gallimard, 1934).
LOUIS MARTIN-CHAUFFIER : *Chateaubriand ou l'obsession de la pureté* (Gallimard, 1943).
MAURICE LEVAILLANT : *Une amitié amoureuse Mme de Staël et Mme Récamier* (Hachette, 1956).
ANDRÉ BILLY : *Chateaubriand et l'amour* (Revue de Paris, avril 1957).

SUR A. W. SCHLEGEL ET L'ALLEMAGNE.

JEAN-MARIE CARRÉ : *Mme de Staël et Henry Crabb Robinson* (Revue d'Histoire littéraire, tome 19, 1912).
MME JEAN DE PANGE : *Auguste-Guillaume Schlegel et Mme de Staël* (Éd. Albert, 1938).

SUR JOHN ROCCA.

MME JEAN DE PANGE : *Le dernier amour de Mme de Staël* (La Palatine, Genève 1944).

MÉMOIRES.

MME DE GENLIS : *Mémoires* (Paris, 1825).
VICTOR DE BROGLIE : *Souvenirs*, Tome I (Calmann-Lévy, 1886).
MME DE BOIGNE née d'Osmond : *Récits d'une Tante*, publiés par Ch. Nicoullaud (Plon, 1907; Émile-Paul, 1921).
MME DE DAX D'AXAT : *Souvenirs* (Revue de Paris, juillet 1933).

DIVERS.

DOCTEUR PORTAL : *Notice sur la maladie et la mort de Mme de Staël* (Paris, 1821).
HENRI HEINE : *De l'Allemagne* (Paris, 1835).
EUGÈNE RITTER : *Notes sur Mme de Staël, ses ancêtres, sa famille* (Genève, 1899).
ÉDOUARD HERRIOT : *Un ouvrage inédit de Mme de Staël* « Des Circonstances actuelles... » (Plon, 1904).
ÉDOUARD CHAPUISAT : *Mme de Staël et la police* (Genève, 1910).
MAURICE SOURIAU : *Les idées morales de Mme de Staël* (Bloud, 1910).

Doris Gunnell : *Mme de Staël et l'Angleterre* (Revue des Deux Mondes, 1913).

B. A. Jones : *Une amie de Mme de Staël*, Fanny Randall (Revue de littérature comparée, juillet 1930).

Docteur R. L. Hawkins : *Mme de Staël and the U. S.* (Harward, 1930).

Jacques de Broglie : *Mme de Staël et sa cour au château de Chaumont* (Plon, 1936).

Yvonne Bézard : *Mme de Staël d'après ses portraits* (Attinger, 1938).

Docteur André Finot : *Mme de Staël ou la gynandre*, essai de clinique romantique (Laboratoire Houdé, 1939).

Geneviève Gennari : *Le premier voyage de Mme de Staël en Italie* (Boivin, 1947).

Bengt Hasselrot : *Nouveaux documents sur Benjamin Constant et Mme de Staël* (Copenhague, 1952).

Robert Escarpit : *L'Angleterre dans l'œuvre de Mme de Staël* (Marcel Didier, 1954).

LETTRES

Lettres de Mme Necker à Mme de Brenles, recueillies en Suisse par le comte Fédor Golowkine (Genève, 1821).

Lettres de Mme de Staël à la grande duchesse Louise de Weimar, publiées par Mme Lenormant dans Coppet et Weimar (Michel Lévy, 1862).

Lettres de Sismondi à Mme d'Albany (1807-1823) publiées par Saint-René Taillandier (Michel Lévy, 1863).

Lettres de Mme de Staël à Alexandre Ier publiées par le général Schilder (Revue de Paris, 1897).

Lettres de Mme de Boufflers à Gustave III publiées par Aurélien Vivié (Bordeaux, 1900).

Lettres de Mme de Staël à Henri Meister présentées par Paul Usteri et Eugène Ritter (Hachette, 1903) avec des lettres de Mme de Staël à Schlegel et de Mme Rilliet-Huber à Meister.

Lettres de Mme de Staël à Pedro de Souza et à Monti présentées par H. Faure (La Revue, août-septembre 1903) d'après l'ouvrage de Claudia de Campos (Mme Voz de Carvalho) sur le duc de Palmella (Lisbonne, 1898); Les lettres à Pedro de Souza sont reproduites avec d'autres dans Oswald et Corinne, par Maurice Dumoulin (Études et portraits d'autrefois, Plon, 1911).

Lettres de Mme de Staël à Nils von Rosenstein publiées par Lucien Maury (Revue bleue, mai-juin 1905).

Lettres de Mathieu de Montmorency à Mme Necker de Saussure présentées par Paul Gautier (Plon, 1908).

Lettres de Mme de Staël à Lord Harrowby présentées par Doris Gunnell (Mercure de France, tome XCIII, 1911).

Lettres de Mme de Staël à Jean de Muller présentées par Fernand Baldensperger (Bibliothèque universelle, tome LXV, février 1912).

Lettres de Mme de Staël à Adrien de Mun (Revue de Paris, décembre 1923).

Lettres de Mme de Staël à François de Pange présentées par Mme Jean de Pange (Plon, 1925).

Lettres de Mme de Staël à Necker présentées par le comte d'Haussonville (Calmann-Lévy, 1925 et 1928).

Lettres de Mme de Staël à Maurice O'Donnell présentées par Jean Mistler (Calmann-Lévy, 1926).

Lettres de Mme de Staël à Talma présentées par Guy de La Batut (Éd. Montaigne, 1928).

Lettres de Mme de Staël à Benjamin Constant (1813-1816) publiées par la baronne de Nolde, avant-propos de Gustave Rudler, introduction et notes de Paul-Léon (Kra, 1928).

Lettres de Prosper de Barante à Mme de Staël publiées par la baronne de Barante (Clermont-Ferrand, 1929) contient aussi des lettres de Claude-Ignace de Barante à son fils et de Prosper de Barante à son père.

Lettres de Mme de Staël à son mari, Éric de Staël-Holstein, présentées par Mme la comtesse Le Marois (Revue des Deux Mondes, juin-juillet 1932 et mars-avril 1939).

Lettres de Mme de Staël à Juste Constant de Rebecque présentées par Gustave Rudler (Droz, 1937).

Lettres de Mme de Staël au baron Voght présentées par le baron Sieveking (Hambourg, 1939).

Lettres de Benjamin Constant et de Mme de Staël à Claude Hochet présentées par Jean Mistler (Neuchâtel, la Baconnière, 1949).

Lettres de Mme de Staël à Mme Récamier présentées par Emmanuel Beau de Loménie (Domat, 1952).

Lettres de Mme de Staël à Bernadotte présentées par Desfailles (Institut Napoléon, 1955).

Lettres de Mme de Staël à Wellington et de Wellington à Mme de Staël présentées par Victor de Pange (Revue des Deux Mondes, janvier 1958), extraites de sa thèse *Mme de Staël et la Société anglaise* (Oxford 1956).

A paraître en 1959 : Lettres de Mme de Staël à Louis de Narbonne présentées par Georges Solovieff (Éditions du Rocher). Il s'agit de 150 lettres inédites, découvertes aux États-Unis qui se rapportent aux années 1792-1794.

DE L'ALLEMAGNE.

Enfin, en cette fin d'année 1958, Mme Jean de Pange publie dans la collection « Les Grands Écrivains de la France » (Hachette) les deux premiers volumes de *De l'Allemagne*. Cette nouvelle édition qui comptera cinq volumes a été établie, avec le concours de Mlle Simone Balayé, bibliothécaire à la Bibliothèque nationale, d'après les éditions originales et les manuscrits qui, conservés dans la tour des archives de Coppet, n'avaient encore été l'objet d'aucune étude sérieuse.

PREMIÈRE PARTIE

La fille de M. Necker
(1766-1804)

« *Je regrette de ne pas avoir lié, de ne pas lier mon sort à un grand homme. C'est la seule gloire d'une femme sur terre.* »

(Journal de jeunesse)

« *Qui sait si le temps ne nous ôte pas plus qu'il ne nous donne?... Comment consentir à s'attendre et renvoyer à l'époque d'un avenir incertain l'expression d'un sentiment qui nous presse?* »

(Lettres sur Jean-Jacques Rousseau)

« *Il faut jeter des torrents de lumière sur les principes.* »

(De la littérature)

I

Un titre de baronne payé bien cher

C'EST par un accouchement dramatique qu'Anne-Louise-Germaine Necker, grosse fille joufflue aux yeux bleus, fait le mardi 22 avril 1766, à six heures du soir, son entrée dans le monde. Elle naît à Paris, rue Michel-le-Comte, dans les appartements de la banque Thélusson-Necker que ses parents quittent, quelques semaines plus tard, pour le fastueux hôtel Leblanc de la rue de Cléry.

Là, Mme Necker, née Suzanne Curchod, compose et dirige à la gloire de son financier et pour son propre plaisir de bas bleu, un des salons littéraires les plus compassés et les plus cotés de la fin du règne de Louis XV.

Éducatrice ambitieuse et méthodique, Suzanne Necker n'attend que cinq ans pour introduire progressivement « Minette » dans le cercle de ses illustres fidèles. Savants, encyclopédistes, littérateurs, diplomates, gens du monde prennent en sympathie l'enfant prodige, immobile et droite sur son tabouret, qui écoute, observe, retient, répond comme une grande personne et joue déjà avec les idées, les thèses, les phrases comme d'autres avec les chiffons et les poupées.

Quand meurent à quatre mois d'intervalle, en 1778, Voltaire et Rousseau, au début du règne de Louis XVI et que Paris « hôtellerie de l'Europe » s'épanouit dans l'optimisme et le plaisir de vivre, le salon de Mme Necker qui a suivi l'ascension du banquier genevois devenu contrôleur des finances est de plus en plus vanté et recherché.

Intoxiquée de philosophie, d'économie politique, de littérature, bourrée de grec et de latin, surmenée par les programmes et les horaires maternels, mais toujours prête à parader, à donner drôlement la réplique à ses grands amis, Minette fait à douze ans représenter sa première pièce *Les Inconvénients de la vie de Paris* devant une assistance choisie, réunie au château de Saint-Ouen que Necker vient d'acquérir. Demeure princière où Suzanne, durant la belle saison, accueille les habitués de son salon parisien maintenant installé rue Neuve-des-Petits-Champs dans l'hôtel du Contrôle général. Henri Meister, dans la *Correspondance de Grimm* consacre un article à la première comédie de Mlle Necker...

C'est à Saint-Ouen, en cette même année 1778, que Germaine fait la connaissance de sa première camarade Catherine Huber qui a son âge et deviendra une de ses plus remuantes amies.

C'est aussi à Saint-Ouen que Necker, trois ans plus tard, se réfugie, amer et glorieux, après sa démission provoquée par les remous de l'immense succès du fameux « Compte rendu au roi » dont le retentissement s'explique aisément. Pour la première fois sous le règne absolu des Bourbons la vérité chiffrée, sur les privilèges, les donations, les pensions, les charges, les faveurs, les abus, est révélée à la Nation. On ne s'en avise pas tout de suite, mais ce livre de justification personnelle, conçu comme un plaidoyer, permet aux taillables et corvéables de situer l'injustice et de dénoncer les scandales. C'est en cela que Necker apparaît à la Cour comme un révolutionnaire aussi dangereux que Turgot. C'est « le Compte rendu » qui fera considérer Necker par Louis Blanc comme « le père du socialisme » et de nos jours par l'abbé Lavaquery comme le « fourrier de la Révolution ».

Le lourd et pompeux « Compte rendu », par le ton élevé de ses considérations générales, exalte en Minette la lectrice de Montesquieu et lui inspire une analyse dithyrambique de l'ouvrage qu'elle adresse anonymement à son père.

***

Quelques mois plus tôt, la fillette semblait très malade. L'explosion de la puberté, contrariée par le corset, le manque d'air et d'exercices physiques, avait ouvert une crise grave.

Théodore Tronchin, « Esculape Tronchin » disait Voltaire, sonne alors le glas des espérances de Suzanne. Il ordonne, en bon hygiéniste, le relâchement des disciplines intellectuelles : « Plus de bonnet, plus de ces savantes coiffures... Les cheveux dénoués, flottant au vent... Plus de poitrine comprimée dans le corps baleiné. Des vêtements amples et simples ne gênant ni la respiration ni le mouvement. Plus de vie de Paris. Plus de salon ni de tabouret. Plus de discussions littéraires. Envoyez-la d'urgence à Saint-Ouen ! »

L'enfant prodige échappe ainsi à sa mère qu'elle respecte et ménage, mais dont le rigorisme la heurte. Elle se rapproche de son glorieux père, plus tendre, plus gai, plus fin. Avec sa mère, elle est en classe. Avec son père, en récréation, même lorsqu'ils parlent tous deux politique et philosophie...

« ... Ces entretiens dont Mme Necker n'était point exclue, mais dont sa présence changeait la nature, ne pouvaient lui être entièrement agréables, note Albertine de Saussure, la cousine de Germaine. Elle [*Mme Necker*] avait à un très haut degré l'admiration, la confiance et même l'amour de son mari ; mais pourtant sa fille correspondait mieux qu'elle à un certain genre piquant et inattendu qu'on remarquait parfois chez M. Necker... »

Une anecdote, contée par Charles-Victor de Bonstetten, bailli de Nyon, grand ami de la famille, peint sur le vif les caractères et les rapports intimes des trois Necker. Bonstetten dînait, seul invité à l'hôtel du Contrôle général. Suzanne dirigeait la conversation. Necker, maussade et distrait, était ailleurs. Germaine essayait en vain de faire sourire son père. Soudain, pour une réponse à un messager, Mme Necker doit s'absenter quelques minutes. Sa mère à peine sortie, Germaine jette sa serviette à la tête de son père qui l'attrape en riant et s'en coiffe. Germaine court la reprendre mais Necker, levé, met sa fille au défi de la lui arracher. Ils se poursuivent alors autour de la table sous les yeux de Bonstetten riant aux larmes, quand Suzanne qu'ils n'avaient pas entendue approcher, les surprend, stupéfaite et figée, en pleine folie. Dans un silence sépulcral, les coupables reprennent leurs places respectives. Sans un mot Suzanne se rassied à son tour et le dîner, servi par les valets qui n'ont pas bronché, s'achève cérémonieusement comme il a commencé.

***

Cependant la grande affaire du mariage de Germaine préoccupe déjà ses parents. Le premier prétendant a pris date dès 1779, afin d'avoir au moins l'avantage de la priorité...

C'est un gentilhomme suédois de vingt-neuf ans — dix-sept de plus que Minette — Eric-Magnus de Staël-Holstein, simple attaché à l'ambassade du comte de Creutz à Paris et proposé à Mme Necker par Mme de Boufflers, beauté sur le retour, « l'idole du Temple » amie du roi de Suède et de Staël.

Joueur prodigue et brillant, uniquement attiré par la dot qui sera de 650.000 livres, Staël n'a guère pour lui que son physique, sa prestance et son titre de baron. Les Necker ne sont pas autrement séduits mais, protestants, ils sont limités dans leur choix. Seul un homme de la religion réformée peut épouser leur fille. Il est un moment question du jeune et déjà célèbre William Pitt que Germaine décline contre toute attente, du comte de Fersen retenu ailleurs, d'un autre charmant Suédois, Stedingk, du prince Georges-Auguste de Mecklembourg qui aurait rendu Germaine belle-sœur du roi d'Angleterre, de deux ou trois Français sans relief et de deux ou trois estimables Suisses, pareillement dédaignés. Finalement Staël est jugé le parti le plus convenable. Mais Necker pose ses conditions et traite de puissance à puissance avec le jeune roi de Suède Gustave III, auteur dramatique à ses heures et le plus parisien des souverains. Mlle Necker ne pourra devenir Mme de Staël que si le roi donne à Eric-Magnus le titre d'ambassadeur de Suède à Paris. Les pourparlers durent sept années. Gustave III s'exclame, résiste, discute, mais cède. Staël pourra payer ses dettes et, ce qui l'intéresse davantage, en risquer de nouvelles. Germaine Necker sera ambassadrice à vingt ans. Elle pourra ouvrir un salon qui éclipsera rapidement celui de sa mère, dans l'hôtel de la rue du Bac. Le 14 janvier 1786 le mariage de cette fille de feu et de cet homme de glace est célébré à la chapelle de Hollande où a été béni vingt-deux ans plus tôt celui de Jacques Necker et de Suzanne Curchod.

***

Ni l'âge ni l'expérience d'Eric n'intimident Germaine. Dès ses fiançailles, elle l'a pesé : « ...C'est un homme parfaitement honnête, incapable de dire ni de faire une sottise, mais stérile et sans ressort... » Il n'est son vrai mari que peu de temps. Il est déjà usé à trente-sept ans. Il n'émeut sa femme, ni sentimentalement ni physiquement. Il n'est vraisemblablement le père que du premier des enfants de Mme de Staël, la petite Gustavine qui, chétive, condamnée, meurt à dix-huit mois, le 8 avril 1789. Déjà Germaine n'est plus que l'associée de son mari. Elle couche plus souvent à Saint-Ouen, à Versailles, à Fontainebleau qu'au domicile conjugal. Elle dispose de son temps à sa guise, écrit des comédies, rédige d'amusants rapports sur la vie à Paris pour Gustave III qui s'en délecte, compose son premier ouvrage *Lettres sur les écrits et le caractère de Jean-Jacques Rousseau*, reçoit, sort, discute, s'affiche avec ses amis, indifférente aux commérages, aux remontrances de sa mère et aux colères d'Eric qui supporte très mal, bien qu'il l'ait obstinément cherché, d'être tenu sous la dépendance financière et spirituelle de sa femme.

Ils ne peuvent pas s'entendre. Elle aime la société pour la conversation où elle triomphe, et lui, pour le jeu où il se ruine. Elle aime le mouvement, les bals, les hommages et la compagnie des hommes, les débats littéraires et ne se soucie pas du lendemain. Lui, parvenu si laborieusement à ses fins, ne demande plus qu'à se ranger, qu'à prouver à Gustave III et aux souverains français qu'ils ont eu raison de lui faire confiance. Avec son titre d'ambassadeur et le revenu de la dot de sa femme, il a reçu son bâton de maréchal et, n'ayant plus rien à espérer, il ne peut plus que tout craindre. Il souhaite se montrer un brillant diplomate et attend de Germaine qu'elle l'y aide, non qu'elle l'éclipse et échappe à l'autorité maritale. Son prestige, sa noblesse, sa réputation de séducteur, sa qualité de Suédois, mise à la mode par la faveur de Fersen auprès de la reine, sont de précieux atouts qui compensent largement à ses yeux l'argent et l'esprit d'une fille sans particule et sans beauté.

N'ayant pu se faire aimer, Staël n'a plus guère de moyens d'être respecté. Il n'a droit qu'à une amitié quelque peu dédaigneuse et des égards intermittents. Circonstance aggravante pour lui, le père adoré de Germaine revient en maître aux affaires.

Calonne, Fourqueux, Brienne ont conduit les finances royales au bord du gouffre. Marie-Antoinette inquiète, désolée, a dû faire rappeler Necker dont on attend des miracles. La confiance renaît. Necker, qui les a exigés, a pratiquement les pouvoirs d'un premier ministre. Il convoque les Notables et puis les États généraux, à l'ouverture desquels assiste Germaine et dont la réunion à Versailles suscite dans toute la France tant de grands et pacifiques espoirs... C'est Necker qui fait décider le doublement des députés du Tiers. Il gouverne la France... Sagement, sûrement, fermement, en père du peuple, du moins le croit-il, il ouvre les voies à la Révolution royale. Germaine a vingt et un ans. Elle exulte, elle s'ébroue, elle s'enflamme. Pour la tenir, il faudrait une autre poigne que celle d'Eric. Quelle influence ce Suédois conformiste et distingué peut-il exercer, dans le climat de 1789, sur cette Européenne au cœur français, nourrie de Montesquieu, de Jean-Jacques, de Necker?

Follement amoureuse à quinze ans du comte Jacques-Antoine-Hippolyte de Guibert (l'idole de Julie de Lespinasse) qui en a trente-huit et dont les succès militaires et féminins l'ont éblouie, amie de Mathieu de Montmorency qui a vingt-deux ans, de Jaucourt qui en a trente-deux, de Narbonne qui en a trente-quatre, de Talleyrand qui en a trente-cinq, Germaine, arrivée pure au mariage, reste trois années fidèle à Staël, le temps soit de laisser naître l'amour, soit de se convaincre honnêtement qu'elle ne peut transformer Eric; et, lui reprochant d'être jaloux, elle devient au printemps 1789 la maîtresse du prestigieux Louis de Narbonne, enlevé à Louise Contat la comédienne qui se vengera par une rosserie : « A la rose, il a préféré le bouton. »

L'amour aidant, Germaine prête à son premier amant les plus hautes vertus.

« Ne trouvant pas de héros à aimer, écrit Michelet, elle compte sur le souffle puissant, chaleureux, qui était en elle et, elle entreprit d'en faire un... Elle trouva un joli homme, roué, brave, spirituel, M. de Narbonne. Qu'il eût peu ou beaucoup d'étoffe, elle crut qu'elle suffirait, étant doublée de son cœur... »

Le voilà l'homme prédestiné ! Sous la direction de Necker naturellement, elle le voit préparant avec leurs amis l'avènement de la monarchie libérale dont elle rêve... Mais le 11 juillet 1789, Necker, trop populaire, est renvoyé par Louis XVI. Le ministre quitte aussitôt la France sans une protestation. Avant qu'il arrive en Suisse à sa propriété de Coppet achetée cinq ans plus tôt, il est rappelé à Versailles par le roi inquiet et résigné. Retour triomphal des trois Necker de Bâle à Paris. Dans cette atmosphère l'émeute du 13 et la prise de la Bastille se trouvent réduites aux proportions d'une explosion de colère provoquée par le renvoi du grand homme. Necker s'y trompe comme les autres. Il se croit plébiscité quand il est déjà hors jeu ! Il se survit un peu plus d'un an, dépassé, surmené, consterné, amaigri, considéré successivement durant dix mois comme un sauveur, un martyr et un traître... « Laissons M. Necker entre un passé sans excuse et un avenir sans espoir », tranche Rivarol.

Necker résigne définitivement ses fonctions le 4 septembre 1790, laissant deux millions de sa fortune en dépôt au Trésor royal et dans l'indifférence à peu près générale, traversée même ici et là de suspicion et d'hostilité, il quitte la France avec sa femme déchirée, malade, les nerfs brisés. Ils arrivent à Coppet le 20 septembre, accompagnés jusqu'à la frontière par Narbonne, comme ils l'avaient été par Staël quatorze mois plus tôt.

Germaine, accouchée le 31 août de son fils Auguste, rejoint ses parents dans les premiers jours d'octobre. Elle se croit sûre de ramener bientôt son père à Versailles. Plus clairvoyant que sa fille, le financier assagi, désabusé, ne souhaite plus que travailler dans la retraite à ses mémoires, à sa justification, à sa philosophie. Germaine ne se laisse pas convaincre. S'il ne veut plus combattre, elle combattra pour lui. Elle le mettra en situation de sauver une royauté que la Révolution, croit-elle alors comme la plupart, ne doit pas mettre en péril.

« ... Quelque folie que fasse la France, écrit-elle à Nils von Rosenstein, un ami suédois, tant qu'il y aura de grandes associations d'hommes, la monarchie subsistera; elle est dans la nature des choses et rien ne peut empêcher qu'on n'y revienne... Je crois d'ailleurs que cette révolution est bien plus dirigée contre la noblesse que contre la royauté. Dans le combat de l'aristocratie contre la démocratie, la monarchie peut très facilement tirer son épingle du jeu, et si cela arrive la destruction des corps intermédiaires servira la puissance royale...

... la constitution de la France, détestable, n'établit aucun équilibre. Si le roi a la majorité dans la seule Chambre qui existe, il peut tout; s'il ne l'a pas, il ne peut rien. Que la constitution d'Angleterre est plus habilement combinée et quelles misérables têtes que celles de nos Français qui ont pensé qu'il était au-dessous d'eux de l'imiter et qu'une Constitution avait besoin, comme un poème, du mérite de l'invention... »

Elle rentre à Paris au mois d'août 1791. Elle retrouve son mari, son fils, son amant, ses amis. Elle suit les séances de l'Assemblée nationale dans la tribune diplomatique. Elle multiplie les entretiens et les contacts. A l'hôtel de la rue du Bac où elle convie les hommes de tous les partis, elle se documente, se prodigue, se compromet, se découvre. Son programme sera celui de Mirabeau et de la Gironde. Son exécutant, Narbonne, a le vent en poupe et n'est encore suspect ni à la Cour ni à la Législative. A force de démarches, de pressions, d'intrigues, Germaine obtient à peu près ce qu'elle veut. Le 7 décembre, Louis de Narbonne est ministre de la Guerre et la joie qu'en éprouve Mme de Staël irrite la reine.

***

C'est pour Germaine l'heure de sa plus grande fièvre comme de sa plus grande illusion. Jusqu'au 10 mars 1792 — date du renvoi de Narbonne par Louis XVI — elle croit comme le crut son père qu'elle dominera l'événement ; que la Révolution se laissera conduire pacifiquement à son terme ; que Narbonne, ayant réorganisé l'armée, couvert les frontières, restauré les places fortes, évitera la guerre et tiendra en respect l'Europe entière. La sagesse et la modération prévaudront. Necker pourra revenir consolider les premiers résultats acquis, rétablir la confiance entre la Cour et l'Assemblée, faire de la France une vraie monarchie constitutionnelle et laisser Narbonne achever son œuvre.

« Il ne fallait pas moins que le grand rêveur, le grand fascinateur du monde, l'amour, pour faire accroire à cette femme passionnée qu'on pouvait mettre le jeune officier, le roué sans consistance, créature brillante et légère, à la tête d'un si grand mouvement. La gigantesque épée de la Révolution eût passé comme un gage d'amour d'une femme à un jeune fat... Tout cela était du roman », dit encore Michelet.

Cruel réveil ! En quelques semaines le pot au lait s'est répandu tout entier. Sa bonne foi et ses intrigues de conciliation ont rendu Germaine odieuse à la Cour. Marie-Antoinette la déteste. L'Assemblée se moque de ses prétentions. Les Girondins la désavouent. Les vents tournent. L'affaire de Varennes indigne Gustave III prêt à fermer l'Ambassade, à rappeler Staël à Stockholm. Germaine qui a grand besoin de son titre et de l'hôtel de la rue du Bac, terrain neutre, se rapproche de l'ambassadeur, le stimule, le conseille, le pousse à la résistance passive. Elle écrit elle-même au roi de Suède. Elle tente d'autre part de regagner la confiance de la Cour en adressant en juillet à Louis XVI, par l'entremise de Montmorin qui ne le transmettra pas, un ingénieux plan de fuite de son invention par la Normandie, qui doit faire oublier Varennes...

Mais après le 10 août, démontée, révoltée, elle ne songe plus qu'à cacher, qu'à sauver ses amis, dénoncés à la Commune par les Jacobins. L'hôtel de la rue du Bac, résidence suédoise en principe inviolable, sert de refuge à Narbonne, décrété hors la loi, jusqu'au 14 août. Grâce à l'amitié et au concours d'un jeune médecin allemand, Charles Bollmann, Narbonne gagne Kensington en Angleterre où il arrive le 23 août.

Enceinte de six mois, Germaine se décide, après avoir sauvé Mathieu de Montmorency, Jaucourt et quelques autres, à rejoindre ses parents en Suisse. Staël est à Stockholm en congé. Quittant Paris le 2 septembre, premier jour des massacres, il s'en faut de peu que Mme de Staël ne soit malmenée dans sa berline et arrêtée. Elle proteste, argumente, fouaille et cache sa peur, tient tête, se fait conduire à l'Hôtel de Ville. L'intervention de Manuel, procureur de la Commune, et de Tallien lui permet de sortir le lendemain des barrières. Elle arrive à Coppet le 7 septembre.

Comme les Français ont envahi la Savoie, menaçant Genève, les Necker quittent Coppet quinze jours plus tard et s'installent à Rolle où Germaine donne le jour, le 20 novembre, à son second fils, Albert. A peine délivrée, elle ne songe qu'à se mettre en route, pour l'Angleterre. Ni l'anxiété de sa mère ni les raisons de son père ne la retiennent. Les épreuves qu'elle a subies, la chute verticale de ses illusions, le courant sanglant de la Révolution, l'arrestation du roi, l'horreur de ce qu'elle a vu, l'horreur de ce qu'elle redoute lui rendent plus que jamais nécessaire la présence de l'amant. Seul l'amour peut l'aider à triompher de sa détresse et de son écœurement.

Elle apprend l'exécution de Louis XVI en arrivant à Londres. Indignée, elle condamne la Convention dans une lettre ouverte à Lord Grenville au Foreign Office.

« L'horreur qu'inspire la France dans le plus atroce moment de l'histoire des hommes, ne m'a pas permis de rester sur cette terre à jamais déshonorée; et, sans pouvoir attendre l'arrivée de M. de Staël, je me suis hâtée de chercher un asile dans ce pays glorieux dont les vertus seules font encore croire aux bienfaits de la vraie liberté. Le caractère diplomatique dont M. de Staël est revêtu me fait un devoir de vous prévenir de mon séjour dans la retraite de Juniper Hall. J'ai besoin de ce motif pour triompher de la peine que j'ai à vous parler de moi dans une époque où l'on est si affligé de vivre, qu'il en coûte de se nommer. » [22 *janvier* 1793]

Elle rend visite à Talleyrand, l'énigmatique ami. Elle retrouve Narbonne et les autres réfugiés au manoir de Juniper Hall qu'ils ont loué. Elle propose à Staël, pour la galerie, de venir l'y rejoindre. Mais l'ambassadeur qui tente de son propre chef à Paris un rapprochement franco-suédois décline l'invitation. Sans le rétablissement de sa situation diplomatique, comment espérer revaloriser la conjugale?

Les émigrés français de Juniper Hall souffrent d'une situation délicate que l'amitié de leurs amis anglais, Miss Burnay et le chevalier d'Arblay, ne suffit pas à préserver. C'est le comportement de Mme de Staël qui crée le danger. Malgré ses angoisses Germaine déplace beaucoup d'air. Elle parle, écrit, s'affiche et, ne trompant personne sur la réalité de sa liaison, fait plus ou moins scandale. Elle s'agite d'autant plus que se précise maintenant sa déception amoureuse. Narbonne qui, selon toute vraisemblance, est le père de ses deux fils (la liasse des 150 lettres inédites de Mme de Staël à Louis de Narbonne, récemment découvertes aux États-Unis par Georges Solovieff nous fixera sans doute) est encore son amant, mais il n'aime plus Germaine. Peut-être même ne l'a-t-il jamais réellement aimée... Entre eux désormais en tout cas il y a le spectre de l'échec politique, de la proscription, de la fuite, de la carrière brisée. Ce sont des choses qu'un ambitieux, si gentilhomme qu'il soit, pardonne difficilement à sa maîtresse.

Le cœur lourd, l'esprit toujours plein d'idées et de projets, Germaine quitte l'Angleterre à la fin du mois de mai 1793. Elle ne se tient nullement pour vaincue. Dans un autre climat l'amour doit pouvoir renaître. Malgré la résistance des autorités de Berne qui ne veulent pas d'histoires avec la France, Germaine va favoriser et assurer en Suisse le passage et la sécurité de Narbonne, de ses amis et de tous les suspects et émigrés, connus et inconnus, qu'on lui signale...

En quelques semaines elle parvient à rassembler au château de Mézery, près de Nyon, sous des noms suédois et espagnols, Mathieu de Montmorency, Jaucourt, Théodore de Lameth et enfin Narbonne... Les nouvelles de Paris la bouleversent. Pendant le procès de Marie-Antoinette elle compose et publie sous un anonymat vite percé les *Réflexions sur le procès de la Reine*, généreux appel à toutes les Françaises qui achève de rendre intenable à Paris, après l'échec de son entreprise diplomatique, la situation de Staël.

Humilié, berné, discrédité, l'ambassadeur en qui l'on ne voit déjà plus que « le mari de l'ambassadrice » est à ce moment, après sept ans de mariage, en train de glisser dans une dégradante et très coûteuse aventure avec la Clairon, vieille comédienne avide, presque septuagénaire que Germaine connaît bien, ayant appris très jeune à dire les vers sous la direction de cette incomparable actrice.

Après avoir demandé à l'occultisme et à la magie un allègement de ses misères, Staël, victime de sa faiblesse et sans doute de sa dépravation, cherche une autre sorte d'oubli dans l'alcôve de la Clairon qui n'est pas seulement experte en art dramatique et fait payer très cher au malheureux ses secrètes visites.

Germaine ne tient plus à son pitoyable mari qui vient pleurer misère auprès de son beau-père à Coppet que par le nom et le titre. Elle a rencontré, avant l'arrivée de Narbonne qui se fait cruellement attendre, un séduisant compatriote d'Eric, le comte de Ribbing-Leuvenhaupt, l'un des trois conjurés qui, le 14 mars 1792, conçurent et organisèrent — à l'Opéra de Stockholm pendant un bal masqué — l'assassinat de Gustave III condamné comme souverain réactionnaire et despotique par les aristocrates libéraux. La beauté du régicide, son prestige de combattant de la liberté agissent sur les sens de Germaine. Ribbing devient son second amant.

Si l'espoir de rendre Narbonne jaloux entre pour quelque chose dans ce caprice, Germaine en est pour ses frais. Les deux hommes, très vite amis, vont pêcher ensemble la féra sur le lac. Narbonne ne tient décidément plus à Germaine. Il renoue avec Mme de Laval, de sept ans son aînée, mère de Mathieu de Montmorency... La trahison accable Germaine. Mme de Laval est la plus ingrate des rivales. Elle n'a en effet pu fuir Paris avant les massacres et gagner Lausanne où Narbonne la retrouve que grâce à l'admirable zèle de Mme de Staël...

Dans l'essai sur *l'Influence des passions* publié en 1796 à Lausanne, Germaine livrera, en une quinzaine de pages, l'amer fruit de ses méditations.

« L'amour est la seule passion des femmes; l'ambition, l'amour de la gloire même leur vont si mal qu'avec raison un très petit nombre s'en occupent... pour une qui s'élève, mille s'abaissent au-dessous de leur sexe, en en quittant la carrière... L'amour est l'histoire de la vie des femmes, c'est un épisode dans celle des hommes...

... les hommes peuvent avoir reçu d'une femme les services, les marques de dévouement qui lieraient ensemble deux amis, deux compagnons d'armes, qui déshonoreraient l'un des deux s'il se montrait capable de les oublier. Ils peuvent les avoir reçus d'une femme et se dégager de tout, en attribuant tout à l'amour, comme si un sentiment, un don de plus, diminuait le prix des autres... »

II

Les six personnages

C'est à Lausanne, au château de Beaulieu, que meurt, paraplégique après de longues souffrances stoïquement supportées Suzanne Necker, le 15 mai 1794, à cinquante-six ans. Elle disparaît trois mois après l'historien Edward Gibbon qu'elle avait ambitieusement distingué à Lausanne trente-sept ans plus tôt, lorsqu'elle attendait avec anxiété, pour se dévouer à son avenir, qu'il tînt sa promesse de l'épouser. Mais fille d'un modeste pasteur de village, Suzanne Curchod n'avait pour dot que sa grâce un peu gauche, ses cheveux dorés, ses yeux bleus et son savoir; elle écrivait le grec et le latin comme le français. Le père de Gibbon n'eut aucune peine à faire renoncer son fils à une aussi piètre union. Mortifiée, Suzanne, grâce à l'ami Moultou, se plaça comme gouvernante-institutrice d'enfant chez une belle dame de Paris, jeune, riche et veuve, venue consulter Tronchin à Genève, Anne-Germaine de Vermenoux.

Un solide banquier tournait lourdement autour d'Anne et l'avait demandée en mariage. Elle riait de la mine, des gestes et des déclarations de Necker avec ses galants. Mais la fortune et l'assurance du gros homme l'impressionnaient. Elle ne se décidait pas. Alors las d'être lanterné par la maîtresse Jacques Necker remarqua la gouvernante et l'épousa. « Ils s'ennuieront tellement ensemble que ça leur fera une occupation » lança la jolie veuve pour masquer son dépit. Mais elle resta leur amie et accepta même d'être la marraine de Minette. Deux ans plus tard Suzanne Necker recevait Gibbon à l'hôtel Leblanc. Quelle revanche !

« Jamais ma vanité féminine, écrit-elle à la châtelaine de Crassier, son village natal, n'a eu un triomphe plus complet et plus honnête qu'en voyant celui qui m'avait dédaignée devenu auprès de moi doux, simple, décent jusqu'à la pudeur, témoin perpétuel de la tendresse de mon mari et admirateur zélé de l'opulence... »

Suzanne adora son Jacques et le servit de toutes les manières. La vie conjugale de ces deux parvenus offre un modèle d'intelligente collaboration d'ambitions, d'entraide parfaite de vanités. Cependant si le mariage avec Necker avait magiquement satisfait les fringales de richesse et de rayonnement de Suzanne, il n'avait pas apaisé toutes ses ardeurs sentimentales. Necker était un travailleur et un boulimique sans autres grands appétits, de cœur ni de chair. Suzanne par contre était faite pour l'amour, comme le sera Germaine. Mais honnête et fidèle autant par règle morale et devoir religieux que par passion de gratitude, elle ne pouvait aimer que son mari. Elle eut pourtant des adorateurs dont l'ennuyeux Thomas et l'emphatique Buffon (que d'Alembert appelait « le roi des phrasiers » et qui flamba pour elle à soixante-huit ans... et durant quatorze ans, jusqu'à sa mort) furent les plus prestigieux. Suzanne se grisait de leurs hommages et les laissait s'exalter par correspondance. Elle savoura ainsi, sans risques, certains des innocents plaisirs de l'adultère. Elle vivait dans le feu de l'amour avec un vêtement ignifugé par la vertu. Fière d'inspirer des passions, fière de s'être immunisée. Germaine qui héritera son tempérament, en fera un tout autre usage. C'est que, sans parler des sangs, si pour Suzanne la morale fut affaire de religion, pour Germaine elle sera affaire de conscience. La damnation pour Suzanne, c'était le péché. Pour Germaine, le péché c'est l'hypocrisie, c'est le mensonge. Les deux femmes se ressemblaient et Germaine ne s'en avisera que longtemps après la mort de Suzanne, mais tandis que la mère mit son orgueil à se discipliner, à se contenir, à ne rien laisser paraître dans son maintien, dans sa parole, des feux qui la brûlaient, la fille, répudiant tous les freins, ne cherchera qu'à se libérer des contraintes.

***

Le chagrin du bon mari, qui a suivi la lente, édifiante et douloureuse agonie de sa compagne, est immense. Celui de Germaine, mesuré et décent.

Necker attend trois mois à Beaulieu auprès du cercueil de l'épouse l'achèvement de l'étrange sépulture où, selon ses dernières volontés, Suzanne reposera dans un enclos du parc de Coppet.

C'est en visitant l'Hôtel-Dieu en 1777, bouleversée du désordre, de l'incurie, de l'entassement, de la saleté qui y régnaient, effrayée de voir qu'on ensevelissait souvent des malheureux sans avoir constaté leur mort, que Mme Necker pensa pour la première fois — en même temps qu'à l'organisation de sa propre sépulture — à une réforme publique des hôpitaux provoquée par l'installation, sur son initiative et sous sa direction, d'un hospice de cent vingt lits dans un ancien établissement des Bénédictines de la paroisse de Saint-Sulpice, au delà de la barrière de Sève, établissement auquel le Conseil général des hôpitaux donna en hommage, en 1802, le nom d'Hôpital Necker.

Après la mort de sa mère, Germaine qu'aucun événement, qu'aucune douleur, qu'aucun deuil n'empêcheront jamais de parler, de bouger, de correspondre et d'écrire, reprend le cours de ses multiples activités, amoureuses, politiques, littéraires et charitables. Elle loue, pour y recevoir ses amis, le château de Mézery, proche celui de Beaulieu. Mme de Laval, Adrien et Mathieu de Montmorency, Alexandre et Théodore de Lameth, Narbonne, Ribbing, Jaucourt y séjournent; d'autres qui fuient Genève en proie aux troubles, ne font qu'y passer. Les Excellences de Berne considèrent avec inquiétude ce nid de réfugiés, de hors-la-loi, pour la sûreté desquels Mme de

Staël fait mille démarches, mille courses, mille imprudences. Plus la Terreur sévit en France, plus Germaine se prodigue pour lui arracher de justesse quelques victimes. C'est sa façon de protester contre l'arbitraire. A l'action, elle mêle le verbe. Elle compose *L'Epître au Malheur* dont l'intention excuse la médiocrité.

... Barbares, non jamais ni la mort ni l'Histoire
Ne pourront dignement venger tous vos forfaits...

C'est aussi le moment où elle se lie avec de nombreuses familles suisses de Lausanne et des environs que sa conduite privée ne scandalise pas au point d'étouffer la curiosité qu'elle leur inspire. On la blâme, on la condamne... mais on veut la voir. Elle fait plus ample connaissance avec sa fine et remarquable cousine, Albertine Necker de Saussure, la fille du savant, qui sera sa première biographe. Germaine dira d'Albertine : « Elle a tout l'esprit qu'on me prête et toutes les vertus que je n'ai pas... Elle est moi, perfectionnée. »

Et puis, au cours de ses incessants déplacements, un des derniers jours de septembre 1794, ayant quitté Coppet où sa mère est maintenant embaumée et immergée dans l'esprit de vin, sa voiture est rejointe sur la route de Lausanne par un jeune cavalier aux cheveux roux. Il a un an de moins qu'elle. C'est un Lausannois dont elle connaît déjà partiellement la nombreuse famille et qui depuis plusieurs jours cherche à la rencontrer pour lui parler politique. Il est aimé, patronné et couvé par une maîtresse quinquagénaire, confrère de talent que d'ailleurs Mme de Staël apprécie, Mme de Charrière, née Belle de Zuylen.

Germaine emmène Benjamin Constant à Mézery, séduite par son intelligence et sa lucidité. Cela ne va pas plus loin jusqu'à la fin de l'hiver. On dirait qu'elle craint cette fois de s'engager. Elle parle même d'antipathie physique... Il faut que Benjamin, pressé d'en finir... ou de commencer, lui joue une nuit à Mézery la déplaisante comédie d'un suicide manqué pour que s'ouvre, lentement, cette dramatique et rayonnante liaison.

Six mois plus tard, elle ne peut plus se passer de lui. Ni lui d'elle... Il semble que Germaine de Staël ait soudain découvert l'homme qui peut à la fois parler à son esprit et à ses sens, le velléitaire ambitieux, faible et fort, qu'elle attendait, qu'elle veut guider, défendre, servir, stimuler, grandir. Leurs intelligences se complètent. Elle a la fougue, lui la raison. Elle ne connaît pas d'obstacles, lui les invente et les multiplie. Elle a l'enthousiasme, lui le scepticisme. Elle est généreuse, il est joueur. Elle est riche, il a envie de l'être. Elle croit à la justice, lui à la chance... Elle a l'éloquence, il a l'ironie. Enfin un partenaire digne d'elle à ce jeu grisant de la discussion qu'elle a jusque-là joué quasi seule !

« ... On n'a point connu Mme de Staël, écrit Sismondi, si on ne l'a pas vue avec Benjamin Constant. Lui seul avait la puissance, par un esprit égal au sien, de mettre en jeu tout son esprit, de la faire grandir par la lutte, d'éveiller une éloquence, une profondeur d'âme et de pensée qui ne se sont jamais montrées dans tout leur éclat que vis-à-vis de lui, comme lui aussi n'a jamais été lui-même qu'à Coppet... »

***

Lorsqu'elle rencontre Constant, Germaine a déjà un précieux conseiller pour ses écrits en la personne de l'aimable François de Pange, l'ami d'André Chénier, que l'émigration a fait s'établir imprimeur à la Neuveville, près de Bienne. Elle trouve en Benjamin un autre critique qualifié. Dès la fin de la Terreur en France elle recouvre la faculté d'écrire. Elle prépare la première grande étude psychologique que l'époque lui inspire, le traité *De l'Influence des Passions sur le bonheur des individus et des nations.* Elle publie à Lausanne quelques écrits détachés dont une transposition de son aventure amoureuse avec Narbonne, *Zulma*, brève nouvelle, et c'est dans l'échauffement de ses entretiens politiques avec François de Pange et Benjamin Constant qu'elle compose les *Réflexions sur la Paix, adressées à M. Pitt et aux Français* qui seront lues au Parlement britannique, et les *Réflexions sur la paix intérieure* qui, sur le conseil de François de Pange, ne seront pas publiées.

Dans le climat de la réaction thermidorienne, Germaine se reprend à espérer. Elle se persuade vite que ce qu'elle a manqué avec Narbonne — préparer les voies au retour de Necker — elle doit y parvenir avec Constant. Le passé, si hideux qu'il soit, est le passé. La France respire. Seul l'avenir compte. L'embargo sur les biens français de Necker qui proteste de sa qualité d'étranger, sera levé. Le décret d'arrestation de Mme de Staël, rapporté. Staël lui-même, à nouveau *persona grata*, officiellement chargé de négocier la reconnaissance suédoise de la République française, se sent renaître. Germaine qui ne tient plus en place décide de gagner Paris avec Benjamin. Elle fait à nouveau confiance à Eric, « ambassadeur extraordinaire » pour que soit reconnu par la Convention le droit de l'ambassadrice à rentrer au domicile conjugal. L'amour de Benjamin la rend généreuse et elle traite son mari à cette occasion en vieil ami, ce qu'elle fait d'ailleurs, à diverses reprises, quelquefois par bonté, plus souvent par tactique. « De tous les hommes que je n'aime pas, déclare-t-elle drôlement, c'est celui que je préfère. » Stimulé par ce traitement et ce recours à son autorité, Staël a la joie de réussir.

Germaine franchit la frontière française le 22 mai 1795 avec Benjamin qui s'est lié à elle, pour la vie, par un de ces engagements solennels très en faveur à l'époque. Instruite par l'expérience, Germaine se méfie des femmes mûres, des vieilles maîtresses. Elle ne veut pas que Mme de Charrière lui reprenne un jour Benjamin Constant comme Mme de Laval lui a repris Louis de Narbonne.

Le pacte, qu'elle a signé de son côté, ne la prive pas pour autant de ranimer l'amitié amoureuse commencée en Suisse avec le chevalier de Pange. Elle retrouve François à Paris; le beau Ribbing est là aussi. Germaine est faite ainsi qu'elle ne peut jamais rien lâcher de ce qu'elle tient, au vu et au su de chacun.

« Mme de Staël, écrira sans penser à mal la cousine Albertine, avait une constance extrême dans ses attachements; jamais elle n'a pu rompre avec personne; jamais elle n'a pu cesser d'aimer. »

A peine arrivée rue du Bac, elle reconstitue son salon avec les survivants de la Terreur et les nouveaux messieurs... Forte de sa bonne foi, de sa volonté de conciliation et d'union, de son adhésion sincère au républicanisme que la mort du dauphin le 8 juin au Temple vient légitimer à ses yeux (« Je n'aurais sûrement pas conseillé d'établir une république en France, mais une fois qu'elle existait, je n'étais pas d'avis qu'on dût la renverser »), elle organise des rencontres inquiétantes, travaille au retour des émigrés, obtient celui de Mathieu de Montmorency et se rend une fois de plus suspecte. Plus prudent, moins pressé, Benjamin que les soucis de la France n'intéressent d'ailleurs que comme dialecticien, jette un peu d'huile sur le feu, observe en joueur, la tête libre, la situation, et réalise de fructueuses opérations par l'achat de biens nationaux...

Cependant les compromettantes activités de l'ambassadrice lui valent d'être arrêtée une journée avec François de Pange dans la semaine qui précède l'affaire du 13 vendémiaire. Marie-Joseph Chénier les fera relâcher. Mais après la sanglante répression de l'insurrection par un jeune général corse qu'elle ne connaît pas encore, Germaine qu'on soupçonne d'avoir favorisé les menées monarchistes, est jugée indésirable et priée de quitter la France. Les libelles contre elle se sont multipliés, aussi violents, aussi grossiers que ceux de 1792 et dont celui-ci, intitulé *La réunion de tous les partis* donne le ton :

« St... à tous les partis commande en souveraine
Toutes les factions assistent à sa cour;
Chez elle on voit s'assembler nuit et jour
Le Ventre, le Marais, la Montagne et la Plaine;
Le matin, clandestinement,
Elle reçoit royaliste et feuillant;
Puis, à dîner, sans craindre qu'on la gronde,
Elle reçoit messieurs les gouvernants;
Lorsqu'on vient à sabler le champagne à la ronde,
Arrivent les indépendants;
Elle admet au dessert messieurs de la Gironde;
Lorsqu'on sert le thé, des louvetains
Elle reçoit la troupe immonde;
Au souper sont reçus messieurs les Jacobins.
Le soir, les Montagnards, et la nuit... tout le monde. »

Voulant laisser passer l'orage Germaine s'établit à Forges-les-Eaux, sous prétexte de cure. Elle compte que le Directoire qui s'annonce sera plus compréhensif et courtois que la Convention mourante. Elle se trompe. Le Directoire insiste, s'obstine. Elle doit céder. Elle quitte la France dans la seconde quinzaine de décembre avec Benjamin. Le jour de Noël, le fidèle Mathieu, rentré à Paris en août sur les instances de son amie, est arrêté mais heureusement relâché quelques jours plus tard, sa participation au complot de vendémiaire n'étant pas sérieusement établie.

***

L'année 1796, que Germaine passe tout entière en Suisse, est particulièrement animée. En avril, pour son trentième anniversaire, le zèle et la maladresse du résident de France à Genève, Desportes, lui valent une chaude alerte. Elle apprend qu'elle est surveillée, espionnée, inscrite, par bévue semble-t-il, sur une liste de criminels et menacée d'arrestation... Elle se défend aussitôt avec une vigueur extrême, contre-attaque, gêne Desportes, réclame des excuses et presse son mari et son amant d'intervenir.

Staël, encore ambassadeur pour quelques semaines, est à Paris. Benjamin vient d'y arriver avec sa brochure *De la force du gouvernement actuel de la France et de la nécessité de s'y rallier* dont l'opportune publication, appréciée par le Directoire, lui permet de rencontrer Barras et Carnot, de solliciter la nationalité française et d'avancer que Mme de Staël et lui-même (la brochure est le fruit de leur collaboration) ne sont pas des ennemis du pouvoir. Le Directoire reconnaît l'erreur. Desportes s'excuse. Germaine, satisfaite, peut achever à Coppet la mise au point de son *Influence des passions* qui paraîtra en octobre à Lausanne. Benjamin, revenu en août, apportera aussitôt le « service de presse » à Paris où Mathieu et lui feront « de la chauffe » pour le succès du livre.

Staël qui a perdu sa place et veut rentrer à Stockholm avec sa femme et ses enfants arrive à Coppet derrière Benjamin. Necker, en payant une fois de plus les dettes de son gendre, le fait changer d'avis. Eric se tiendra tranquille à Paris.

1796 est l'année de la campagne d'Italie. Les premières

victoires de Bonaparte enthousiasment l'amoureuse de gloire qu'est Germaine. Elle ne se retient pas d'écrire au général des lettres enflammées qui paraissent à Bonaparte, si l'on en croit Bourrienne, extravagantes.

Enfin, toute l'année, Germaine a poursuivi le colloque à plusieurs voix, mi-sentimental, mi-galant, dont elle ne peut se passer. Elle est de plus en plus tendre et douce, par lettres, avec l'infortuné François de Pange qui mourra phtisique, en septembre à Passy, à trente-deux ans. Elle est adorable avec Norvins et coquette avec le charmant Adrien de Mun qui n'a pas vingt-cinq ans. Elle les a conquis deux ans plus tôt au château de Greng et ils viennent lui faire leur cour à Lausanne et à Coppet, en souhaitant n'y pas rencontrer Benjamin qu'ils agacent.

En octobre, elle est enceinte pour la quatrième fois. En décembre — l'hiver en Suisse ne lui dit rien — elle part avec Benjamin pour la France s'enfermer avec lui dans l'ancienne abbaye d'Hérivaux, un des biens nationaux qu'il a achetés, à bon prix. Ils y restent presque seuls, travaillant, discutant, se querellant... Mathieu, l'ange gardien, est un de leurs rares visiteurs. Au printemps, Germaine fait savoir au Directoire qu'elle viendra à Paris pour ses couches. On la laisse s'installer. Elle donne le jour en souveraine le 9 juin à une fille, Albertine, dans un appartement regorgeant de monde. Comme on a voulu trouver à Auguste et à Albert des ressemblances avec Narbonne, on trouve à Albertine, qui naît avec des cheveux roux, un air de famille avec Constant.

A peine debout, elle s'inquiète de la situation politique, toujours préoccupante. Rien n'est stable. Le Directoire est de plus en plus menacé par les menées royalistes. Germaine entreprend de faire le siège de celui des Directeurs qu'elle juge le plus intelligent et le plus audacieux, Barras. Elle lui offre ses services. Elle lui présente Benjamin Constant. Elle le presse d'appeler Talleyrand, rentré d'Amérique — elle a obtenu dès 1795 la radiation de l'évêque d'Autun sur la liste des émigrés — au gouvernement.

« ... Il a tous les vices de l'ancien et du nouveau régime... il a et conservera toujours un pied dans tous les partis... vous ne pouvez rencontrer un agent plus utile... »

aurait-elle dit à Barras. Elle ne lâche le Directeur qu'il n'accepte. Talleyrand, qui attend en bas dans un fiacre, est nommé ministre des Relations extérieures. Misant sur la gratitude de son ami Germaine se croit déjà au pouvoir. Elle suit en militante le coup d'État du 18 fructidor qui sauve la République au profit de Barras. Elle le fait approuver par Benjamin qui vient de fonder un club. Celui-ci n'entre pas dans le cabinet de Talleyrand comme elle le souhaitait, mais il est nommé président du Conseil municipal de Luzarches, près Chantilly, dont dépend le domaine d'Hérivaux. Cependant le zèle de Germaine en faveur des proscrits, avant et après le coup d'État (elle éloigne Mathieu, elle sauve Norvins, elle réclame la grâce des exilés...) la rend à nouveau indésirable. Ce n'est pas avec de la bonté qu'on fait de bonne politique... Tout de même, Barras hésite encore à la renvoyer en Suisse.

***

Bonaparte arrive à Paris le 5 décembre 1797. Il a brûlé Coppet, déclinant l'invitation de Necker. A la prière de sa fille, l'ancien ministre de Louis XVI attendait le général le 24 novembre pour établir, à propos des affaires suisses, un premier contact. Mais au lendemain de son retour, le 6 décembre, Bonaparte trouve Germaine dans le salon du ministre des Relations extérieures à qui il vient remettre le traité de Campo Formio. Germaine attend tout de leurs premiers regards. Elle se croit sûre d'attirer le général, de le retenir comme elle a déjà attiré et retenu les ambitieux qui, pour réussir, croient avoir besoin d'elle. Mais déjà sur le chemin de la réussite, Bonaparte n'a besoin de personne; en tout cas pas d'une femme. Il se montre correct, bref, distant. Quelques jours plus tard, à la fête offerte par Talleyrand, il répond aux ouvertures déplacées de Germaine par des boutades qui frisent l'impertinence. Elle est encore plus stupéfaite qu'humiliée. Elle ne comprend pas — et ne comprendra jamais — qu'à ce moment de sa carrière, encombré d'« une petite créole insignifiante, indigne de lui », Bonaparte n'ait pas accueilli comme une chance l'amitié sans réserve d'une femme hors série... capable de le protéger contre lui-même, de l'entourer de sûrs ministres et conseillers, sous la haute direction de Necker, Sage entre les sages...

« ...Vers la fin de 1797... je le vis plusieurs fois à Paris, et jamais la difficulté de respirer que j'éprouvais en sa présence ne put se dissiper. J'étais un jour à table entre lui et l'abbé Sieyès : singulière situation, si j'avais pu prévoir l'avenir! J'examinais avec attention la figure de Bonaparte; mais chaque fois qu'il découvrait en moi des regards observateurs, il avait l'art d'ôter à ses yeux toute expression, comme s'ils fussent devenus de marbre. Son visage était alors immobile, excepté un sourire vague qu'il plaçait sur ses lèvres à tout hasard, pour dérouter quiconque voudrait observer les signes extérieurs de sa pensée... » [*Considérations sur la Révolution française.*]

Contrainte de rentrer à Coppet au début de 1798, elle n'abandonne pas pour autant la partie. Ce qu'elle ne peut obtenir directement et tout de suite, peut-être y parviendra-t-elle par la patience, le talent, l'alliance des familiers du héros et l'amitié de deux de ses frères, Joseph et Lucien Bonaparte, qu'elle séduit effectivement.

Pour le moment Germaine ne voit pas sans angoisse la Révolution gagner la Suisse où son père, qui risque d'être traité en émigré par l'armée française, a de nombreux biens et revenus. Républicaine en France elle est conservatrice en Suisse et redoute l'abolition des droits féodaux qui lèserait gravement Necker. Elle fait allusion dans *Les Considérations* à un entretien d'une heure en tête à tête avec Bonaparte dont elle ne rappelle ni le lieu ni la date, au cours duquel elle aurait tenté de défendre les droits qu'avait le pays de Vaud de garder des coutumes et des lois dont les Vaudois, sujets de Berne, sont, dit-elle, « très satisfaits ». — Oui, sans doute, répond Bonaparte, mais il faut aux hommes « des droits politiques ».

Les Français entrent donc en Suisse le 27 janvier 1798 et délivrent bon gré mal gré les Vaudois du joug de Berne. La République helvétique est proclamée et Genève, fin avril, réunie à la France. Necker, qui n'a jamais renié sa qualité de Genevois, demande le 17 juin à être rayé définitivement de la liste des émigrés. Satisfaction lui sera donnée. Germaine porte elle-même le dossier à Paris, logeant à Saint-Ouen où elle passe quelques semaines. Staël n'habite plus la rue du Bac. Sa carrière s'effiloche. Il se raccroche jusqu'en octobre à un dernier espoir d'entente entre Gustave-Adolphe et le Directoire... Germaine, excédée, semble abandonner le malchanceux à son sort.

Elle vient aussi à Paris pour régler une autre affaire, la vente d'un hôtel situé rue du Mont-Blanc qui appartient à son père. L'acquéreur est le banquier Récamier. C'est à cette occasion que Germaine entre en relations avec une jeune femme intimidée de vingt et un ans, de onze ans sa cadette, Juliette Récamier.

Necker, Staël, Bonaparte, Benjamin Constant, Juliette Récamier, et dans l'ombre mais toujours présent, Mathieu de Montmorency, voici entrés les six personnages qui, sur le théâtre de la vie de Germaine, tiendront les premiers rôles. Il y en aura beaucoup d'autres, attachants, singuliers, imprévus, épisodiques; mais voilà les vedettes.

III

« *Votre père, c'est le mien* »

Germaine, qui n'est que « tolérée » à Paris, rentre à Coppet en novembre. La politique d'arbitraire et d'à-coups du Directoire, la campagne d'Égypte, ses entretiens de Paris où reste Benjamin, la mettent une fois de plus en appétit d'exposer ses vues et de proposer sa solution. Elle commence la rédaction de l'étude intitulée *Des circonstances actuelles qui peuvent terminer la Révolution et des principes qui doivent fonder la République en France* qui demeurera un siècle inédite, où s'affirme sa foi dans les vertus politiques du protestantisme comme religion d'État et où éclate son enthousiasme pour le héros du Caire, le général sublime à qui elle pardonne tout et dont elle place le buste dans le salon de Coppet.

En janvier 1799, elle loue un appartement pour six semaines dans Genève annexée. Benjamin peut enfin revendiquer légitimement comme bourgeois de Genève la nationalité française. Germaine tente aussitôt de le faire nommer représentant de la cité de Calvin à l'Assemblée des Cinq-Cents; elle échoue. Elle rejoint Benjamin à Paris en avril. Priée une fois de plus de ne pas s'attarder, elle rentre à Coppet en juillet, prépare *De la littérature* et, sa porte ouverte à tout venant — c'est sa façon de travailler, parlant, recevant, s'habillant — elle achève *Des circonstances.* Elle repart au milieu de l'automne pour

Paris. Elle y arrive le soir du 18 brumaire. Le voile se déchire : le général sublime, membre de l'Institut, protecteur des arts et des sciences, ami des lumières, ne serait-il qu'un aventurier qui rêve de dictature? Germaine n'a pas tout de suite peur. Elle croit au contraire avec Benjamin, avec Sieyès, avec La Fayette, avec Mathieu, Camille Jordan, Lameth et tous les modérés que le triomphe de Bonaparte, c'est le triomphe de la liberté, de la tolérance, de la légalité. Elle l'écrit à Necker qui, de loin, paraît voir plus clair. Mais Germaine, plus naïvement encore, croit que si le général abusait de sa victoire elle saurait lui faire payer la déconvenue très cher.

L'important est d'abord de placer Benjamin, bouillant d'impatience, en position de jouer un rôle. « La carrière est ouverte aux Français de toutes les opinions, pourvu qu'ils aient des lumières, de la capacité et de la vertu » a déclaré le Premier Consul. Benjamin se fait présenter à Bonaparte qui a lu ses écrits et l'en complimente : — Nommez-moi du Tribunat, dit à peu près Constant, je ne suis pas un idéologue. Si vous me nommez, je suis à vous. Et à Sieyès une heure plus tard : — Nommez-moi du Tribunat. Je ne suis pas un ami du sabre. Si vous me nommez, je suis à vous.

Il est nommé ! Germaine exulte. Par Benjamin, elle est dans la place, toute son ardeur combative, toute sa fierté réveillées. Déjà l'attitude et les mobiles de Bonaparte lui semblent moins purs. Elle pousse Benjamin qui ne cherche qu'à briller, à la vigilance, à l'opposition. Il faut que le Tribunat qui siège au Palais-Royal, d'héroïque mémoire, devienne le rempart de la liberté. Il faut aussi que Bonaparte comprenne ce qu'il lui en coûterait de continuer à dédaigner Mme de Staël...

Elle devient l'âme de la résistance au despotisme en herbe. Le 3 janvier 1800, le tribun Duverrier déclenche l'attaque.

« ... Si l'on parlait ici d'une idole de quinze jours, on se rappellerait qu'une idole de quinze siècles a été brisée en un jour... »

Deux jours plus tard, malgré la réaction de colère du Premier Consul, malgré les conseils de modération de

Girardin, Benjamin prononce un discours, soigneusement élaboré avec Germaine, qui rappelle les grandes heures de la Constituante et le style de Mirabeau. Un discours de haute tenue qu'on résumerait aujourd'hui : « Attention Général ! Nous sommes là ! Le fascisme ne passera pas ! »

Bonaparte qui était prêt à se montrer beau joueur, à amadouer Germaine, à l'enrôler même, riposte cruellement par la bande, en chargeant Fouché et sa presse d'attaquer. Des articles outrageants, grossiers, railleurs, paraissent un peu partout. On néglige Constant. On s'acharne sur Germaine.

« ... Ce n'est pas votre faute si vous êtes laide, c'est votre faute si vous êtes intrigante... Vous savez le chemin de la Suisse, essayez-y encore un voyage si vous ne voulez pas que mal vous arrive... Emmenez votre Benjamin essayer ses talents dans le Sénat suisse... »

lit-on dans une feuille jacobine. Et dans une autre, royaliste:

« ... Elle écrit sur la métaphysique qu'elle n'entend pas; sur la morale qu'elle ne pratique pas; sur les vertus de son sexe, qu'elle n'a pas... »

et on la fait ainsi parler :

« ... Benjamin sera consul, je donnerai les finances à papa, mon oncle [*Louis de Germany, frère de Necker*] aura la justice, mon mari une ambassade lointaine. Moi, j'aurai l'inspection sur tout et je régenterai l'Institut... »

C'est la guerre. Bonaparte la déclare à Germaine d'autant plus librement que les attaques de Duverrier et de Constant n'ont été approuvées que par une faible minorité d'opposants. La France est lasse des discours, des clubs, des complots, de la politique. Elle a enfin un gouvernement qui gouverne et pour chef un homme à poigne, un général victorieux, admiré par l'Europe entière. Qu'on le laisse donc rétablir l'ordre et la paix dans les esprits ! Pourquoi le gêner au départ? Pourquoi se défier de lui? Ce n'est pas Robespierre. C'est Marc-Aurèle...

***

Fouché convoque Germaine. Il lui conseille courtoisement de fermer son salon, de prendre ses quartiers d'hiver à Saint-Ouen et de n'en pas bouger, le temps de laisser se calmer le Premier Consul qui ne veut pas la mort du pécheur. C'est vrai. Bonaparte ne demande qu'à oublier l'incident, qu'à ne pas répéter la semonce. C'est du moins ce qu'il laisse entendre à Necker au cours de l'audience d'une heure qu'il daigne accorder à l'ancien ministre de Louis XVI au cours de son passage à Genève le 10 mai 1800. Si Mme de Staël se tient tranquille et ne se mêle plus de politique, elle pourra séjourner et voyager en France à sa guise. Puis quittant « le lourd régent de collège », il s'en va écraser les Autrichiens à Marengo dont il revient si nimbé de gloire que Germaine, décontenancée, muselée, ne peut que l'admirer une fois de plus...

Elle vient de publier *De la littérature, considérée dans ses rapports avec les Institutions sociales*. Comme tous ses écrits, romans compris, c'est un acte. Elle y célèbre la littérature non comme un art, mais comme un moyen de perfectionnement des individus, des mœurs, des lois. Il n'y a pour elle de grands écrivains qu'engagés, au service d'une seule cause, la liberté, la liberté politique. Il n'y a qu'un seul danger pour les lettres, le despotisme. Elle se flatte dans sa ferveur candide qu'un tel manifeste ne peut qu'avoir d'heureux effets et la rapprocher du Premier Consul. S'il est Marc-Aurèle, pense-t-elle, il applaudira mon ouvrage ; et s'il est Tibère, mon ouvrage le corrigera. Mais Bonaparte après avoir parcouru les 675 pages du volume n'y veut voir que confusion prétentieuse, qu'inoffensif fatras. Il lui passe la « littérature » (que vont condamner Fontanes et un jeune poète, Chateaubriand, à qui Germaine ne tiendra pas rigueur) mais qu'elle n'aille pas plus loin et qu'elle cesse d'exciter son Benjamin !

Cette indifférence, cette trêve la blessent sans l'apaiser. Elles coïncident avec la première trahison de Benjamin qui tente depuis quelque temps déjà de secouer le joug. Germaine a loué la propriété de Saint-Ouen aux époux de Gérando, amis de Mathieu et de Camille Jordan. Elle va passer l'été et l'automne à Coppet avec son père et ses enfants dont s'occupe Gerlach, jeune précepteur protestant tout dévoué à Germaine.

En l'absence de Mme de Staël, Benjamin s'éprend chez Julie Talma de son amie Anna Lindsay. Ardente et brève liaison dont ne pâtit que la belle Irlandaise, cruellement, vilainement délaissée. Germaine a tôt fait, à son retour, de reprendre plus vigoureusement en main l'inconstant. Et Benjamin gagne, à l'aventure, le modèle d'Ellénore qu'il peint cinq ans plus tard dans *Adolphe.*

Pendant l'année 1801, Germaine étonnée et peut-être un peu déçue de la mansuétude du Premier Consul, respecte à peu près la trêve. On ferme les yeux sur ses sorties, ses bals, les réceptions qu'elle donne dans son nouveau logis du 103 de la rue de Grenelle. On la laisse s'amuser, s'étourdir, on lui lâche la bride mais on n'ignore rien de ce qu'elle fait, de ce qu'elle dit, car Fouché est de ses invités. Elle va aux soirées de Mortfontaine chez Joseph Bonaparte qu'elle retrouve avec Lucien chez Juliette Récamier. Mais en dépit de son insistance, elle ne parvient pas à rencontrer le Premier Consul avec qui elle brûle de s'expliquer et qui ne veut l'entendre à aucun prix. Une des petites raisons de son ressentiment, Necker l'a très bien vu, vient de ce qu'elle n'est jamais invitée aux réceptions de Joséphine. Elle comprend que Bonaparte ne feint de la ménager que pour mieux la jouer. A Coppet, pendant l'été 1801, cherchant tous les moyens de s'imposer, d'obliger le Maître à compter avec elle, Germaine décide d'exploiter comme un brûlot les *Dernières vues de politique et de finance*, honnête examen critique du régime et de l'administration consulaires que Necker est en train de rédiger. Elle voudrait aussi emmener son père à Paris; mais il s'y refuse.

Le Premier Consul a-t-il vent de l'avertissement public que ce survivant de l'ancien régime, tout en protestant de son admiration, va très innocemment lui donner? Ou plus vraisemblablement, à la veille de la pompeuse célébration du traité d'Amiens et de sa nomination comme consul à vie, a-t-il résolu d'en finir avec les agitateurs et l'opposition? En janvier 1802, Benjamin Constant est un des vingt et un membres exclus par le Sénat, du Tribunat. C'est le second coup de semonce.

Cette fois, Germaine se cabre. Elle rouvre les hostilités. Elle définit spirituellement *écrémage*, ce que Bonaparte a appelé *épuration* du Tribunat. Il la traite, avec Constant et ses amis, d'idéologues... ? Elle riposte en le traitant d'*idéophobe*. Il charge ses frères de mettre en garde la batailleuse. Il n'est « ni un Louis XVI, ni un Réveillère-Lépeaux, ni un Barras ! » Il ne fera jamais aucun mal « inutilement » à Mme de Staël. Mais si elle le gêne, il la brisera. Qu'elle s'occupe donc de ses enfants, et de son mari, démuni de tout !...

Bonaparte qui ignore la triste affaire Clairon est indigné par la détresse d'Eric-Magnus. Il attribue tous les torts à Germaine. Il est mal renseigné et de parti pris. L'accord sur la séparation de biens a été signé au cours de l'été 1801 par les époux. Une pension annuelle de 3.600 livres sera faite par Mme de Staël à son mari, s'il s'engage à rentrer en Suède. M. Necker donnera 10.000 livres à son gendre dont 3.000 lui seront payées à Hambourg et 3.000 à Stockholm. Mme de Staël demeurera chargée de la direction et des frais de l'éducation des enfants.

Ces clauses n'entreront jamais en vigueur. Pendant l'hiver 1802 Eric tombe gravement malade dans le petit appartement qu'il occupe au 4 de la place de la Révolution. La pitié, chez Germaine, l'emporte sur la rancune. Elle vient le soigner. Il est à demi paralysé. Elle décide de l'emmener à Aix-les-Bains, puis, après le traitement, à Coppet où elle l'installera. Mais au dernier relais, à Poligny, à 3 heures du matin le 9 mai, Eric-Magnus succombe à une attaque d'apoplexie dans une chambre d'auberge. Il a cinquante et un ans.

Le lendemain 10 mai Germaine reprend la route de montagne jusqu'à la frontière suisse, le cercueil de Staël dans sa berline. Étrange convoi ! Germaine a toute la journée pour méditer et revivre en compagnie du mort les seize années de son mariage.

Que se passe-t-il à l'arrivée à Coppet ? Où le corps sera-t-il inhumé ? Autour du monument où repose déjà Mme Necker ? Non. Dans le vieil enclos hors du château, où l'on met les morts du village. Mais il n'en subsiste rien aujourd'hui. Les restes de M. de Staël se sont dissous dans la nature...

Ce rejet de la dépouille d'un homme dont Mme de Staël porte le nom paraît troublant. Quels que fussent les griefs, nombreux et lourds, de l'épouse contre l'époux, ils n'auraient pas suffi à faire oublier à une femme élevée dans le respect de la famille ce qu'elle devait au père de ses enfants. L'eût-elle oublié pourtant, Necker plus attaché encore aux traditions du foyer et aux devoirs religieux, aurait imposé à sa fille de réviser une attitude inacceptable. Si Necker ne proteste pas, s'il laisse faire, s'il comprend, c'est qu'il connaît les raisons qu'a Germaine de ne pas tolérer dans l'enclos où seront inhumés, au dehors du monument, six membres de la famille, une présence indésirable.

Mme de Staël ne veut manifestement pas qu'Auguste et Albert soient amenés à prier sur la tombe d'un homme qui ne leur est rien par le sang et qu'elle est résolue d'oublier. Elle l'aurait soigné s'il avait duré. Mort, elle s'en délivre, elle le raye. Elle ne voit plus en lui qu'un tricheur venu au mariage sans amour, qu'un dépravé entré dans son lit sans moyens, sombrant honteusement dans l'alcôve d'une vieille coquine. Elle ne peut admettre que ses enfants gardent le souvenir de Staël dont elle ne leur parlait jamais, qu'on ne vit jamais s'inquiéter d'eux dans ses lettres et qui, au moins dans les derniers temps, ne recevait jamais leurs visites.

Eût-ce été concevable s'il avait été leur père?

On note enfin que Germaine lorsqu'elle dit ou écrit à ses enfants tout au long de sa vie : « Votre père... », ce n'est jamais de Staël qu'elle parle, mais de Necker.

Après cela on ne serait pas autrement surpris que l'examen des lettres inédites de Mme de Staël à Louis de Narbonne, découvertes aux États-Unis, fît reconnaître en Narbonne le père d'Auguste et d'Albert de Staël.

Veuve, Germaine va-t-elle épouser Benjamin? Il en est question. On en parle chez les Constant. « Elle lui doit bien cela... », estime Rosalie, la vigilante cousine bossue tiraillée entre la crainte et l'intérêt. Benjamin ne dirait pas non. Mais du baron qu'elle ne pleure pas, Germaine se refuse à perdre le titre et le nom qu'elle a rendus célèbres, « pour ne pas désorienter l'Europe... » avoue-t-elle. Dans la lutte que l'insolence du dictateur rend plus nécessaire que jamais elle ne veut pas paraître à la remorque. Elle est fière de Benjamin, de son esprit, de ses talents, de sa lumineuse intelligence. Mais elle n'est pas dupe. Elle le juge comme il la juge. Elle se sert de lui, comme lui d'elle. Ce sont les appétits qui le guident. Elle, ce sont les convictions. De Staël elle est, de Staël elle reste.

Si elle parvient à faire trembler le grand Napoléon, comme Hugo, qui vient de naître, fera trembler le petit, ce ne sera pas sous le nom de Constant.

L'ouvrage de Necker, présenté comme un testament politique, apparaît comme une mise en garde paternelle d'un illustre aîné à un jeune imprudent de génie. Irrité par le pensum du pesant septuagénaire, Bonaparte l'inscrit au compte de celle qui en est, sans nul doute, la hargneuse instigatrice.

L'immense succès de *Delphine*, paru à Genève en quatre volumes à la fin de 1802, ajoute à la colère du Premier Consul. D'abord parce qu'on y parle favorablement des Anglais et du divorce. Ensuite, qu'on y vante au lendemain du Concordat la religion protestante au détriment de la catholique. Qu'on y fait une place « immorale » à l'amour... Enfin, surtout, parce que l'ouvrage non conformiste, dédié au cours de la préface « à la France silencieuse », accroît d'une manière inquiétante par son retentissement immédiat dans l'Europe entière la renommée et l'audience de Germaine de Staël.

« Ceux mêmes qui se piquent d'une critique sévère, écrit Pauline de Beaumont, l'amie d'Anna Lindsay et de Châteaubriand, commencent à aimer ou à aimer davantage l'auteur de *Delphine...* »

Bonaparte ne peut pas voir croître d'un bon œil le prestige et l'autorité de l'insupportable frondeuse qui excite contre lui maintenant son vieux père et son amant.

A nouveau la presse se déchaîne contre Germaine et *Delphine*. Au théâtre du Vaudeville on met assez grossièrement en scène Mme de Staël. On lui fait d'autre part savoir officieusement que le Premier Consul n'aime ni les personnages ni l'esprit de *Delphine;* qu'il s'est montré très surpris que M. Necker ait cru devoir publier ses *Dernières vues* sans lui avoir communiqué l'ouvrage auparavant; et qu'il vaut mieux que Mme de Staël ne sorte pas de Suisse pour le moment.

Le coup porte. Necker est tourmenté, Germaine atterrée. Elle comprend que l'affaire est très sérieuse. Elle se sent surveillée, même à Coppet. « Il me craint, confie-t-elle à Charles de Lacretelle, c'est là ma jouissance, mon orgueil, et c'est là ma terreur. » Elle se résigne à obéir, navrée d'être séparée de Benjamin... Lui respire, tente une réconciliation avec Anna Lindsay et travaille à Hérivaux à son *Histoire des Religions.* Juliette Récamier, au retour d'un triomphal séjour à Londres, apprend les mesures qui frappent sa grande amie et commence à conspirer en recevant Bernadotte et Moreau...

IV

« Ce que je ne comprends pas n'existe pas... »

Au printemps 1803, après la rupture de la paix d'Amiens et l'anglophobie qu'elle provoque, les réfugiés britanniques affluent en Suisse. Germaine, plus encore que Juliette, est attirée par les Anglais à qui elle plaît beaucoup aussi...

En l'absence de Benjamin elle se laisse joyeusement entraîner dans un imbroglio romanesque à quatre branches qui, Bonaparte intervenant, se terminera fort mal pour un des galants de Germaine et fera justement soupçonner de complaisance à l'égard de l'auteur de *Delphine*, le préfet du Léman, Claude-Ignace de Barante.

Le quatuor est formé de Ferdinand Christin qui passe pour un espion anglais; de Mac Culloch, un Écossais prêt à couper la gorge à Christin pour les yeux bleus, devenus noirs de Germaine; et de deux réfugiés britanniques, lord John Campbell et son ami Robertson. Rassemblés par Germaine, les jeunes gens visitent la Suisse tout le printemps et passeraient tout l'été à Coppet si l'ordre de les arrêter ne provoquait leur dispersion. Mac Culloch et Campbell pourront fuir. Robertson, retenu quelques jours à Bâle, rejoindra à Vienne lord Campbell, futur duc d'Argyll. Mais Christin, emmené à Paris, restera incarcéré onze mois au Temple.

Necker, qui connaît bien sa fille, sait que ces folies qui

font scandale à Genève ne sont dues qu'à un besoin d'oubli. Il tente maladroitement, de toute sa bonne foi, d'obtenir la levée de l'interdiction. N'est-il pas en partie responsable? Il écrit une longue lettre à Lebrun, troisième Consul. Il parle du désespoir de Mme de Staël « de se voir reléguée dans la sévère solitude de Coppet... au milieu de ses plus belles années »; de la nécessité où elle se trouve de régler à Paris « les malheureuses affaires » de son défunt mari; il explique ses imprudents écarts de parole et de plume par des habitudes prises au temps des polémiques permises «... elle a pu être tardive à se mettre en harmonie avec la réserve commandée par un nouvel ordre de choses, à s'y mettre du moins parfaitement... »; il promet qu'elle montrera désormais la plus grande circonspection. Il conclut :

« ... Ma fille vient de déposer entre mes mains la promesse d'adopter le genre de vie que vous aurez la bonté de lui conseiller et de renoncer fermement à toute espèce de conversation sur le gouvernement et la politique, objets d'esprit pour elle et qu'elle peut si facilement remplacer par d'autres. Elle prendra même la liberté d'adresser cet engagement au Premier Consul dès le premier signe qu'elle recevra d'un retour d'indulgence et de bonté de sa part. »

Necker offre enfin d'accompagner Germaine à Paris et de se faire son « surveillant ».

Mais Bonaparte qui enregistre avec satisfaction cette première reculade de l'adversaire ne se laisse pas circonvenir. La réponse qu'il commande à Lebrun est blessante et négative. Le Premier Consul demeure convaincu que l'ouvrage de Necker *Dernières vues de politique et de finances* est d'intention et d'inspiration staëliennes.

« Il pense, écrit Lebrun, que Mme de Staël veut du mouvement dans quelque sens qu'il s'opère et quoiqu'il ne craigne rien des rumeurs de société, il ne veut pas qu'on le croie assez faible ou assez imprudent pour laisser l'administration en proie aux sarcasmes... Toute tentative est donc inutile. Je ne sais si le temps pourra changer les dispositions, mais je ne puis en donner aucune espérance. »

Ni Necker ni même Germaine ne veulent croire Bonaparte aussi cruel. Ils attribuent à son entourage le durcissement du Premier Consul. Mais les nerfs de Germaine cèdent avec ses velléités de résistance. Conseillée par Mathieu, arrivé en août à Coppet, elle s'adresse directement à Bonaparte.

« ... Je ne sais si, née à Paris, rencontrant partout en France des traces honorables de la conduite publique de mon père et des établissements charitables de ma mère, je puis être considérée comme étrangère. Mais je sais que c'est de votre volonté seule que dépend mon séjour en France et, quand je vous prie d'y consentir, je dégraderais mon caractère si je ne remplissais pas fidèlement les conditions qui doivent être la suite d'une faveur, serais-je réduite à demander seulement de passer deux mois dans une campagne, à dix lieues de Paris, pour reposer mes enfants que la fatigue du voyage a rendus un peu malades et faire avec les créanciers de M. de Staël un arrangement qui me permette d'honorer sa mémoire sans ruiner mes enfants. J'espère que votre bonté et, s'il m'est permis de dire, votre justice ne se borneront point à ces deux mois. Pourquoi renverseriez-vous la destinée d'une femme qui n'a de sa vie fait de mal à personne? Pourquoi forceriez-vous une mère à chercher ailleurs que dans sa patrie les ressources nécessaires à l'éducation de ses enfants? Enfin, surtout, à la hauteur où vous êtes placé, pourquoi vos regards tomberaient-ils sur moi, si ce n'est par un sentiment de protection et de bienveillance?... »

Bonaparte ne répond pas, mais habile à souffler le froid et le chaud, il fait savoir à Germaine, sans doute par Joseph, qu'on la laissera résider — sans garantie de durée, cela dépend d'elle — à quelques lieues de Paris.

Le 16 septembre 1803, Germaine que Mathieu accompagne quitte Coppet avec Albertine, six ans, et Auguste, treize. Albert, onze ans, reste sous la garde du grand-père. Le jour du départ, Germaine fait, de chambre à chambre, porter à son père qu'elle ne reverra plus vivant, la lettre qu'elle ne peut se retenir de lui adresser à chaque séparation :

« ...Toi qui lis si bien au fond des cœurs, tu dois voir que, plus que jamais, ma vie dépend de la tienne. Je te conjure par cette vie de moi que tu veux conserver à mes enfants, d'avoir des soins minutieux de ta santé... Tu vois mon caractère battu par les vents; je ne sais si la Providence, à cause de toi, m'accordera de trouver un appui qui m'empêche de me tuer, si je te perds... Je sais que, dans ce moment, je mourrais dans les convulsions du désespoir si je te perdais... Je suis plus ébranlée, plus déchirée, que je ne l'ai été de ma vie, non que j'éprouve aucun pressentiment pénible sur ce voyage; je suis convaincue qu'il est raisonnable et qu'il réussira bien, mais t'avoir vu une année de plus, c'est t'aimer mille fois davantage... »

C'est à Maffliers, près de Corbeil, dans une maison que lui loue son notaire, proche celle de Juliette Récamier à Saint-Brice et non loin de celle de Benjamin à Luzarches, que Germaine s'installe le 26 septembre. La première impression est mauvaise, les pièces sont froides, l'endroit est triste, malsain. Que ne peut-elle se rendre à Paris, ou au moins à Saint-Ouen? Au début d'octobre elle écrit à nouveau au Premier Consul pour jurer qu'elle est sage, qu'elle ne tiendra pas de salon, qu'elle ne verra personne mais qu'il faut, pour sa santé et celle de ses enfants, qu'il l'autorise à passer l'hiver à Saint-Ouen, après huit jours à Paris pour le règlement de ses affaires. Tous ses amis en situation d'appuyer sa demande s'emploient à fléchir Bonaparte qui refuse, puis soudain se fâche, se bute. Cinq jours ! il donne cinq jours francs à Mme de Staël pour gagner la frontière. Si elle n'est pas partie le cinquième jour, il lui enverra les gendarmes.

Juliette Récamier, à Saint-Brice où elle recueille son amie, est scandalisée. De cette retraite paisible et confortable, Germaine, choyée, voit l'avenir moins sombre. Elle fait adresser à Lebrun une nouvelle lettre pour le Premier Consul, dont les deux femmes pensent qu'elle aura l'effet désiré.

« ... On est venu me dire que des gendarmes devaient me prendre à Maffliers avec mes deux enfants. Citoyen Consul, je ne puis le croire, vous me donneriez ainsi une cruelle illustration, j'aurais une ligne dans votre histoire.

« ... Citoyen Consul, il n'est pas de vous le mouvement qui vous porte à persécuter une femme et deux enfants; il est impossible qu'un héros ne soit pas le protecteur de la faiblesse. Je vous en conjure encore une fois, faites-moi la grâce entière, laissez-moi vivre en paix dans la maison de mon père à Saint-Ouen; elle est assez près de Paris pour que mon fils puisse suivre, lorsque le temps en sera venu, les cours de l'École polytechnique, et assez loin pour que je n'y tienne pas de maison... »

Pas de réponse de Bonaparte. Les cinq jours passent. Germaine rentre à Maffliers convaincue qu'elle a gain de cause, qu'on a seulement voulu lui faire peur. Mais le 15 octobre à quatre heures de l'après-midi elle voit entrer dans son jardin un officier de gendarmerie, le lieutenant Gaudriot, chargé de l'expédier dans les vingt-quatre heures « sans scandale » à quarante lieues de Paris. C'est un homme aimable, bien élevé, choisi avec soin pour sa délicate mission, « le plus littéraire des gendarmes », écrira Germaine. Dans la berline où il est monté avec elle, car il a ordre de ne pas la quitter, il lui fait des compliments de *Delphine.* « Vous voyez où cela mène, monsieur, d'être une femme d'esprit ! » réplique-t-elle. Elle a demandé à passer trois jours à Paris pour ses affaires. Il les a accordés. Germaine s'arrête à Saint-Brice. Il reste discrètement dans la voiture. Junot est chez Juliette Récamier. Les deux amies s'embrassent en pleurs. Tandis que Germaine gagne Paris où elle réside rue de Lille au 540 dans une maison amie, le général Junot court à Saint-Cloud prêcher la clémence à son compagnon d'armes. L'intervention rend Bonaparte furieux. Il y voit le signe de la détestable influence que cette « pie séditieuse » exerce sur tous ses amis envoûtés. — Quel intérêt prends-tu donc à cette femme? — Cette femme, mon général, serait enthousiaste de vous si vous le vouliez. — Oui, oui, je la connais... Mais *passato il pericolo gobbato il santo* !...

Il nourrit de trop nombreux desseins, il est trop occupé par le grand projet de « la descente » en Angleterre qui sera remis à l'année suivante pour tolérer même le vol et les piqûres d'une mouche.

Joseph et Julie Bonaparte, alertés par Juliette Récamier, vont aussi à Saint-Cloud le soir même et supplient vainement Bonaparte. Le frère et la douce belle-sœur désolés ne sont pas mieux écoutés que Junot. Ils protestent à leur manière en invitant l'exilée à passer avant son départ quarante-huit heures dans leur propriété de Mortfontaine que Germaine de Staël connaît bien et où le lieutenant Gaudriot n'ose tout de même pas venir la presser d'obéir...

Elle gagne ainsi trois jours. Mais enfin « tout vaut mieux que la prolongation de mon esclavage »; le 19 octobre, elle doit s'exécuter. Jusqu'au dernier moment et même encore aux relais elle veut espérer l'arrivée d'un courrier, d'un contrordre. Rien ne viendra. Elle part avec Albertine, Auguste, et Benjamin remplaçant Mathieu, un Benjamin repris, soumis, aux petits soins, qui ne songe plus au moins pour un temps à rompre la chaîne, à prier les siens de lui trouver une bonne petite femme. Jusqu'à Metz, il se montre le plus exquis des compagnons, attentif à consoler, à distraire, à charmer sa malheureuse amie, à lui faire oublier la tristesse et l'injustice du sort.

Pourquoi Metz? Parce que, plutôt que d'accepter les « quarante lieues » (c'est Paris ou son approche immédiate qu'elle veut), elle préfère envisager ce voyage en Allemagne dont elle a une vive curiosité depuis que le philosophe rhénan Jacobi, familier du salon de sa mère, l'a mise en relations avec Charles de Villers, intellectuel émigré résidant à Lübeck qui a entrepris de jeter un pont sur l'abîme « séparant l'esprit français de l'esprit allemand ».

Villers fait connaître Kant à Germaine. Il lui envoie au début de 1802 l'essai sur la Philosophie kantienne qu'il a publié à Metz et que l'Institut de Paris rejette comme subversif. Elle se passionne; ils correspondent. Quand elle part pour Maffliers ils sont déjà convenus de se rencontrer à Paris. Hélas ! Mais le dernier jour, alors qu'elle a déjà choisi Strasbourg pour première étape se réservant de décider là si elle rentre en Suisse ou se risque en Allemagne, Germaine apprend que Villers est arrivé à Metz. La circonstance met fin à sa perplexité. Elle écrit aussitôt à Coppet à « son ange » dont la santé n'inspire pas d'inquiétudes, qu'elle part pour Metz où Villers, prévenu, l'attendra.

La voici ranimée avec la perspective, si nécessaire, d'une diversion à ses peines... Villers la conseillera sur son itinéraire, ses rencontres et l'aidera aussi peut-être à trouver enfin pour ses enfants le précepteur digne de remplacer le fragile et charmant Gerlach mort sous ses yeux à vingt-six ans (quelques semaines après le décès de Staël) qu'elle avait rendu bien sûr amoureux d'elle et qui lui a appris le peu d'allemand qu'elle sait.

A Metz où elle est accueillie par le comte Colchen, préfet

de la Moselle avec de grands égards, elle éprouve une vive irritation à voir flanqué de sa Dorothée — Mme de Rodde — (une « grosse Allemande », une « lapine » jalouse presque toujours en tiers dans leurs entretiens), ce Villers qu'elle se flattait d'accaparer, de subjuguer, d'enchaîner. Benjamin s'amuse... Et puis la germanophilie doctrinaire, intransigeante, du Kantien la heurte un peu. Elle n'en discute pas moins et prépare son voyage auquel elle renoncerait encore volontiers. Mais l'aimable comte Colchen ne reçoit pas la nouvelle qui lui ferait oublier ses rancunes. Elle quitte Metz le 9 novembre avec Benjamin, ses enfants, ses domestiques et ses bagages. Elle se sépare de Villers sans regret. « ...Villers m'a plu, écrit-elle librement à son père, mais il est tellement lié avec sa dame par des liens de toute espèce qu'il aurait fallu tout donner pour accepter quoi que ce soit, et si je retourne à Metz, je ne l'y verrai même pas. »

Elle entre en Allemagne attristée par la nature, les villes, les mœurs, les habitants. La fièvre scarlatine qu'Albertine contracte à Francfort n'arrange pas les choses. Mais Benjamin l'émeut par les marques de gentillesse et de dévouement qu'il prodigue à la petite malade.

Tout change à Weimar où Germaine arrive le 13 décembre. Dans cette petite capitale où souffle l'esprit, reçue comme une souveraine amie par le grand-duc Charles-Auguste de Saxe-Weimar et la grande duchesse Louise elle ose se féliciter enfin d'avoir quitté la France. « Elle tient sa vengeance, écrira Paul Gautier. Dès ce moment, elle se pose résolument aux yeux de l'Europe en adversaire de Bonaparte... Mme de Staël a juré d'intéresser l'univers entier à sa querelle, et elle tiendra parole. »

Les premiers contacts sont difficiles. Jacobi l'avait mise en garde. Elle lit encore mal l'allemand et elle le parle à peine. On est très curieux d'elle, mais on s'en méfie aussi. Gœthe la connaît et l'estime. Il a traduit l'*Essai sur les Fictions ;* elle lui a adressé *De l'influence des Passions ;* il a répondu par l'envoi, relié, de *Wilhelm Meister* qu'elle n'a pas ouvert et qu'elle écrit *Williams Meister ;* elle ne connaît de lui que *Werther* qu'elle a lu, jeune fille, en français, en même temps que *Clarisse Harlowe* et qui, comme le roman de Richardson, l'a bouleversée.

Quand Germaine arrive à Weimar, Schiller compose *Guillaume Tell.* Gœthe en pleine gloire est à Iéna, retenu par des travaux scientifiques. Ils aimeraient bien, l'un et l'autre, ne pas être trop distraits. Cela ne fait pas le compte de la débordante voyageuse qui entend avoir sans répit des entretiens de jour et de nuit avec tous les Allemands de marque. Elle ne peut rendre visite à Herder mourant, mais elle voit Wieland, charmant septuagénaire. Elle rencontre Jean de Müller, l'historien suisse. Elle trouve un guide séduisant et précieux de la pensée allemande en la personne d'un jeune élève britannique de Schelling, Henry Crabb Robinson. Il dira d'elle :

« ... Mme de Staël est une personne qui, en dehors d'une intelligence extrême et d'un esprit très élégant, ne possède rien d'autre... Sa philosophie n'est qu'une carte d'observations reliées ensemble par une logique peu exacte... Et ce qui est une barrière infranchissable sur la voie du progrès, elle ne se doute pas qu'il existe des choses au-delà de la portée de son intelligence... »

Germaine arrache Schiller à *Guillaume Tell* et bien entendu elle obtient avec l'appui du grand-duc que Gœthe, qui lui offrait aimablement à Iéna « appartement bien meublé et bonne petite table bourgeoise » ferme son laboratoire et prenne la route en plein hiver, à cinquante-cinq ans, pour venir répondre à ses questions. Mais comment, si grand que soit l'attrait du tête-à-tête avec le poète à Iéna, comment pourrait-elle renoncer aux dîners, aux bals, aux entretiens, aux représentations théâtrales de la petite cour de Weimar où elle s'épanouit dans une atmosphère qui la nourrit, la grise, la flatte?

« ... Ici, les dernières classes de la société ont lu *Delphine*... Chateaubriand lui-même y est à peine connu... » [*à Necker*, 15 *décembre.*]

Elle a placé Auguste dans une pension où il n'entendra parler qu'allemand. « Encore trois mois de séjour, écrit-elle à Necker, le 15 décembre et il le saura pour toute sa vie. » C'est à Weimar que pour la première fois l'idée d'un ouvrage d'ensemble sur les mœurs, les valeurs et les courants de l'Allemagne, par opposition à ceux de la France, séduit son esprit.

« J'ai un projet de livre sur l'Allemagne [*à Necker*, 2 *février* 1804] qui aura, je crois, de l'intérêt, je le grossis tous les jours de notes... Singulier peuple que ces Allemands qui, le plus paisiblement du monde, ont une imagination tout à fait romanesque ! Ils ne sont pas sensibles comme les Anglais, ils n'ont pas de grâce comme les Français, point de sensations comme les Italiens, mais ils se créent un monde idéal dans lequel ils ont des conceptions tout à fait nouvelles et la route pour y arriver m'est inconnue... »

« Elle est tout d'une pièce, écrit Schiller à Gœthe encore à Iéna. Elle est vraie. Aussi, malgré d'énormes différences de caractère et d'opinion, l'on se trouve à son aise près d'elle. Je la regarde comme un échantillon singulièrement intéressant de la culture intellectuelle des Français... Son génie naturel, la sensibilité de son caractère sont préférables à sa métaphysique et l'élève au-dessus des principes erronés qu'elle professe. Elle veut qu'on lui explique tout; elle veut approfondir, peser, mesurer tout. Rien d'obscur, rien d'insaisissable ne la satisfait...»

« Je comprends tout ce qui mérite d'être compris. Ce que je ne comprends pas n'existe pas », lancera-t-elle tranquillement à Crabb Robinson qui lui reproche son refus de tout effort devant l'abstraction.

« Aussi a-t-elle une horreur profonde pour notre philosophie idéale qui, selon elle, ne conduit qu'à la superstition et au mysticisme, atmosphère dans laquelle il lui est impossible d'exister. Ce que nous appelons poésie, elle ne le comprend pas. Son esprit généralise tout... Elle n'a de sympathie qu'avec ce qui est passionné, rhétorique ou résumé... La clarté, la précision, la merveilleuse activité de son intelligence produiront sur vous une impression favorable. Ce qu'il y a de pis chez elle, c'est une rapidité d'élocution foudroyante. Pour la suivre dans sa course, il faudrait n'être qu'oreilles. Cela m'embarrasse beaucoup, et je ne cause pas avec elle sans beaucoup de peine; vous savez que je ne parle pas français couramment. Mais vous qui avez ce talent, vous vous en tirerez sans doute mieux. »

Avec Gœthe en effet Germaine trouve un partenaire complaisant et redoutable. Elle écrit de lui à son père, le 25 décembre, qu'il lui « gâte beaucoup l'idéal de Werther...

« ... C'est un gros homme sans physionomie, qui veut être un peu homme du monde... qui ne veut rien à demi, et qui n'a rien de sensible ni dans le regard, ni dans la tournure d'esprit, ni dans les habitudes... mais un homme très fort dans l'ordre des pensées littéraires et métaphysiques qui l'occupent. »

De Schiller, dans la même lettre, Germaine dit :

« C'est un grand homme, pâle et roux, mais dans lequel on peut découvrir de la physionomie, ce qui est très rare en Allemagne. Il parle très difficilement le français, mais sa pensée, et il en a, se fait toujours entendre. »

Mais le 11 mars, à Jacobi, elle écrit que Gœthe

« est un homme d'un esprit étonnant; son caractère et ses opinions ne sympathisent pas avec moi, mais j'admire ses facultés profondément. »

Gœthe parle sévèrement, quelques années plus tard, de ses entretiens avec Germaine.

« ...Son bonheur était de philosopher dans un salon, et qu'est-ce que cette manière de philosopher? Le talent de disserter brillamment sur d'inscrutables problèmes. Le plaisir qu'elle y prenait allait jusqu'à la passion. Dans la chaleur de la conversation, elle s'élançait même et plongeait étourdiment au fond de cette sphère intime où le sentiment et la pensée se cachent; elle s'emparait de ces sujets qui doivent rester des mystères et n'être débattus qu'entre Dieu et notre propre cœur. Femme et femme française, elle soutenait son dire avec énergie, avec éloquence, avec une obstination souvent sophistique, et n'écoutait guère ou ne pesait pas avec scrupule les objections de ses antagonistes.

« Tout cela éveillait en moi le mauvais esprit, le désir de la contredire, et presque toujours je repoussais par des objections et des arguments vigoureux les idées qu'elle mettait en avant. Mon opposition décidée, invincible, la mettait au désespoir. C'est dans cette situation qu'elle paraissait la plus aimable et déployait avec le plus de succès cette vivacité d'imagination, cette promptitude de repartie qui la caractérisaient. J'ai eu avec elle plusieurs de ces *tête-à-tête guerroyants*. Il faut avouer qu'ils me fatiguaient un peu. Sur les plus importants objets, elle ne vous laissait pas une minute de réflexion. Après avoir soulevé des questions dont la profondeur épouvante la pensée, elle prétendait que la conversation marchât aussi rapidement que possible; vous eussiez dit qu'il ne s'agissait que de se renvoyer la balle avec vivacité et que le reste importait peu. »

Mais en conclusion Gœthe devait rendre hommage à Germaine de Staël qui analysa longuement son œuvre dans *L'Allemagne* où figurent aussi d'importants fragments de la traduction de *Faust* qu'elle effectua avec l'aide de Schlegel et de Benjamin Constant.

« ...Après tout, et quels que puissent être les travers de cette femme extraordinaire, sa visite en Allemagne a eu des résultats importants. C'est à ses conversations avec nous qu'est dû son livre de l'Allemagne, ouvrage dont l'effet a été puissant... Le rempart de ces antiques préjugés qui nous séparaient de la France a été brisé par elle. Enfin, nous pouvons nous entendre. Le Rhin n'est plus une barrière; et le génie germanique, grâce à cette femme célèbre, n'est plus une énigme pour le reste du monde. »

Germaine est si heureuse à Weimar qu'elle recule de semaine en semaine son départ pour Berlin. Elle le fixe enfin au 21 février, comptant rester deux mois à Berlin et rentrer ensuite par Weimar. Mais un érysipèle de Necker l'agite, l'inquiète et elle attend d'être pleinement rassurée pour quitter Weimar où tous ses amis de la Cour et de la ville, larmes aux yeux, lui font de premiers adieux. Les lettres qu'elle adresse à Necker pendant ces journées d'appréhension sont d'une extrême violence de sentiments. On dirait qu'elle se délivre ainsi de son remords de ne pas courir à Coppet : « Ah ! mon Dieu, quelle entreprise j'ai faite ! Mon ami, je t'en conjure, ne sois pas malade; trouve de la force dans l'idée de mon désespoir; si nous devons mourir, mourons ensemble, dans quelques années quand mon cœur y sera préparé, mais jamais, jamais il ne l'a été moins qu'à présent... » et, plus tard, quand il se dit guéri : « ... Mais je crois pouvoir te dire avec vérité que tu n'as pas passé trois jours en ta vie comme les trois jours que je viens de passer ! Il faut voir la véhémence de mon caractère; il faut voir mes défauts pour souffrir comme je souffre... Laisse-moi courir si tu te sens à merveille, rappelle-moi à l'instant où tu douterais de ta force... »

Elle part tranquille le 1er mars. L'avant-veille, elle a reçu à dîner avec Benjamin, Gœthe et Schiller. Benjamin note : « Je ne connais personne qui ait autant de gaieté, de finesse, de force et d'étendue dans l'esprit que Gœthe. » Elle s'arrête le 4 à Leipzig où elle trouve les lettres de Necker sur l'arrestation de Moreau et de Pichegru. C'est à Leipzig que la quitte Benjamin. Il retourne à Weimar, puis part pour Coppet. La joie qu'elle a de cette visite à son père atténue la tristesse de la séparation souhaitée par Benjamin, à qui Germaine a accordé un congé de deux à trois mois...

Les amants ont été très contents d'eux à Weimar, manquant de temps pour les querelles, travaillant l'un et l'autre, sollicités ici et là, ravis de leurs rares tête-à-tête. « Elle est partie le 6 mars, note Benjamin. Il n'y a rien de si bon, de si aimant, de si spirituel et de si dévoué. Et Albertine ! » Il lui écrit chaque jour. Elle aussi.

Le 8 mars Germaine est à Berlin où les plus flatteuses joies de vanité lui sont réservées. La grande affaire est sa présentation très attendue à la Cour de Frédéric-Guillaume III. Son seul regret, dans cet éclat, est de ne pouvoir être présentée comme Française, par le ministre de France. Sa situation d'exilée l'interdit. Mais elle ne veut à aucun prix être Suédoise. Un biais sera trouvé. Elle respire ! La reine et le roi lui font les plus grands compliments. Les princesses l'ont embrassée. Elle est invitée tous les jours et partout... La dernière fête pour l'anniversaire de naissance de la reine Louise est particulièrement fastueuse. Deux mille personnes dans la salle du spectacle...

« Jamais de si belles et si élégantes toilettes, des diamants si magnifiques et en si grande abondance n'ont frappé mes yeux, écrit Germaine à son père le 15 mars. Je regrette un peu de n'avoir pas pris des diamants car cela est fort économique et fort brillant tout à la fois... Je me suis retirée à trois heures, mais l'on a dansé jusqu'à six... Au souper à la table de la reine, la moitié de la ville, je crois, a passé pour me regarder, et si d'être célèbre est un plaisir, j'ai eu ce plaisir assurément... »

et elle charge son père de faire mousser cet accueil à Paris.

Cinq jours plus tard elle conte à Necker les débuts d'Auguste et d'Albertine à la cour du roi Ferdinand, frère du roi, à l'occasion d'un bal d'enfants. La reine Louise a fait mille caresses à Albertine. Auguste a dansé la gavotte et a répondu sans embarras « avec noblesse et simplicité » aux questions qu'on lui posait.

C'est le 23 mars que Germaine parle pour la première fois à son père de Guillaume Schlegel avec qui Gœthe (elle avait demandé au poète de lui indiquer un précepteur pour ses enfants) la met obligeamment en rapports. « Mme de Staël désire vous connaître personnellement... »

« ... J'ai rencontré ici un homme qui, en littérature, a plus de connaissances et d'esprit que presque personne à moi connu; c'est Schlegel. Benjamin te dira qu'il a de la réputation en Allemagne, mais ce que Benjamin ne sait pas, c'est qu'il parle le français et l'anglais comme un Français et un Anglais, qu'il a tout lu dans ce monde quoi qu'il n'ait que trente-six ans. Je fais ce que je peux pour l'engager à venir avec moi; il ne serait pas instituteur de mes enfants, il est trop distingué pour cela, mais il donnerait des leçons à Albert pendant les mois qu'il passerait à Coppet, et j'y gagnerai, moi, beaucoup, pour l'ouvrage que je projette... »

Quand il fait la connaissance de Germaine, Guillaume Schlegel, encore un curieux humain « hors série »... est divorcé depuis près d'un an d'avec la fille du professeur Michaëlis, l'adorable et légère Caroline.

Veuve de bonne heure d'un médecin de montagne elle devient la femme de Guillaume après une brève aventure à Mayence qu'occupent les Français... A Iéna, elle habite avec Guillaume et Frédéric Schlegel qui se disputent fraternellement son amour tout en dirigeant avec sa collaboration, car elle est passionnée de lettres, une jeune revue indépendante *Athenaeum*, célèbre dans l'histoire du romantisme allemand, qui attire dans la maison des frères Schlegel de brillants rédacteurs, Schelling, Novalis, Louis Tieck... Pauvre Guillaume ! Quand la passion de Frédéric pour Caroline s'apaise, c'est avec Schelling que sa femme le trompe... Guillaume Schlegel doit enfin admettre que sa Caroline ne l'aime plus... Il part en 1801 pour Berlin où il ouvre un cours, très suivi, de littérature et se console de ses déboires avec la sœur de son ami Louis Tieck, Sophie Bernhardi.

Dès qu'elle est décidée à engager Schlegel, Germaine se fait présenter Sophie Bernhardi. Elle se souvient de Metz et de la « grosse lapine ». Elle ne veut pas d'une autre Mme de Rodde ! L'examen est satisfaisant. Schlegel n'est pas Villers. Il rompra sûrement ses liens.

Les lettres à Necker de mars et d'avril 1804 marquent la rapide progression des pourparlers de Germaine séduite et du professeur envoûté.

« ... Les savants sont la société qui me plaît le plus; je suis toujours plus enchantée de Schlegel, et j'ai décidé que je te l'amènerais... Mais Schlegel ne me restera pas; il a trop de moyens pour cela;... il est petit et assez laid, quoique avec beaucoup d'expression dans les yeux, mais Benjamin et moi nous n'avons pas plus d'esprit que lui en littérature, et Benjamin lui-même, moins de connaissances. On n'a pas d'idée de ce que les Allemands savent quand ils s'y mettent... (27 *mars*)

« ... Si nous avions avec Schlegel un musicien secrétaire et promeneur avec les enfants, ou du moins avec Albert, car j'enverrai Auguste en France, tout serait parfait, car Schlegel est un homme inouï pour donner des leçons... Toute la science de Genève ne lui va pas à la cheville du pied et son esprit (toujours dans le cercle des livres) est admirable (31 *mars*). »

Le 3 avril Germaine ne parle que de l'exécution du duc d'Enghien qui datait du 23 mars. C'est le prince Louis-Ferdinand de Prusse, en lui montrant le *Moniteur* du 21, qui lui confirme la nouvelle qu'elle se refusait à croire. L'indignation de la Cour accroît encore le prestige de Mme de Staël, victime de l'insolence du Premier Consul. Il se plaît, déclare Germaine, « à déshonorer les femmes par ses propos, sans faire aucune exception de qualité ni de rang ».

Le 7 avril, elle reprend le los de Schlegel. Elle a reçu une lettre de Benjamin en route pour Coppet. « ...J'aurai plus beau temps que lui pour revenir, et je me fais presque plaisir d'une route nouvelle avec Schlegel dont les connaissances historiques sont aussi immenses que ses connaissances littéraires... » Elle espère maintenant pouvoir le décider à rester. Elle lui a proposé un traitement de

12 000 francs par an et, s'il reste, une pension viagère. Mais il hésite encore. Avant de se rendre libre, il veut être sûr « d'être aimé ».

Cependant Benjamin est arrivé le 9 avril à Coppet pour voir succomber Necker après neuf jours de maladie à une poussée gangreneuse consécutive à un nouvel érysipèle de la jambe. La cousine Albertine de Saussure et Mme Rilliet-Huber le soignaient. Il avait interdit qu'on prévînt Germaine qui, de toute manière, ne pouvait plus le voir vivant. Il disait : « On ne doit pas la blâmer de n'être pas ici. Je l'ai voulu ainsi. C'est au cœur d'un père à la juger. » Mais le 8 avril, il suppliait Jurine, son médecin, de lui donner encore « six jours de vie », espérant que cela suffirait à sa chère Minette...

C'est la princesse Radziwill, avertie à Berlin d' « une maladie dangereuse » de Necker par une lettre d'Albertine de Saussure, qui en prévient Germaine le 18 avril. « Il est mort ! » s'écrie Germaine, épouvantée. Le 19 au matin, elle a quitté Berlin avec ses enfants et Schlegel. Les hésitations du précepteur amoureux ont été balayées par l'angoisse de Germaine qui « prévoyant qu'un départ aussi précipité (primitivement fixé au 25 mai) peut gêner un homme peu fortuné, lui envoie une somme d'argent, attention délicate qui le touche vivement », écrit Mme de Pange dans son grand ouvrage sur A.-G. Schlegel et Mme de Staël.

« ... J'espère, proclame Schlegel dans son remerciement, que vous voyant bientôt dans un état plus heureux et plus calme, je pourrai me féliciter d'avoir pu vous montrer dans cette occasion la sincérité de mon affection et d'avoir fondé notre amitié sur une base inébranlable... »

V

Deuil, richesse et frénésie

« Il est mort ! Que deviendra-t-elle ? note Benjamin dans son Journal. Quel désespoir pour le présent, quel isolement dans l'avenir ! Je vais la retrouver, la consoler, ou du moins la soutenir. Pauvre malheureuse !... mourir vaudrait mieux que ce que tu vas souffrir. Et lui-même je le regrette, si bon, si pur, si noble. Il m'aimait. Qui conduira maintenant l'existence de sa fille ? Que de douleurs ! »

Le lendemain, ayant couché à Coppet et parlé avec Albertine de Saussure, il note encore :

« ... Pauvre Minette, comme elle est punie de n'avoir pas eu la force de remplir sévèrement ses devoirs ! Comme elle souffrira d'avoir cédé aux exhortations de son père même ! Il n'y a que le devoir qu'il faille compter dans la vie. Il ne donne pas de grands plaisirs, mais que d'horribles tourments il épargne ! Je crains pour sa vie, je crains pour sa tête... »

Il part de Lausanne le 11 avril, espérant devancer Germaine à Weimar. Il y arrive le 20, à minuit. Elle, le lendemain. C'est le Journal de Benjamin qui nous donne, sur ce moment de la vie de Germaine et jusqu'au retour à Coppet, les impressions les plus précises, les plus lucides et probablement les plus vraies. Il n'est pas jusqu'à l'apparente sécheresse de ces notes dont je ne reproduis que l'essentiel qui n'ajoute à leur richesse psychologique.

21 *avril*. — ... J'ai passé trois heures à côté de sa chambre sans me montrer. On ne lui a rien dit de positif. Elle se flatte encore et se berce d'espérances.

22 *avril*. — Elle est arrivée. Les premiers moments ont été convulsifs. Quelles absurdes et révoltantes consolations on lui a présentées ! Quel manque de sensibilité dans presque tout le monde ! Je ne suis pas étonné qu'on m'accuse de n'en pas avoir !...

23 *avril*. — Elle s'est réveillée bien faible et bien abattue. Elle a passé une nuit horrible. Je suis plus abattu encore, s'il se peut, et presque malade. Schlegel, qu'elle a amené de Berlin, la console à sa manière, avec esprit, douceur et bonté, mais sans sensibilité profonde...

24 *avril*. — Passé la journée au lit, malade. Lettres renvoyées de Berlin. Deux lettres de son pauvre père. On voit les idées se troubler, des mots oubliés, les caractères à peine tracés, la mort est partout, et pourtant il est encore occupé d'elle à chaque ligne... Causé avec Schlegel sur la philosophie et sur la perfectibilité... Il a de grandes connaissances littéraires, de l'esprit, peu de goût, de la présomption et de la bizarrerie... Minette paraît avoir une grande idée de son esprit, une grande bienveillance pour lui, et trouver dans sa conversation un grand charme, puisque souvent elle m'éloigne pour causer avec lui, moi, qui dans cet instant, pourrais seul lui parler de son père. Minette, Minette, je ne suis pas jaloux, je ne le serai pas, j'observe et je me tais. Mais il ne faudra pas grand-chose pour m'engager à reprendre mon indépendance, à m'isoler de nouveau, et si j'ai prodigué ma jeunesse au besoin que vous aviez de moi, je le jure ici, je ne déshonorerai pas, par une lâche faiblesse, ce qui me reste de vie. »

Vient ce froid jugement, le 25 avril :

... Minette continue à être abattue. Elle se fait d'amers reproches sur le passé, et une partie de ces reproches, je ne puis le nier, est méritée. Peut-être serais-je moins sévère s'il ne me paraissait évident que cette crise terrible ne changera rien à son caractère. Elle n'applique en rien ses remords à l'avenir. Je lui rends justice; sa douleur est vraie, sa douleur est profonde; mais aucune résolution ferme, aucune amélioration n'en résulte. Son repentir sera stérile. Enfin j'aurai fait mon devoir. Après un dévouement de dix années, je me serai encore dévoué pour elle dans la plus déplorable circonstance de sa vie, et il y aura pour le reste de la mienne quelque lieu de l'Europe où l'étude et l'indépendance me suffiront. J'ose le croire, je serai absous aux yeux des autres, et, en tout cas, je serai irréprochable à mes propres yeux. Que faut-il de plus ?

26 *avril.* — ... Minette a reçu beaucoup de lettres. Elle a été dans un état déchirant ; sa douleur est bien vraie. Faible et malheureuse femme !... Mais, je le crois, elle a du goût pour Schlegel. Du goût ! Et dans quel moment ! Elle m'a renvoyé pour lui parler ce soir. Elle m'a renvoyé avec embarras, mais n'a pu se vaincre. Silence et fermeté. De quoi m'affligerais-je ? N'ai-je pas rempli mon devoir, et ne redeviendrai-je pas libre ?

27 *avril.* — Je la crois moins coupable que je ne pensais hier. Je lui ai remis les détails relatifs aux derniers moments de son père. Elle a été dans une telle angoisse ! Sa douleur était si vraie ! Schlegel paraissait lui être de bien peu de chose... Nous sommes arrivés par hasard à la question du mariage. Cette question est décidée dans ma tête. Comme elle croit déchoir en m'épousant (oui, déchoir est le mot) j'aimerais mieux ne pas l'épouser. Mais alors je ne veux pas vivre avec elle ni chez elle. Or, si dans l'isolement où elle se trouve, se séparer de moi lui est trop douloureux, il faut bien que je me résigne à passer par-dessus sa moindre répugnance et à la faire m'épouser. »

Il faudrait tout citer. Mais ne voit-on déjà, dans une clarté parfaite, les circonstances, les personnages, les sentiments ? Le 1er mai, Germaine est en mesure d'entreprendre le voyage de retour. Elle a fait ses adieux à la duchesse Louise : « Madame, je quitte Weimar où mon bonheur a fini... » Tous les amis, illustres ou non, de Weimar, l'ont saluée durant son lourd séjour, Gœthe, Schiller, Botléger, Crabb Robinson, Riemer, Tieck...

Elle part avec Benjamin, Schlegel, Auguste et Albertine. Deux voitures pour cinq personnes, six domestiques et les bagages. Les heures de chagrin et de dépression alternent avec les heures d'entretiens, de disputes littéraires et de lectures. Aux relais, Benjamin prend grand plaisir à jouer avec Albertine. Le 2 mai, sur la route de Gotha à Schmalkalden, il pense qu'il était amoureux onze ans plus tôt, sur cette même route, de Charlotte de Marenholz aujourd'hui Mme Du Tertre... qui deviendra secrètement quatre ans plus tard la seconde Mme Benjamin Constant.

Le 11 mai, ils entrent en Suisse par Schaffouse. Le 12, ils sont à Zürich où les attend Albertine de Saussure, venue embrasser et réconforter sa cousine. Le 16, ils sont à Berne, et le 18, pendant qu'à Paris Bonaparte se fait empereur des Français, ils arrivent à Morges; le lendemain, à Coppet.

Il n'a pas été possible d'attendre Germaine pour les obsèques. Tout Coppet était là et une soixantaine d'amis venus de Genève avec Louis de Germany, le frère de Necker, qui mourra le 31 juillet. Le corps embaumé a été déposé dans la grande cuve de marbre à deux compartiments où selon le vœu de Mme Necker — morte dix ans plus tôt et sortie « parfaitement conservée d'un cercueil de plomb où elle nageait dans l'esprit-de-vin » — les deux époux se trouvent placés côte à côte pour l'éternité. « On les a recouverts tous deux d'esprit-de-vin puis on a refermé la porte de fer du monument et on l'a murée », écrit Rosalie de Constant qui tient le récit de la cérémonie d'un témoin direct, paraît-il, Mme Rilliet-Huber. Il est cependant peu vraisemblable que le monument ait été muré avant le retour de Germaine et la dernière visite que la fille dût rendre à son père.

Benjamin note :

19 *mai.* — État affreux de Minette. C'est une combinaison bien singulière que cette douleur profonde, déchirante et vraie qui l'accable et la bouleverse, avec cette susceptibilité de distraction et cette incorrigibilité de caractère qui lui laissent toutes ses faiblesses de coquetterie, de figure, de vanité, toutes ses susceptibilités d'amour-propre, tous ses besoins d'activité.

Dans une lettre à la comtesse de Voss à Berlin, Schlegel fait le récit de l'arrivée de Germaine au château.

« ... Depuis Nyon, elle était dans un état de tension extrême et chaque mouvement était convulsif. Il fallait constamment employer des excitants passagers pour prévenir une syncope. Le valet de chambre, sur le devant de la voiture, poussait constamment le cocher à aller vite pour abréger cet espace de temps. Les rideaux étaient baissés et je dus employer la force pour les tenir baissés parce qu'à chaque instant elle voulait les lever pour voir le château de loin. Dans la petite ville une quantité de gens se réunirent autour de la voiture. Au premier roulement sur le pavé de la cour du château retentissant comme un coup de tonnerre, elle ne descendit pas, elle tomba de la voiture et je n'ai jamais entendu un cri plus déchirant que celui avec lequel, à moitié inconsciente, elle fut portée par ses serviteurs dans la maison. Cet état dura plusieurs heures jusqu'à ce qu'enfin, quelques médecines lui furent appliquées, lui procurant un peu de repos physique. Cependant elle trouva bientôt assez de force pour lire les papiers de son père. Cela a été depuis lors son occupation... »

C'est, semble-t-il, le 25 mai que Germaine commence d'écrire un premier ouvrage en hommage à son père qu'elle intitule : *Du caractère de M. Necker et de sa vie privée.* Elle le terminera le 25 octobre sur ces lignes :

« L'on a vu sûrement des carrières plus heureuses, des noms plus éclatants, des destinées plus longues, des succès plus soutenus : mais un tel dévouement pour la nation française, mais un génie si vertueux, mais un caractère si bon, un cœur si noble et si tendre, on ne le reverra plus; ni les hommes, ni moi, nous ne le reverrons plus. »

Son admiration pour Necker ne cessera de croître. A la fin de sa vie, elle écrira :

« ... Quoique j'aie parcouru l'Europe entière, jamais un génie de cette trempe, jamais une moralité de cette vigueur ne s'est offerte à moi... J'ai plus de confiance encore aujourd'hui dans la moindre de ses paroles que j'en aurais dans aucun individu existant, quelque supérieur qu'il pût être... J'ai aimé qui je n'aime plus, j'ai estimé qui je n'estime plus, le flot de la vie a tout emporté, excepté cette grande ombre qui est là sur le sommet de la montagne et qui me montre du doigt la vie à venir... »

Dans quelle mesure une telle fascination, un si extraordinaire envoûtement furent-ils justifiés? Necker est-il un des grands méconnus de l'histoire? Remontera-t-il un jour la roche Tarpéienne, reprendra-t-il place au Capitole où l'enthousiasme populaire l'avait porté en juillet 1789? Sera-t-il à jamais marqué par le mot de Rivarol : « Il eut toujours le malheur d'être insuffisant dans un système qui ne suffisait pas » ou donnera-t-on raison, fût-ce partiellement, à Mme de Staël et l'abondant et loyal plaidoyer d'un de ses derniers biographes, Édouard Chapuisat, provoquera-t-il un jour la révision de son procès?

« Fais le bien et jette-le à la mer. Si les poissons l'avalent et que les hommes l'oublient, Dieu s'en souviendra. » C'était le proverbe que Suard aimait, pour le réconforter, à répéter à Necker dans ses dernières années, conte Chapuisat.

Dieu restera-t-il seul à se souvenir que Necker non seulement fit le bien, mais encore, mais surtout qu'il aurait pu le faire bien davantage sans l'hostilité des partis « épargnant ainsi aux Français ce qu'il y eut d'inexpiable dans la Révolution? »

***

Mme de Staël et son fils Auguste se montrent convaincus dans leurs écrits que si Necker, en 1781, après l'affaire du « Compte rendu » avait repris sa démission il eut, sa popularité l'imposant, succédé à Maurepas six mois plus tard, en novembre, à la mort de l'octogénaire.

« Le règne de Louis XVI eût été probablement paisible, déclare Germaine et la nation se serait préparée, par une bonne administration, à l'émancipation qui lui était due. »

Et ailleurs :

« ... Mon père s'est amèrement reproché dans la suite de n'avoir pas supporté les dégoûts qu'il éprouvait, pour accomplir les projets utiles et réparateurs dont il avait conçu l'idée; et il se peut en effet que s'il fût resté dans le ministère alors, il eût prévenu la révolution, en maintenant l'ordre dans les finances... »

« Ceux qui par leur situation, reprend Auguste de Staël en 1820, ont été à portée de suivre la marche des affaires et que l'esprit de parti n'a pas égarés, sont de l'avis presque unanime que si M. Necker fût alors resté en place, la révolution française n'aurait pas eu lieu, ou que du moins les grandes modifications dans l'ordre social que l'état des esprits rendait inévitables, se seraient opérées graduellement et sans secousses... et que l'autorité royale, dirigée par un homme qui jugeait l'état de l'opinion avec une sagacité admirable, aurait su accorder progressivement à la France tout ce qui fut bientôt conquis par la force. »

* * *

Il faut croire à l'honnêteté foncière de Necker, à sa joie naïve d'être un grand personnage, à sa volonté de servir de son mieux la France et son roi. « La pureté de ses intentions » imbibe de la même huile tous ses écrits. Porté par son orgueil tranquille il était sûr de voir clair, sûr de faire ce qu'il fallait, sûr que la Nation l'écouterait et le suivrait, quels que fussent les obstacles, les surprises et la longueur du chemin. Certes, il avait dit le contraire en déclarant à Louis XVI :

> « ... aussi longtemps qu'un esprit sage, un caractère honnête, une âme élevée pourraient influer sur l'opinion, je serais peut-être un ministre aussi propre à servir l'État que personne, mais si jamais le cours des événements exigeait un Mazarin ou un Richelieu..., dès ce moment-là, je ne conviendrais plus aux affaires publiques. »

Seulement l'exercice du pouvoir, et surtout son regret, lui firent vite oublier ce qu'il avait si bien discerné avant de le prendre. Fût-il devenu premier ministre à la mort de Maurepas il n'en eût pas moins été débordé, d'abord parce qu'il comprit mal ce qui se passait, ensuite parce que, l'eût-il mieux compris, son tempérament ne lui aurait jamais permis d'imposer à un roi aussi vertueux que lui, mais plus faible encore, braqué contre « les rebelles », hostile à de vraies réformes, les franches décisions qu'eût exigées la situation.

Nous sommes aujourd'hui parfaitement placés pour savoir qu'il n'y a pas au pouvoir d'homme plus dangereux par temps de crise qu'un modéré, quels que soient ses scrupules et ses talents. Un ministre qui, en toutes circonstances, veut peser le pour et le contre, être juste, raisonnable, compris et approuvé de tous, est, au moindre incident, conduit à exaspérer ses ennemis, à inquiéter ou à lasser ses amis. Un ministre qui concilie, temporise, rassure, s'aveugle ; qui pense sincèrement que rien ne peut aller mal tant qu'il sera là et que tout finira par s'arranger si on l'y laisse, les vrais dangers ne pouvant sortir que de son absence, est un agent inconscient de trouble et de subversion. Necker se croyait ferme et résolu; mais, pour durer, il s'autorisait à louvoyer, à ménager le grand clergé, les princes, la Cour, et les atermoiements auxquels cette politique de prudence le contraignait faisaient douter de sa sincérité, de sa clairvoyance, de sa force.

Parce qu'il se savait vertueux et lucide il s'absolvait d'agir de la sorte, prenant pour des habiletés ses faiblesses, et des réalités ses désirs. Il imaginait d'une part qu'il saurait amener le roi, les princes et même la reine à renoncer à leurs habitudes seigneuriales; et d'autre part que l'opposition lui laisserait le temps d'y travailler. Plus la situation se compliquait, plus les positions se durcissaient et plus il se félicitait d'être appelé par la Providence à tenir le rôle du médiateur qui lui allait, croyait-il, comme un gant, et que même un Turgot (mort en 1781) vrai grand homme sans doute, mais trop brutal, trop entier, n'aurait pas su jouer...

« ...Tout homme juste qui examinera la conduite de M. Necker dans ses moindres détails, écrit Germaine, y verra toujours l'influence d'un principe de vertu. Je ne sais si cela s'appelle n'être pas un homme d'État; mais si l'on veut le blâmer sous ce rapport, c'est aux délicatesses de sa conscience qu'il faut s'en prendre. »

Voilà qui permet de mieux comprendre comment le fils cadet d'un professeur de droit de sang allemand et d'une active Française du pays de Gex qui tenait à Genève avec son mari un pensionnat pour jeunes Anglais; comment le petit commis de banque envoyé à Paris à quinze ans; comment l'entreprenant financier, le richissime étranger, devenu premier ministre du roi de France à l'heure de la Révolution, personnage de second plan à gros relief, poussé au premier par les circonstances, qui alliait la vanité à la bonhomie, l'ambition au scrupule, la finesse à la candeur, la bonté au dédain, le courage à l'opportunisme, put susciter à la fois tant d'ovations et de colères.

Peut-être les ouvrages apologiques, assez pesants, qu'il composa à Coppet dans sa retraite, à l'intention de la postérité, ont-ils encore plus contribué que sa politique à rendre injustes les contemporains. Mais faut-il souscrire à un verdict d'abord inspiré par le scepticisme, l'irritation et l'ennui que provoquent tous les plaidoyers de cette sorte? Connaissons-nous beaucoup de ministres et d'hommes d'État qui ont rédigé leurs Mémoires pour se charger et faire leur *mea culpa*? Dans la foule de ceux qui prétendent démontrer que leurs devanciers et leurs successeurs sont seuls responsables de leur échec et qu'ils n'ont guère eu le temps que de réparer les fautes des premiers avant de voir leur ouvrage défait par les seconds, il y a évidemment quelques vrais malchanceux.

Peut-être Necker est-il de ce petit nombre. En tout cas, il est vraisemblablement le seul ministre qui ait refusé les traitements de sa charge, le seul qui ait gouverné gratis, le seul qui ait avancé deux millions de livres au trésor public en abandonnant le pouvoir (1).

Ne se distinguerait-il que par ce geste-là, dont personne ne lui sut gré, il aurait déjà droit à un sérieux coup de chapeau.

***

En même temps qu'elle compose l'ouvrage à la gloire de son père, Germaine s'inquiète avec le plus grand soin de sa nouvelle situation de fortune. Necker lui laissait Coppet et tous ses biens. « J'institue ma chère fille mon unique héritière et je lui recommande de faire usage de la fortune que je lui laisserai de la manière la plus conforme aux lois de la morale et de la religion. » « La voilà libre avec cent mille livres de revenus ! » écrit Bonstetten. Il doute seulement que ces biens terrestres suffisent à la rendre heureuse : « Le monde est trop petit pour son âme de feu. » [*à Frédérique Brun.*]

Mais comme jadis sa mère chargée en 1778 par Necker, devenu ministre, de tenir sa maison et sa caisse, Germaine se découvre les vertus administratives exigées par ses responsabilités nouvelles d'intendant à l'égard de ses enfants.

Son premier soin est de provoquer la liquidation des

(1) En prévision de la chute des assignats dont il avait combattu le projet d'émission voté par l'Assemblée nationale.

droits féodaux du châtelain de Coppet, abolis par la révolution helvétique; elle obtient satisfaction en octobre. Elle écrit à ses amis américains et s'inquiète des terrains que Necker avait acquis pour lui et elle, dès 1794, par l'intermédiaire de Gouverneur Morris, dans l'État de New York. Elle songe enfin à recouvrer les deux millions avancés au Trésor en 1790, vainement réclamés par Necker. L'Empereur peut-il refuser d'acquitter les dettes du dernier roi? Mais il lui faut d'abord rentrer en grâce.

Elle a trouvé dans les papiers de son père le brouillon d'une lettre inachevée destinée au Premier Consul où Necker, redoutant sa fin, innocente une dernière fois Germaine avec vigueur. Elle n'a pas inspiré *Dernières vues de politique et de finance.* Elle n'a donc rien fait qui justifie les mesures d'éloignement dont elle a été frappée. Necker prie le Premier Consul de bien vouloir les rapporter. « J'espérai contre toute espérance, écrit Germaine qui dans *Dix années d'exil* décide que la lettre a été adressée... Cette voix d'un mourant avait tant de solennité!... Le Premier Consul reçut cette lettre et me crut sans doute d'une rare niaiserie d'avoir pu me flatter qu'il en serait touché. Je suis à cet égard de son avis. »

Mais elle écrit ces lignes en 1812. En juin 1804 elle est moins catégorique et, il faut le constater, moins fière. C'est un de ses rares moments de faiblesse... Le chagrin a, pour un temps, diminué sa résistance. Sans doute elle brocarde l'empereur et ses grands chambellans. Elle s'indigne que « des Montmorency, des Rohan, des La Rochefoucauld » servent maintenant « de domestiques et de femmes de chambre aux bourgeois et aux bourgeoises d'Ajaccio! » Elle écrit à Narbonne prêt à servir Napoléon — contré par Talleyrand, il attendra jusqu'en 1809 — qu'elle espère bien n'avoir jamais le chagrin de lire son nom à côté des autres... Elle est fière de Juliette Récamier qui, sollicitée à plusieurs reprises par Fouché, de la part de l'Empereur, décline adroitement le gênant honneur qu'on veut lui faire. Juliette ne sera pas de la suite de Joséphine. Elle ne démentira pas son attitude au procès de Moreau. Elle n'infligera pas cet affront à Mme de Staël.

Mais sans l'avouer, sans le reconnaître, sans le savoir même, Germaine souffre à Coppet de voir se former et s'enfler à Paris une Cour certes ridicule et fabriquée de toutes pièces qui n'en est pas moins une Cour fastueuse et brillante, reconnue par les vieilles Cours authentiques d'Europe..., la cour de France, dont elle est exclue, elle, la fille de M. Necker !

Le 13 juin, elle écrit à son ami Joseph Bonaparte, grand électeur, qui l'avait accueillie déjà proscrite, huit mois plus tôt, à Mortfontaine :

« Mon Prince, souffrez qu'en reconnaissant en vous, pour le bonheur des Français, un prince, un successeur, une Altesse impériale, je m'enorgueillisse du temps où vous me permettiez un nom plus doux.

« ...Vous seul avez, malgré tout l'éclat qui vous environne, une bonté qui permet au malheur de vous approcher. Sauvez-moi si vous le pouvez de la situation où je suis... Je n'ai plus la force de vivre loin de mes amis. Je n'ai plus dans ce monde un intérêt et une pensée, que le besoin de les rejoindre, et si l'Empereur pouvait voir dans quel état je suis tombée, il saurait qu'il ne fera qu'un acte de pitié en me laissant me traîner dans quelque coin solitaire auprès de mes amis. Si cependant la fin de mon supplice n'est pas encore possible, si votre situation nouvelle ne vous permet pas encore de faire revenir une personne pourtant bien attachée à l'ordre de choses actuel, envoyez-moi des lettres pour le Cardinal Fesch et pour Madame votre mère. J'irai passer l'hiver à Rome, j'irai encore errer jusqu'à ce que, mes enfants et moi, vous nous ayez rendu notre patrie. »

Ces lignes qui choquent profondément Benjamin — mais lui-même en choquera bien d'autres en 1815 ! — parviennent à Joseph au camp de Boulogne. La réponse du « prince », un peu tardive, est d'un homme habile et d'un ami délicat.

« ... L'Empereur était attendu tous les jours ici, et j'ai voulu lui parler de vous, Madame, avant de vous envoyer des lettres pour Rome, ce que je fais avec empressement aujourd'hui, mais j'avais espéré pouvoir faire mieux.

« ... Lorsque vous visiterez à Rome le Colisée, et d'autres monuments dont vous ne pourriez pas déchiffrer les inscriptions, lisez qu'il est en France un ami qui s'occupe de votre retour... mais j'exige de vous le courage de la résignation, et la confiance dans mon amitié... Si je ne réussis pas, personne ne réussira.

Vous me connaissez assez pour croire que rien n'est changé dans moi, quoique tout change autour de moi... Les grandeurs ne sont quelque chose que pour les petites âmes, je suis très flatté que vous ayez de moi cette opinion.. Ma femme partage bien mes sentiments. Elle vous aime beaucoup, elle vous apprécie, je suis très aise des sentiments qu'elle a pour vous.

« Respectez moins en moi le prince, respectez un ancien ami... »

Alors elle se résigne à préparer le voyage en Italie, reportant son départ au début de décembre par un dernier et vain espoir d'une amnistie générale des émigrés et des proscrits, à l'occasion du Couronnement...

L'été et l'automne sont très agités. Mathieu de Montmorency vient passer en juillet un mois auprès de ses chères amies Germaine et la cousine Albertine de Saussure qui est tout près, à Cologny. Il y retrouve, en dehors du nouveau commensal, Sismondi, Bonstetten, Jean de Müller, Hochet, Lullin de Châteauroux... Frédéric Schlegel, arrivé en octobre, reste cinq semaines à Coppet. Germaine veut qu'il soit du voyage avec Guillaume. Il est empêché. Benjamin part et revient, désolé et ravi d'un jour à l'autre... Ils sont à Genève à la mi-octobre pour fêter la duchesse de Courlande de passage dans la ville. Le 25, Benjamin a trente-huit ans. « La meilleure partie de ma vie est écoulée... Aujourd'hui, je crois être arrivé à une nouvelle époque, car tout ce que je désire, c'est le repos. L'obtiendrai-je ? » Au fur et à mesure que se rapproche la séparation, dont il s'inquiète et se réjouit, il trouve Germaine de plus en plus douce et charmante et ne croit plus pouvoir la quitter. « Elle m'aime si profondément ! Elle risquerait si volontiers sa vie pour moi ! Et j'irais lui ôter son dernier ami, quand elle vient de perdre son père ! » Mais le 19 novembre, après un dîner avec Sismondi, Schlegel et Auguste Duvau, un émigré français, excellent germanisant, Benjamin se querelle avec Biondetta (autre nom d'amitié de Germaine).

« J'ai revu la griffe au moment où je m'y attendais le moins. Je la trouve douce depuis quelques jours parce que, prêt à la quitter, je fais tout ce qu'elle veut pour esquiver des scènes, mais dans le fond, elle est toujours la personne exigeante, irritable et égoïste qui a fait si souvent le malheur de ma vie... Je n'ai guère que deux moyens d'en finir avec elle : l'épouser, ou en épouser une autre. Je préférerais ce dernier parti. J'ai mon projet dans la tête, mais je ne sais que trop ce que sont ces projets. Je ne veux pas l'écrire qu'il ne soit exécuté. »

Mais le 23 :

« J'éprouve beaucoup de peine de celle que Minette ressent de notre séparation. Pauvre femme ! Elle a des parties de bonté si profonde, et une telle vérité de sentiment !... Où trouverais-je une affection pareille ? Et quand je la trouverais, en souffrirait-elle moins ? Et puis-je être heureux si elle souffre ? »

C'est décidé. Avant le grand départ, ils se rencontreront à Lyon où elle va embrasser Mathieu. Il quitte Coppet le 26 pour aller voir son père à Brevans près de Dole, où Arnold-Juste de Constant, soixante-dix-huit ans, vit retiré depuis 1791.

« Je l'aime de toute mon âme. J'irai à Lyon » note Benjamin le 1er décembre.

5 *décembre.* — « Retrouvé Minette. Schlegel a été assez dérangé par mon arrivée. La préférence beaucoup trop manifeste de Minette pour moi, sa fatigue d'une conversation toujours littéraire et paradoxale, mille symptômes de lassitude et de déplaisance ont dû le frapper. Il en a moins vu qu'il n'y en a. Il lui restera attaché par goût, par habitude, parce qu'il s'y trouve bien... Cependant sa situation est encore plus raisonnable que la mienne. Il était né sans fortune. Il ne pouvait échapper à une sorte de dépendance. Il en trouve une assez douce, et s'il se révolte quelquefois, l'adresse et l'amitié de Minette le calment et le rendorment bientôt.

6 *décembre.* — Route de Pont-de-l'Ain à Lyon. Journée douce avec Minette. Personne ne connaît comme moi ce que cette femme vaut. Il y a une analogie parfaite entre ses opinions et les miennes. Il est vrai que ses sentiments et ses actions sont souvent en contradiction avec ses opinions. Accoutumée d'abord par la faiblesse de son père, ensuite par les flatteries de ses alentours, à chercher ses ressources et ses amusements au-dehors, elle a conservé de son entrée beaucoup trop heureuse et beaucoup trop brillante dans la vie l'habitude funeste de se reposer de son bonheur sur les autres et de considérer leur appui comme une chose qu'ils lui doivent. Mais ce défaut qui est la source de tout son malheur et de tout le mien, diminue de jour en jour, tandis que son affection pour moi augmente. »

Ils se quittent le 11 décembre. Lui va passer un mois à Paris avant de reprendre le travail sur l'*Histoire des Religions* dans sa maison des Herbages. Elle, part pour Turin avec Sismondi, parfait cicerone, Schlegel et ses trois élèves, Auguste, Albert et Albertine, première étape du voyage en Italie dont elle n'attend qu'un dépaysement, de nouveaux aliments pour sa renommée, un cadre pour un livre.

La terrible année 1804 s'achève. Elle a perdu son père chéri. Elle lui a rendu, de tout son cœur et de sa meilleure plume, un vibrant hommage. L'ouvrage, servant de notice à des écrits inédits de Necker, paraîtra à Paris à la fin de février. La voilà désormais, à quarante ans, sans guide, sans protection, sans frein, livrée à elle-même, redoutant de voir se relâcher davantage l'affection intermittente de Benjamin dont elle a plus que jamais besoin. C'est le seul qui compte. Mais avant qu'elle quitte Turin avec Guillaume, le bon chien savant polyglotte, habile traducteur de Shakespeare; avant que s'ouvre la nouvelle année, Benjamin a déjà revu à Paris Anna Lindsay et, ce qui est plus grave, Charlotte Du Tertre.

DEUXIÈME PARTIE

Le temps de l'amour et des épreuves (1804-1812)

« *Pour moi, toutes les circonstances, toutes les convenances, tous les intérêts de la vie sont dans le cœur.* »
(Lettre à Pedro de Souza)

« *Mon âme se répand au-dehors, je ne peux cacher ce que j'éprouve...* »
(Lettre à Monti)

« *Il y a comme une jouissance physique dans la résistance à un pouvoir injuste.* »
(Considérations sur la Révolution française)

I

L'esclave et les captifs

TURIN, Milan, Parme, Modène, Bologne, Pesaro, Ancône, Rome... La petite caravane arrive le 2 février dans la Ville éternelle. Sans doute, ce n'est pas un bon moment pour traverser l'Italie et jouir de son charme et de ses beautés, mais il y a les musées, les monuments, les ruines... Seul Schlegel est enthousiaste.

« ... Mme de Staël [*Sismondi à Bonstetten*] prend à la fin de l'impatience de ce que l'on peut voir le plus haut perfectionnement de l'esprit humain dans un torse mutilé de statue... »

Ni l'art ni la nature ne la touchent réellement. Elle ne cède à l'admiration que devant la mer à qui elle veut bien reconnaître une forte et mouvante personnalité. Mais elle lui préfère la société, les réceptions, les fêtes et, à peine différentes de ville en ville, les marques de sa stimulante et tapageuse célébrité. Certes, elle est tenue à une certaine réserve à l'égard du pouvoir. L'empereur sera bientôt sacré roi d'Italie à Milan; elle ne peut se déchaîner contre lui comme elle se déchaîna à Berlin contre le Premier Consul. Il aurait pu s'opposer à ce voyage qui s'annonce triomphal et il ressort des lettres de Joseph qu'il le favorise au contraire. Quelles que soient ses raisons, elle veut en tenir compte et cela ne lui permet pas d'être tout à fait elle-même.

Elle n'a pas non plus trouvé à Milan et à Rome des personnages de la qualité des hautes illustrations de Weimar. Le Gœthe et le Schiller de l'Italie se nomment Vincenzo Monti et Alborghetti. Ce sont des poètes vantés, du second rang. Mais — renom oblige — elle ne peut faire moins que de se compromettre glorieusement en leur compagnie. Cela occupe son temps, cela trompe sa faim, mais ne suffit pas à la rendre sensible à la grandeur de ce qu'elle voit. « Quelle balançoire que Rome ! » dira George Sand. Germaine, pour d'autres raisons, pense de même. « Elle recherche en voyage, dit Sismondi, bien moins ce qu'elle peut voir que ce qu'elle peut entendre. »

Soudain, le 15 février, tout change... Deux jours plus tard, Germaine découvre la poésie du Colisée au clair de lune... Elle part pour Naples et vit trois semaines dans l'enchantement. Elle rentre à Rome et parcourt joyeusement, infatigablement, la ville et les musées...

« J'ai plus senti la nature ici [*à Suard*] que je ne l'avais sentie partout ailleurs. Le Midi a quelque chose d'actif qui vous parle comme un ami ou vous réveille comme une fête. C'est à Naples que je l'ai senti bien plus qu'ici. Le séjour de Rome, comme dit Chateaubriand, apaise l'âme... J'écrirai une sorte de roman qui serve de cadre au voyage d'Italie et je crois que beaucoup de pensées et de sentiments trouvent leur place là... »

Sa sensibilité artistique n'en est pourtant pas mieux éveillée et il n'y a qu'à lire *Corinne* — où les descriptions fastidieuses et plaquées, semblent sorties d'un mauvais guide — pour comprendre que son revirement, en ce printemps 1805, n'est que l'illusion d'une amoureuse. Le mot de Bonstetten : « Toute beauté qui ne relève ni de l'esprit ni de l'éloquence n'existe pas pour elle » continue à la peindre, et elle l'avoue elle-même sans réticence ni gêne quand elle écrit :

« ... Si ce n'était le respect humain, je n'ouvrirais pas ma fenêtre pour voir la baie de Naples pour la première fois, tandis que je ferais cinq cents lieues pour aller causer avec un homme d'esprit que je ne connais pas. »

Seulement, dans son salon, à Rome, le 15 février, outre quelques Arcadiens de l'Académie bucolique qui l'ont reçue « pastourelle » la veille, outre le prince Chigi, le cardinal Consalvi, les deux frères Humboldt et quelques notabilités, il y a un jeune gentilhomme portugais aux cheveux noirs, aux yeux bleus, au teint légèrement olivâtre, au nez légèrement busqué. Il lui a été présenté au cours de la fête des Arcadiens après qu'elle fut descendue de l'estrade où elle avait été couronnée et fleurie. Il a vingt-quatre ans. Il se nomme dom Pedro de Souza e Holstein et il sera le premier duc de Palmella. Élevé par un Suisse, Italien de naissance, fils de Portugais, croisé d'Allemand, il plaît tout de suite, énormément. à cette Française fille d'un Genevois et d'une Vaudoise, veuve d'un Suédois. Il a un corps élégant, il chante, il fait des vers, il aime les arts... « Il est très agréable » écrit-elle le soir même à Monti. Ah, si l'autre Holstein, Eric-Magnus, avait eu son charme !

Le fait qu'il n'ait plus sa mère et qu'il ait perdu tout récemment son père, ancien ambassadeur à Rome — quelle troublante coïncidence ! — la rapproche encore de lui.

> ... Le destin dans sa marche immuable
> M'apprêtait à pleurer mon père auprès de vous
> Un malheur pareil vous arrachant des larmes
> A un même chagrin fait un chagrin plus doux...

Dans leur correspondance publiée par Mme Voz de Carvalho (Lisbonne 1898), les vers alternent avec la prose.

« ... Les jours se passent et je suis bien peu seule avec vous. Si vous reveniez ce soir à onze heures, nous pourrions aller voir ensemble le Colisée au clair de lune. Je dis revenir pour vous laisser le temps de faire des visites; vous savez bien que la vie entière passée avec vous me paraîtrait encore plus courte qu'elle ne l'est... »

Il est fiancé à une jeune Piémontaise, Mlle Du Perron, mais qu'importe ! Quoi qu'il arrive, elle est sûre de n'être jamais séparée de son jeune amant.

> « ... En aimant, perdrez-vous un souvenir si tendre
> Pourriez-vous être aimé sans croire encore m'entendre ? »

Laissant ses deux fils à Rome chez le prince Torlonia elle part pour Naples avec dom Pedro. Mais son besoin d'isolement et d'intimité ne va jamais jusqu'au secret dont elle se moque — elle n'a jamais caché ses amours à personne — et elle emmène le pauvre Schlegel qui s'occupera d'Albertine.

Elle rentre à Rome au milieu de mars. Il y aura bientôt un an que son père est mort. La tristesse et la joie se rencontrent dans son âme. Germaine passe de l'une à l'autre sans transition et sans honte. Elle s'accepte toujours, en toutes circonstances, et ne se ment jamais. Mais en ces journées anniversaires, ses promenades à travers Rome, où l'esprit devant les catacombes et les ruines n'est que trop porté à la méditation, la rendent à sa nature inquiète, avide, malheureuse. La séparation avec Pedro est proche. Et on connaîtrait bien mal Germaine de Staël si l'on imaginait d'autre part qu'une flambée d'amour, si haute et violente qu'elle soit, puisse la rendre oublieuse ou négligente. Il n'y a pas, il n'y aura jamais pour elle de douleur ni de joie capables de la retrancher, fût-ce un jour, du reste du monde, de la couper de ses passions, de ses soucis, de ses espoirs, de ses affections, de ses affaires, de ses devoirs. Elle ne ralentit pas le rythme de sa correspondance quasi quotidienne avec Benjamin et c'est au plus fort de l'idylle avec Pedro qu'elle répond par l'affirmative à sa suggestion d'un mariage secret, faite en février. Il lui a appris le suicide d'un de leurs amis, le marquis de Blacons, émigré rentré en 1801 qui n'a pu rétablir ni sa situation financière ni la conjugale et s'est tué d'un coup de revolver.

Benjamin note le 22 avril :

« Lettre de Minette. Son chagrin sur Blacons n'est pas calmé, mais il est plus fort, à cause de celui qu'elle me suppose, que par sa nature même. Elle me propose aussitôt après notre réunion un mariage secret. C'est un grand parti à prendre. Il fixe ma vie, il m'assure, sans que j'aie à m'en occuper, une grande aisance. Il me réunit d'une manière positive à ma charmante Albertine. Il me donne des droits là où je n'ai eu que des devoirs jusqu'à présent. Mais d'un autre côté, il m'enchaîne à jamais et me rend solidaire d'une destinée bien orageuse. Nous verrons. »

Le lendemain, il n'ose pas encore, dans sa lettre à Minette, parler du mariage secret. « Ce n'est pas sans quelque terreur que je m'aventurerai sur cette mer des tempêtes. Cependant si je ne puis gagner la terre et entrer au port, il vaut mieux l'épouser que de rester dans nos relations actuelles. » Il a donc revu Anne Lindsay; Charlotte Du Tertre ne demande qu'à divorcer pour l'épouser. Il est plus perplexe que jamais. Et sombre. La chère Julie Talma est en train de mourir. La jalousie d'Anne Lindsay le lasse. La douceur insistante de Charlotte l'émeut. Le projet de mariage avec Germaine le hante. « Minette est une partie de moi : je ne puis l'arracher de mon existence. » Que faire? Heureusement, son grand ouvrage sur les religions, qu'il poursuit aux Herbages, lui semble en bonne voie.

Le 3 mai, il reçoit une lettre de Germaine, qui l'exaspère, « de ce style violent, exagéré, tempétueux, que je déteste... Si j'avais reçu sa lettre hier, j'aurais répondu bien plus tendrement à Mme Du Tertre. » Le 4, il envisage pour la première fois d'épouser Charlotte.

« Je la verrai ce soir. J'ai formé ma résolution : si elle peut devenir libre, je l'épouse. La lettre de Biondetta a détruit presque entièrement mes bonnes dispositions de hier... Avec Charlotte, je puis vivre en France honorablement et paisiblement. Elle m'apporte un caractère charmant, assez d'esprit, plus que je ne lui en croyais, une naissance illustre [*de Hardenberg*], assez de fortune pour que, marié, je ne sois pas plus pauvre qu'à présent, et un attachement qui a survécu à dix ans d'absence et d'indifférence de ma part... »

Le 5 mai, il voit mourir chez elle, à Paris, Julie Talma, et la page du *Journal* sur cette fin déchirante est admirable. Le 6, il écrit à Minette. Le 7, il reçoit une lettre d'elle. Elle lui annonce son retour à Coppet pour le début du prochain mois et « exige » qu'il se mette en route, de son côté, le 1er juin.

Le 7 mai, elle a quitté Rome et Pedro. Elle est à Florence, sur la route de Venise qu'elle veut visiter avant de retourner à Milan, pour les fêtes du couronnement de Napoléon, roi d'Italie. Elle espère, contre toute vraisemblance, obtenir une audience de l'empereur et une réponse au sujet du règlement des deux millions. Elle écrit plusieurs lettres folles à Pedro. Mais la plus folle sans doute, et la plus belle, est celle du 14 mai, où elle avance une hypothèse audacieuse, indécente, dont quelques-uns de ses biographes se sont émus. Chimère que beaucoup d'amoureuses, dans sa situation, ont pourtant formée, mais que bien peu ont osé formuler...

« ... Je ne puis m'avouer à moi-même combien je suis malheureuse de vous avoir quitté. Je n'ai jamais nourri l'espérance de passer ma vie avec vous et je souffre comme si je m'étais confiée au bonheur. Il y a, dans votre caractère et dans vos manières, je ne sais quel charme qui agit mystérieusement sur moi.

« ... Si vous êtes ce que je crois, vous m'aimerez quelque temps, pas toujours, car la destinée ne nous a pas faits contemporains, mais ce ne sera pas facilement que vous donnerez ma place dans votre cœur...

« ... Il faut que je vous revoie, il faut que nous passions au moins deux mois à Coppet et près de Paris, où je vous voie sans contrainte... Je vous envoie d'ici toutes les fleurs dont mes enfants et Schlegel ont décoré ma chambre, je vous en promets pour décorer votre chambre à Coppet.

« Ah ! venez ! venez ! et vous serez reçu avec toutes les affections que l'enthousiasme et l'estime peuvent réunir. Votre esprit et vos sentiments sont quelquefois prisonniers au-dedans de vous-même, je serai le chevalier qui les délivrera : je vous apprendrai à vous connaître, à vous montrer tel que vous êtes, et quand vous serez plus aimable encore que vous ne l'êtes, vous partirez et ma chimère sera que vous serez un jour l'époux de ma fille. Savez-vous que cette petite m'a demandé hier *si je croyais qu'elle avait fait votre conquête*, dans ces propres termes.

« Elle a appris tous les jours douze octaves de l'Arioste avec une étonnante facilité. Je vous assure qu'elle aura ce qui a pu me distinguer avec des avantages de plus et des défauts en moins. Cher dom Pedro, ce n'est pas tout à fait folie que cette idée, croyez-moi. Vous aurez besoin d'une femme distinguée; votre supériorité naturelle unie à de l'indolence vous rend plus nécessaire qu'à personne d'être attaché à une femme d'esprit...

« ... Rome et vous sont inséparables dans ma mémoire. Je n'ai compris que par vous les délices de ce séjour. Mon imagination n'avait point encore peuplé le désert, je vous ai aimé, et tout s'est animé pour moi : les beaux-arts, la nature et jusqu'aux souvenirs du passé qui me faisaient mal et dont j'ai appris à jouir. Ne serez-vous pas tenté de me faire don de quelques mois semblables?

« ... Je serais capable de passer l'hiver suivant en Italie si vous y étiez. Sans vous, tous ces lieux me causeraient une émotion trop douloureuse. Vous avez lu dans mon cœur.

« ... J'ai écrit une des choses que vous m'avez dites ce jour-là... [*la promenade au Colisée au clair de lune*]. Je n'inventerai jamais mieux et j'aime cette intelligence secrète qui s'établira entre nous quand vous lirez *Corinne*... Vous vous y reconnaîtrez tel que vous êtes et tel que vous serez si vous soutenez votre esprit et votre âme à la hauteur qui lui sont naturelles... »

Elle ne fera plus allusion à sa chimère... Le 16 mai, elle n'est pas encore sûre de pouvoir se rendre à Venise.

« J'ai espéré un moment qu'il faudrait revenir sur ses pas et je serais allée à Rome ne fût-ce que pour deux jours. J'y serais allée, si je me croyais nécessaire à votre bonheur. Si jamais je pouvais le croire véritablement, le voyage même de Lisbonne me paraîtrait facile... Pour moi, toutes les circonstances, toutes les convenances, tous les intérêts de la vie sont dans le cœur... »

Elle part enfin pour Venise qui ne la touche ni plus ni moins que Rome. Mais encore toute occupée du charmant Pedro elle fait la connaissance, au cours d'une réception, d'une jeune comte autrichien de souche irlandaise. Il a vingt-quatre ans comme Pedro; il est mélancolique comme elle. Il est capitaine en congé d'une compagnie d'infanterie. Il se nomme Maurice O'Donnell de Tyrconnell. Elle le considère avec la curiosité et l'espoir qui animent don Juan à chaque nouvelle rencontre. Ce grand bonheur paisible auquel elle aspirera toujours et qu'elle ne connaîtra jamais, est-ce Maurice O'Donnell qui le lui donnera? Qui peut savoir? Elle jette sa ligne un fois de plus.

Le temps lui manque pour pousser les choses. Elle ne passe à Venise que cinq jours. Il faut qu'elle soit à Milan pour les fêtes. Mais de Milan elle lui écrit le 13 juin. Elle croit pouvoir l'assurer qu'il n'y aura pas de guerre « au moins cette année » et elle l'invite à venir en Suisse. A peine arrivée à Coppet, elle le presse.

« ... de longtemps peut-être vous ne pourrez faire de voyage, car, autant je crois à la paix pour cette année, aussi peu j'y crois pour l'année prochaine. Vous verrez chez moi cet été la plus belle femme de Paris, Mme Récamier, dont sûrement vous avez entendu parler. Vous voyez que je cherche tous les moyens de vous attirer, je désire fort cependant que le plaisir que j'aurais à vous recevoir soit le motif le plus déterminant. »

A Milan elle voit plusieurs fois Joseph et dans l'entourage de l'Empereur nul ne paraît se méfier d'elle. Personne ne semble lui faire grief d'avoir rendu visite à Pesaro, à Lucien Bonaparte, fâché avec son frère. Mais elle ne voit pas Napoléon, mais elle n'obtient pas la réponse espérée au sujet des deux millions. Ce n'est pas que l'empereur discute sa créance, c'est qu'il n'est pas pressé de lâcher le gage. Si Mme de Staël se tient bien tranquille, semble-t-il promettre, on la réglera. En attendant — c'est la raison de l'aimable accueil qu'on réserve à Germaine à Milan — il fait comprendre et répéter à son adversaire qu'il ne lui veut aucun mal si elle ne franchit pas certain cercle...

Comme il le dira deux ans plus tard, de passage à Chambéry, à Auguste de Staël venu bravement plaider la cause de sa mère : — Qu'elle aille à Rome, à Naples, à Vienne, à Berlin, à Milan, à Lyon; qu'elle aille à Londres si elle veut faire des libelles. Je la verrai partout avec plaisir; mais Paris, voyez-vous, c'est là que j'habite et je n'y veux que des gens qui m'aiment...

Elle est de retour à Coppet à la fin du mois de juin. Elle y restera jusqu'au mois d'avril 1806. Dans « la paix infernale » du château et du parc, elle retrouve son chagrin, sa détresse de prisonnière, sa nostalgie du ruisseau de la rue du Bac et toutes les sources de sa tristesse naturelle, inguérissable. Comment vivre là de la seule vie qu'elle aime, dans l'éclat et le mouvement? « Le plaisir, c'est l'amour, Paris ou la puissance » avait-elle écrit de Weimar à son père en décembre 1803, pour marquer que les fêtes et les réceptions qui consacraient sa célébrité ne la grisaient pas et qu'elle avait faim d'autre chose. On note la persistance de sa mélancolie dans une lettre écrite, deux mois après le retour à Coppet, le 24 août, à la duchesse Louise, à Weimar :

« ... J'ai été saisie par une impression de tristesse qui a agi sur mon imagination et sur mes nerfs; il y a quelque chose de bien misérable dans la douleur qui se renouvelle par l'aspect des lieux, mais j'ai cette faiblesse, et ma mobilité naturelle me cause et de la distraction et un amer repentir de cette distraction même... »

Elle ajoute, après un mot de lourd regret pour Schiller, mort en mai, à quarante-six ans :

« Que dirais-je de la France à Votre Altesse? Tous les événements du monde sont dans la tête d'un seul homme et personne ne peut ni faire un pas, ni avoir une volonté sans lui. Ce n'est pas seulement la liberté, mais le libre arbitre qui me paraît banni de la terre. »

Cependant à la fin août Germaine s'est déjà ressaisie et a engagé le combat. Puisque Paris lui demeure jusqu'à nouvel ordre interdit elle attirera Paris à Coppet qui brillera comme un phare dans la nuit de l'Empire. La puissance, c'est son esprit, c'est sa plume qui la lui assureront. Quant à l'amour elle saura l'enchaîner lui aussi.

Le château où le vieux ministre de Louis XVI, pieusement résigné à son effacement, épave dorée de la Révolution, glissait deux ans plus tôt lentement vers l'oubli, devient au cours de l'hiver 1805-1806, dans l'ombre même du soleil d'Austerlitz, une espèce d'auberge de la résistance, une extraordinaire hôtellerie, plus ou moins scandaleuse, quasi ouverte à tout venant où l'on parle, dîne et couche, dont la renommée spirituelle pendant six ans ne fera que croître avec celle de l'hôtesse; où l'on organise de brillantes représentations théâtrales et où il suffira de passer vingt-quatre heures pour être considéré ou traité comme suspect par la police de l'Empereur.

Parmi les invités de Germaine à son retour d'Italie, on remarque Henri Meister, le vieil et fidèle ami qui rendit compte de la première comédie de Minette à Saint-Ouen, Chateaubriand et sa femme, Frédéric Schlegel venu voir comment Guillaume supportait ses chaînes.

Benjamin qui s'est permis de prendre un léger retard est arrivé le 10 juillet, caressant ses projets d'évasion, flatté pourtant de son ancienneté et des avantages qu'elle lui donne au château de son amie, où il se sent un peu chez soi. Le 19 septembre 1805, il y aura onze ans qu'il a rencontré Germaine. « Elle serait heureuse sans moi » a-t-il noté la veille, sans doute pour se donner du courage. Mais l'heure de la décision n'a pas encore sonné. Bien qu'il soit le témoin des caprices et des trahisons de l'insatiable, le moindre réveil de leur ancienne intimité suffit à le paralyser.

L'activité sentimentale et passionnelle de Germaine est en cette fin d'année à son plus haut période. Elle attend avec impatience Pedro de Souza qui se fait désirer et, rappelé à Lisbonne, ne s'arrêtera à Coppet — trois mois, il est vrai — qu'en janvier. Elle écrit à Maurice O'Donnell à Venise lettre sur lettre pour le presser de la rejoindre. Elle ne laisse pas Benjamin sortir de ses incertitudes. Elle réprime avec une rigueur stupéfiante une tentative d'insubordination de Schlegel qui, après dix-huit mois d'asservissement, croyait avoir le droit de se plaindre. A aucun prix, elle ne laissera Schlegel reprendre sa liberté. Ce n'est pas seulement un excellent précepteur, c'est un collaborateur unique pour l'ouvrage sur l'Allemagne qu'elle entreprendra après *Corinne.* Elle a besoin de Schlegel.

Comment obtient-elle, par quelle manœuvre, par quel traitement, par quelles douceurs, l'engagement solennel de Guillaume? On ne le sait pas mais le pacte incroyable — révélateur de la puissance d'envoûtement de Germaine— est aux archives de Broglie d'où Mme de Pange l'a sorti en 1929.

« Vous avez voulu une promesse écrite, mon adorable amie, vous avez cru que j'hésiterais à vous la donner, la voici :

« Je déclare que vous avez tous les droits sur moi et que je n'en ai aucun sur vous. Disposez de ma personne et de ma vie, ordonnez, défendez, je vous obéirai en tout. Je n'aspire à aucun autre bonheur que celui que vous voudrez me donner : je ne veux rien posséder, je veux tenir tout de votre générosité. Je consentirais volontiers à ne plus penser à ma célébrité, à vouer exclusivement à votre usage particulier ce que je veux avoir de connaissances et de talents. Je suis fier de vous appartenir en propriété.

« Je ne prendrai aucun nouveau lien, qui pourrait me détacher de vous, et j'espère que je pourrai toujours remplir avec votre consentement les obligations que d'anciens liens m'imposent. Je ne sais pas si j'ai quelque tort dans ces sentiments et ces résolutions, si l'on doit se résigner si complètement à un autre être humain. Mais vous avez sur moi une puissance surnaturelle, contre laquelle ce serait en vain de lutter. Je crois voir des traces de Providence dans les singulières vicissitudes de ma vie. Ce n'est pas un hasard qui nous a fait rencontrer, qui vous a donné une impulsion vers moi au milieu des distractions du monde, et dans le moment où vous étiez menacée de la plus cruelle et de la plus irréparable des pertes. Pour moi, j'ai perdu une partie de ma vie à chercher, j'ai enfin trouvé ce qui est impérissable et ne me quittera qu'au tombeau.

« N'abusez pas de votre pouvoir : vous pourriez facilement me rendre malheureux, sans que j'eusse des armes contre vous. Surtout, je vous supplie, ne bannissez jamais d'auprès de vous votre esclave.

Ce 18 octobre 1805. A.-W. Schlegel. »

Ce qui distingue le pacte de Schlegel de celui que signa Benjamin Constant en 1796 et même de la nouvelle promesse qu'il fait à Germaine en 1804 de ne « jamais épouser une autre femme », c'est que, cette fois, la contrepartie n'existe pas. Mme de Staël a tous les droits, Schlegel aucun. Et ce qui rend l'abaissement du précepteur encore plus trouble et déplaisant, c'est que Guillaume ne peut ignorer que depuis le milieu d'août Germaine est la maîtresse de Prosper de Barante, le fils de l'aimable préfet du Léman, Claude-Ignace de Barante. Cette liaison, dont Germaine se cache à peine, dut être une des raisons de la timide révolte de Guillaume qui croyait, quand il quitta Berlin avec sa grande amie, n'avoir à triompher que de Benjamin dont le règne semblait fini.

Mais si Schlegel est un asexué, comme l'affirme Henri Heine dans *L'Allemagne*, tout s'éclaire, y compris la façon dont Germaine se serait servie de lui pour irriter Benjamin.

***

Ainsi, la lourde sirène de quarante ans, la « femme-homme » de Benjamin, la « propriétaire » de Schlegel, a fait tomber en six mois dans ses filets trois jeunes hommes de vingt-quatre ans. Maurice O'Donnell n'a pas encore cédé, mais son tour viendra. Comment s'y prend-elle donc?

Cela débute par la curiosité, la sympathie, les compliments; cela se poursuit par les discussions, les idées, la politique, les lettres, l'amitié; cela s'élargit par l'entente, la compréhension, le plaisir d'être ensemble... Et comme dès ce moment Germaine de Staël ne tolère, ni de ne pas être l'unique objet des pensées de celui qu'elle a distingué, ni d'être délaissée par ceux qu'elle a déjà distingués ni astreinte à n'en pas distinguer d'autres, les complications et les drames surgissent inévitablement. De chacun elle veut tout, et puisqu'il y a le jeu charnel dans ce tout, elle le veut aussi. Mais elle est le contraire d'une hystérique ou d'une vicieuse. Elle est vraie, profondément vraie. Rien de moins fabriqué, de moins littéraire que ses sentiments. Sur ce point elle est entièrement différente de sa mère. Intelligence virile dans un corps hélas peu féminin, elle est attirée par ce qu'il y a d'élevé dans les hommes, la pensée, l'ambition, la dignité, le caractère et aussi, quand c'est en sus, par ce qu'il y a de séduisant, la jeunesse, la beauté. Elle voudrait idéalement, romantiquement, n'être que le tendre et fraternel compagnon, le camarade charmant de lutte et de pensée des esprits d'élite dont elle devient, par instinct, par précaution physique, la maîtresse déchirée. Car si la compagnie des hommes de valeur dont elle est intellectuellement l'égal et le plus souvent le supérieur, lui est indispensable, son corps de femme, dont il faut bien qu'elle subisse les exigences, crée entre elle et eux un obstacle exaspérant qu'elle est pressée de voir disparaître.

Elle a en horreur pour elle-même la frivolité, les manigances, les coquetteries et l'escrime propre à son sexe dont Juliette Récamier joue en virtuose. Les escarmouches, le marivaudage, les mièvreries des précieuses lui sont inconnus. Elle joue franc jeu. Elle préfère se libérer croit-elle une fois pour toutes et se donner comme une paysanne, afin de supprimer les malentendus et les dangers, afin d'écarter l'hypocrisie et la convoitise qui empoisonnent l'amitié d'un homme et d'une femme supérieurs.

Seulement, le pas sauté, rien n'est arrangé — au moins pour elle. Parce que la créature dont elle a l'apparence et les organes commence à souffrir en femme, sentimentalement, psychiquement, des conséquences de l'échange sexuel. L'intelligence est abolie. Il n'est plus question d'amitié. Elle se livre à ses tourments avec l'ardeur qu'elle apporte en toutes choses et se rend vite insupportable aux imprudents qui ont précisément cru se trouver avec elle à l'abri des vulgaires orages de la passion.

Elle est un homme dans une femme et elle éprouve tour à tour les hautes satisfactions de l'amitié, noblesse de l'homme; et les faiblesses, les morsures, les jalousies de l'amour, misère de la femme. Mais c'est sans amertume, sans envie, comme un pauvre émerveillé par les plaisirs des riches qu'elle contemple la fascinante Juliette opérer en se jouant le miracle quotidien de la séduction et obtenir de l'homme dans un sourire, sans jamais s'engager, cet asservissement qui lui coûte à elle, et presque toujours vainement ou pour un temps trop court, tant de peines et de fureurs, tant d'obstination et de désespoir.

Elle ignore l'antagonisme de son cerveau et de son sexe et elle souffre de la façon dont la juge l'opinion publique qu'elle brave souvent malgré elle. C'est sans doute ce qui explique qu'elle ait si sévèrement proscrit de son œuvre l'exhibitionnisme qui a rendu scandaleuse aux yeux de beaucoup sa vie privée. Il n'est pas un des livres de Mme de Staël, essais ou romans, qui ne lui soit inspiré par ses idées, ses sentiments, ses affections, ses détresses et cependant on n'y trouve jamais trace (à moins qu'il ne s'agisse de son père ou de sa mère) d'une confidence intime. Tout est transposé, stylisé, voilé, rendu opaque au profane. La pudeur que son corps rejette, son esprit l'adopte et s'en sert comme d'un filtre.

II

« *Voilà l'homme qui veut perdre votre mère !...* »

La victoire sur Prosper de Barante, follement épris dès les premiers contacts et prêt, au risque de fâcher un père tendrement respecté, à épouser Mme de Staël, revêt, au moment où elle se produit, une importance exceptionnelle pour Germaine.

Pedro et Maurice sont surtout des amants, mais Prosper qui n'épousera pourtant qu'en 1815 Césarine d'Houdetot, est un mari. Beau, intelligent, de vieille et authentique noblesse, il montre des qualités et des goûts qui annoncent un ambitieux de classe. Quand Prosper de Barante voit Germaine pour la première fois, c'est semble-t-il à l'occasion de la visite de condoléances que fait Claude-Ignace à Coppet, comme préfet et comme ami, en mai 1804. Prosper est à ce moment, ayant échoué à Polytechnique, surnuméraire au ministère de l'Intérieur et il va publier quelques lettres inédites de Mlle Aïssé. La vie amoureuse de la belle Circassienne dut lui permettre de donner à Germaine quelques aperçus de sa sensibilité.

Quand Germaine rentre d'Italie, ils n'ont encore échangé que des lettres aimables et banales. C'est au cours d'un congé de plusieurs mois passé à Genève chez son père que Prosper prend place dans le large cœur de Germaine. Pendant quelques semaines, il est manifestement grisé et sûrement flatté. Lui aussi — qui d'ailleurs ne sait pas tout — croit avoir évincé ses rivaux. Benjamin, dont il estime le talent et qui le prend en amitié, ne lui paraît plus dangereux. Schlegel, si savant soit-il, n'est qu'un précepteur. On ne peut être jaloux d'un précepteur, d'un secrétaire... Et puis qu'importe ! Prosper, dans la simplicité de sa passion, pense qu'en devenant baronne de Barante, Germaine tirera un trait sur le passé. Quant à la différence des âges que Claude-Ignace considère comme l'obstacle majeur, Prosper, loin de s'en inquiéter, s'en réjouit. La jeunesse est son bien le plus précieux, sa seule monnaie d'échange et le seul avantage qu'il ait sur elle qui a le génie, la fortune, la renommée...

Et là encore, ne se vante-t-il pas? Est-il vraiment plus jeune qu'elle? L'extraordinaire vitalité de sa magnifique amie, sa conversation éblouissante, intarissable, son ardeur, ses enthousiasmes, ses indignations apportent à Prosper mille témoignages du contraire. À côté de Germaine, lui dont les vertus sont de pondération, de mesure, de lucidité, lui qui manque d'éloquence naturelle et ne sait pas improviser, se reproche souvent son calme, son sang-froid, son sérieux. Mais ce sont précisément ces qualités qui le rendent cher à Germaine.

Elle va s'attacher à Prosper, sans parler des raisons que la raison ignore, par un instinct très sûr des services qu'il pourrait lui rendre si Benjamin, qu'elle sent louvoyer, parvenait vraiment un jour à se dégager. En prévision d'un tel malheur, il faut qu'elle ait dans son jeu ce bel atout si agréable à voir, si plaisant à manier, si distingué, si neuf.

Prosper-Brugière de Barante (mort octogénaire en 1866 grand-croix de la Légion d'honneur) succédera à quarante-sept ans à de Sèze à l'Académie et tout en menant une prestigieuse carrière administrative, politique, diplomatique et littéraire, se sauvera de l'oubli en composant l'*Histoire des ducs de Bourgogne*; à vingt-quatre ans, il devait être un de ces brillants sujets éclairés par l'ambition, déjà portés par leur avenir, exactement faits pour bien servir la France et plaire à Germaine.

Mais, si épris qu'il soit, si respectueux de la supériorité de Mme de Staël, si attendri par ses caprises, Prosper de Barante n'est pas de l'espèce des amants qu'on endort ou qu'on dupe. S'il accepte d'être Hippolyte pour sa Phèdre sur le petit théâtre de Coppet, s'il ne sent pas le ridicule des brûlantes déclarations qu'elle lui jette à la face devant un public d'amis et de voisins, sensible aux plaisants dessous de la tragédie, Prosper ne sera pas un autre Schlegel ni même un autre Benjamin. Il comprend enfin en janvier 1806 que son père avait raison de lui répéter que Mme de Staël, avec tout son génie, n'est pas une femme à épouser : Pedro de Souza e Holstein est arrivé à Coppet, et Germaine décide d'apprendre le portugais pour traduire Camoëns avec lui.

Quand Prosper rentre à Paris où il siégera au Conseil d'État avant d'occuper, en 1807, la sous-préfecture de Bressuire et en 1809 la préfecture de la Vendée, il est blessé mais non guéri. Il reverra souvent Germaine dont la tendresse et les ardents mensonges auront souvent raison de sa rancune et il ne cessera jamais, tout au long de leur correspondance, de lui marquer son amitié; mais sa déception en 1806 est trop nette, trop vive, pour qu'il puisse hésiter sur la conduite à tenir. Même s'il lui arrive de faiblir encore il ne laisse pas ces faiblesses altérer sa résolution. Mais il ne condamne pas Germaine :

« Je sais bien que ce n'est pas par un projet délibéré d'avance que vous agissez ainsi, c'est par une habitude de vouloir tout dompter, excepté ses propres mouvements... » (19 *mai* 1806)

Germaine pourtant ne désespère pas de le reprendre, quelque temps qu'elle doive y mettre, comme elle travaille d'une autre manière à garder Benjamin. On peut juger de sa vigilance et de l'inquiétude qu'elle éprouve à imaginer une telle proie aux mains d'une autre en lisant quelques lignes d'une lettre bien curieuse à Juliette Récamier :

« Vous me dites que vous m'écrirez plus souvent maintenant que vous voyez plus souvent Prosper. Je crains, je vous l'avoue, que vous ne vous laissiez aimer par lui. Et ce serait pour moi une peine mortelle. Car deux de mes premiers sentiments en seraient troublés. Ne le faites pas, Juliette. Proscrite que je suis, me confiant à vous, et si prodigieusement inférieure à vos charmes, la générosité vous défend de vous permettre avec lui la moindre coquetterie. Ce n'est pas que je croie beaucoup à son affection pour moi. J'ai le malheur affreux d'en douter sans cesse. Mais réunir ce malheur à l'idée qu'il vient de vous me serait odieux... » (30 *septembre* 1806.)

***

Après s'être étourdie de réceptions et de théâtre tout l'hiver à Coppet comme à Genève où elle est venue se donner en spectacle avec sa troupe mondaine, dans ses principaux succès, *Mérope*, *Mahomet*, *Alzire*, *Phèdre*, etc... et *Agar dans le désert* qu'elle a écrit pour elle et ses enfants, Albert et Albertine, Mme de Staël décide de quitter la Suisse et de s'installer dans la zone de ces quarante lieues où elle est autorisée à se fixer. De là, si les vents sont favorables.., elle tentera de gagner d'abord les vingt lieues primitivement accordées et puis... insensiblement la ville interdite, où elle a déjà astucieusement envoyé Auguste avec un domestique, dès le mois d'août 1805, poursuivre ses études et préparer Polytechnique qu'il manquera.

Auguste a tout juste quinze ans quand Germaine, faisant pleine confiance à un petit-fils de M. Necker, le charge, de Coppet, le 4 septembre de plaider la cause de sa mère auprès du prince Joseph et d'obtenir le droit aux « vingt lieues ».

« Cher ami, il faut que je te parle de nos affaires puisque malheureusement tu débutes dans la vie par la persécution de ta mère... Je désire que tu voies le prince Joseph... Je désire que tu dises la même chose à Regnault [*Saint-Jean-d'Angély*] ...Dis à peu près les mêmes choses à Fouché... S'il le fallait, Mathieu t'aiderait à cet égard... Mets-toi bien cela dans la tête, cher ami, l'affaire de notre fortune est, je le crains bien, inséparable de celle de mon exil... Relis cette lettre et ne t'endors pas sur ces importantes commissions... Adieu, cher ami, voici la lettre la plus sérieuse et la plus honorable pour ta sagesse que tu aies encore reçue... »

Auguste n'ose pas s'acquitter de sa mission et s'attire une verte remontrance.

« Je t'avouerai, mon cher Auguste, que je n'ai pas été contente de ce que tu n'as point parlé de moi au prince Joseph, dimanche, chez lui : c'est une perte irréparable et je vois bien qu'à ton âge j'eusse été incapable d'une pareille faute. En général tu as pris trop légèrement ce qui, tu le sais, est une affreuse peine pour moi, et j'en accuse non ton cœur, mais ton amour-propre qui te rend timide mal à propos, et te donne du penchant à juger ta mère et à trouver qu'elle ne devrait pas désirer ce qu'elle a apparemment des motifs pour désirer...

...Ton esprit ne me paraît pas porté à l'action qui est pourtant ce qui distingue véritablement un homme, quand il sait y mettre de la mesure... »

Huit jours plus tard, craignant de s'être montrée trop sévère, elle se reproche sa vivacité « quoique j'eusse raison » et elle donne à Auguste de nouvelles instructions :

« ...Je souhaiterais pour mes affaires que tu visses Fouché chez Mme Récamier ou chez lui, mené par Eugène [*le domestique*] mais pour cette fois, cher ami, il faut avoir le courage de parler de ta mère : ton père, à ton âge, m'aurait sûrement défendue. Tu sais que quand je dis ton père, c'est du mien que je parle ; s'il y avait un autre pays que la France... mais où vivre sans la langue, sans mes amis, et pour toi dans quel pays trouveras-tu une carrière et ce pays que ton père a si bien servi, sa famille peut-elle y renoncer sans douleur ? Voilà des motifs que le sentiment de la patrie justifie, sentiment qui t'est inconnu, mais qui a un grand empire, les habitudes de l'enfance, le goût de la société... Enfin, faut-il que tu m'aies inspiré le besoin de me justifier ! »

Les inquiétudes des mères, quels que soient leurs styles, leurs principes d'éducation et les exemples qu'elles donnent à leurs enfants, demeurent identiques et l'on ne peut s'empêcher d'évoquer, en lisant les lettres de Mme de Staël, mère ultra-libérale, à son fils Auguste au cours de l'hiver 1805-1806, celles que, vingt-sept ans plus tôt, Mme Necker, mère ultra-rigoriste, envoyait à sa fille Germaine...

Mais comment s'étonner du manque de sérieux et d'application d'un jeune homme de quinze ans, tout heureux d'être à Paris, à peine tenu par ses cours, quasi seul avec un domestique et qui doit à la célébrité de sa mère mille amitiés et mille faveurs ?

De Coppet Germaine qui l'adore s'irrite en le voyant sortir si souvent du joug sous lequel elle courbe indistinctement tous ceux qu'elle aime. Quelques extraits de ces lettres, toutes publiées par Mme de Pange, nous apportent en outre des indications savoureuses sur la vie des hôtes de Coppet et de Genève.

« ... Je voudrais, il me semble, des lettres de toi plus fréquentes et plus détaillées. Elles attireraient davantage les miennes... Benjamin ira à Paris d'ici quelque temps et vous causerez ensemble de ce que je ferai pour te revoir... » (23 *octobre*)

« ... Je prie un jeune M. de la Bédoyère qui a de la grâce dans les manières et dans l'esprit de passer chez toi pour me rendre compte de ta mine... » (25 *octobre*)

« Je viens de recevoir une lettre de toi, mon cher Auguste, qui me fait vraiment de la peine. Il y a d'abord des plaisanteries sur Mme Récamier qui est si aimable pour ta mère et pour toi, des plaisanteries d'un petit fat, plus encore de province que de Paris, quand la véritable grâce de ton âge est d'aimer et d'être reconnaissant. Après cela, tu me dis que tu espères bien ne pas devenir un coquin à Paris. Quel mot gros et fort; en tout, cher Auguste, il y a quelque chose de vulgaire dans ta lettre qui m'a fort affligée. Il me paraît indispensable que tu viennes passer quinze jours avec moi, je suis sûre de te rendre ce sentiment de délicatesse et de bonté qui est au fond de ton cœur... (26 *octobre*)

« ... Puisque tu désires de rester dans ta pension jusqu'à Pâques, je renonce à l'idée de te faire venir; mais prends-y garde, tes lettres annoncent une incroyable légèreté d'esprit et de sentiment... J'exige de toi deux lettres par semaine, le jeudi et le dimanche, de quatre pages chacune, et des pages comme cette lettre... Je vais faire revenir Eugène, tu vas être tout seul à Paris, si tu négliges de m'écrire, je serai inquiète : tu es déjà dans l'âge, ce me semble, de ne pas tout prendre superficiellement... Aussi suis-je attristée par l'arrivée de tes lettres au lieu qu'au commencement je les lisais à mes amis avec orgueil et sentiment. » (3 *novembre*)

« ... Où en es-tu de l'histoire? Je voudrais que tu me rendisses compte chaque semaine de ce que tu as lu, et des idées que l'histoire fait naître en toi, car il est pourtant nécessaire que tu saches l'ordre des événements humains depuis six mille ans. Je me suis établie ce soir à Genève dans un petit appartement où il y a de petites niches pour ton frère et ta sœur; je voudrais bien qu'il y en eût une pour toi. Mais l'idée que je suis à Genève m'attriste profondément et je demande au ciel de n'y pas passer l'hiver une autre année... » (9 *novembre*)

« J'ai été au désespoir du malheur de Mme Récamier [*faillite de la banque Récamier*]. J'espère que tu témoigneras tout ce que ton cœur peut sentir pour une personne si généreuse et si infortunée. Conviens que j'avais presque raison quand je t'écrivais sur elle comme je l'ai fait... Je te prie de me rendre compte de tes études. M. Brot m'a mandé que tu donnais six heures aux mathématiques; quel effet cela produit-il sur la tête? et la musique, ne la néglige pas à cause de moi et parce qu'ainsi tu conserveras quelque chose de poétique dans la tête que le calcul pourrait chasser. Grandis-tu? Montes-tu à cheval? Il y a mille détails que tu devrais me dire... Adieu, petit pataud. » (17 *novembre*)

« ...Depuis que je t'ai écrit de m'écrire quatre pages deux fois par semaine, je ne l'ai pas encore obtenu, et c'est un grand étonnement pour moi que tu ne m'aies pas encore parlé de la faillite de M. Récamier; il me semble qu'elle doit t'inquiéter pour nos affaires et t'affliger comme sentiment. Cher Auguste, regarde donc un peu autour de toi et apprends la vie, cette étude-là en vaut bien une autre... Tâche de gagner un prix à Pâques afin que tu sois tout décoré quand je te reverrai. Ma vie ici est très monotone, je tâche de rendre ton frère le plus sage que je peux, mais ce n'est pas chose facile... Ta sœur a un peu de ta facilité à apprendre, je l'ai mise à l'anglais... Si tu revois Garat, dis-lui mille tendresses de ma part. C'est l'homme le plus spirituel de France. As-tu vu M. de Narbonne? tu devrais y aller un matin. Adieu, cher et mille fois cher Auguste. » (24 *novembre*)

« ... Je voulais te dire aussi qu'en voyant Garat, qui est ami de Fouché, j'aurais souhaité que tu lui parlasses de mes intérêts; le genre de timidité qui t'empêche de me rendre aucun service me fait un peu de peine... J'ai quelque idée de jouer *Mérope* et je regrette beaucoup que tu ne sois pas ici, parce que je t'aurais fait faire un rôle, je le reprendrai une fois quand tu sortiras de ta pension... » (1er *décembre*)

« ... Je n'ai rien à te mander d'ici, sinon que nous répétons la tragédie. Le jeune La Bédoyère que tu as vu est notre Polyfonte [*dans Mérope*]; j'aurais fait de toi une confidente et il n'est pas sûr que cet honneur ne soit pas accordé à ton frère... Je brode l'exil, comme tu vois, mais c'est toujours au fond bien triste... J'ai une lettre de Gay Vernon [*le maître de la pension d'Auguste*] dont je te prie de le remercier. On y dit du bien de toi, mais prends garde à ton inexactitude : l'ordre dans le temps et l'ordre dans l'argent doublent la vie et les jouissances. Je voudrais fort que tu apprisses à parler anglais, et peut-être as-tu mal fait sous ce rapport de demander une chambre à part; c'eût été peut-être moins cher et plus profitable d'être avec les Américains. Je te répète toujours de t'occuper de l'histoire; pour la carrière diplomatique en particulier, c'est la connaissance la plus nécessaire et la plus brillante. As-tu remarqué comme Prosper le sait et quel avantage cela lui donne?... » (8 *décembre*)

« ... Je t'écris, cher ami, le dernier jour de cette année, c'est toujours un sentiment de détresse pour moi, que cette cloche du temps qui sonne l'irréparable. Il y a maintenant vingt et un mois que nous avons perdu notre sublime ami. Hélas! quelle horrible pensée que la mort et quel miracle continuel que notre oubli — moi qui l'oublie aussi! J'ai joué hier *Mérope* avec beaucoup de succès, et je me confirme dans l'opinion que j'ai toujours eue que c'est le plus agréable et le plus noble des amusements de société possible. J'ai écrit une *Agar dans le désert* pour ta sœur et ton frère, que nous allons nous mettre à étudier, mais pauvre cher pataud, je suis toujours fâchée que tu ne sois rien dans tout cela. »

« ... On me demande de te faire un habit comme un homme; cela me vieillit un peu, mais enfin j'y consens et je t'envoie un mandat de cinq louis, pour le faire faire. Charge-toi de cette administration à toi tout seul, et voyons si tu as de l'intelligence en affaires d'argent. Il faut tout payer avec cela et qu'il soit bien, c'est le problème. Tes autres habits te serviront pour tous les jours... Je ne me fâche pas de ce que Mathieu t'a mené à un prédicateur [*catholique*], parce que tu l'as bien jugé, et que la morale et le respect pour la divinité nous sont communs avec tous les chrétiens; mais tu sens bien de toi-même que tu ne dois aller à aucun exercice d'un culte qui n'est pas celui de notre père... » (*sans date*)

« ... Cher ami, je donne à notre très aimable professeur Pictet un mot pour toi; je t'envoie une lettre pour le prince Joseph que je te prie de garder avec le plus grand soin, dans une chose de toi qui ferme, et quand tu sauras que l'Empereur est à Paris, le matin ou la veille du jour où il recevra les honneurs du triomphe et le lendemain de ce triomphe tu la porteras chez le prince Joseph avec un mot de toi, très instant, qui dise que tu lui demandes mon retour pour le jour du triomphe, et le lendemain de ce triomphe tu passeras chez lui en lui écrivant un nouveau mot qui lui rappelle ta prière... »

Cette étonnante correspondance qui amuse, émeut, déconcerte tour à tour, montre Germaine de Staël, la plus active et la plus transparente des créatures aux prises avec le plus redoutable des devoirs, l'éducation des enfants. Mais à peine a-t-elle fini de gronder et de moraliser, elle revient à sa vraie nature, à ses joies, à son déséquilibre accentué par la mort de Necker dont la tendresse, la compréhension, l'indulgence sont décidément irremplaçables.

La première de ses préoccupations demeure la fin de son demi-exil, le retour à Paris. Elle imagine que la campagne de Prusse, éloignant l'empereur, rendra Fouché qu'elle croit son allié plus ou moins maître de la décision. D'Auxerre (à quarante-trois lieues de Paris) où elle s'installe le 22 avril 1806 avec Schlegel, Albert, Albertine, Pedro de Souza, Elzéar de Sabran, encombrant adorateur enrôlé dans la troupe, et ses domestiques, Germaine multiplie les démarches et les lettres et invite les amis à venir lui rendre compte de la situation. N'ayant pas ses aises à Auxerre, elle loue à quelques kilomètres le château de Vincelles, propriété d'un ancien ami de Necker.

Tantôt à Vincelles, tantôt à Auxerre où durant tout l'été se succèdent, se croisent, se rencontrent, allant, sortant, revenant, Prosper, Benjamin, Juliette, Mathieu, Adrien, Souza, Schlegel frères et Cie... Germaine se risque à Blois et à Chaumont, rentre à Auxerre, part pour Rouen où elle est autorisée à résider et loue en décembre à Aubergenville le château d'Acosta, propriété du comte de Castellane. Elle y achève *Corinne*, en corrige les épreuves (pendant que Benjamin, aux Herbages, écrit *Adolphe*) et elle s'apprête, avec l'appui de son notaire et, comme homme de paille, de Schlegel, qui relève d'une mauvaise fièvre, à acheter le château de Cernay et à louer une maison à Paris !... Sans doute, espère-t-elle y assister à la sortie de son livre... On la voit à Versailles au début de mars 1807. Elle parvient même, ivre de joie, à passer cinq jours dans la capitale, se cachant le jour et se promenant la nuit au clair de lune... sans Pedro mais avec Benjamin ! Est-ce la victoire? A-t-elle enfin gagné? Hélas ! Du fin fond de la Pologne, Napoléon fulmine. Averti par qui? Fouché? Non ! Le ministre de la police vient précisément d'affirmer à l'empereur que Mme de Staël était en route pour la Suisse. Alors, par qui? Par les mouchards de l'empereur chargés de contrôler Fouché et qui auraient été eux-mêmes renseignés par deux des meilleurs domestiques de Germaine.

S'agit-il de Joseph Uginet, dit Eugène, « l'homme de confiance » et d'Olive Uginet, son épouse, première femme de chambre de Germaine? Quelques historiens le prétendent et il est évident qu'un policier n'aurait pu choisir de meilleurs indicateurs. C'est au nom et à l'adresse d'Olive que Mme de Staël reçoit son courrier, c'est sous son signalement qu'elle passe la frontière. Quant à Uginet, elle le charge de toutes missions, financières, littéraires, sentimentales... C'est lui qui va relancer Benjamin à Dôle, chez son père; lui qui traite avec l'éditeur Nicolle et transmet les épreuves; lui qui accompagne avec Olive Mme de Staël dans ses voyages...

Que le couple ait pu trahir une telle confiance, salir une telle intimité et jouer sur les deux tableaux sans être jamais surpris, le chargerait de tant de perfidie, de cynisme, de vénalité qu'on préfère croire que la vilenie fut commise par des valets plus obscurs.

Germaine qui ignore tout de cette trahison est refoulée par Fouché au château d'Acosta où elle organise une fois de plus son retour à Coppet. Elle sera à Genève le 9 mai 1807. Mais *Corinne* est sortie à Paris, chez Nicolle et c'est un triomphe !

***

Cette année passée en France est, sentimentalement, une des plus agitées de la tumultueuse existence de Mme de Staël. Le cher Pedro a quitté la France pour rejoindre son poste à Lisbonne, via Paris. Il a accompagné Germaine, en route pour Rouen.

« ... Adieu, adieu, admirable caractère, esprit au niveau de ce caractère, regard si noble et si doux ! Quoi je ne vous reverrais plus ! Non, c'est impossible ! Cher ami, épargnez-moi cette douleur, je ne suis pas de force à la supporter... Prenez-moi avec vous ! Ah ! pourquoi cela ne se peut-il plus? » (*Dijon*, 26 *août* 1806)

« ... J'espère que ce mot vous atteindra encore. Puisse-t-il vous dire combien j'ai pleuré hier en entendant vos chevaux s'éloigner et combien vous me rendrez heureuse en revenant... » (*Etampes* 17 *septembre*)

« Ah ! si vous redevenez libre, si... mais ne faut-il pas que la vie soit de façon qu'on puisse se consoler de mourir... » (*Rouen* 26 *septembre*)

Prosper de Barante qu'un regain de passion suivi d'un regain de jalousie ont secoué à Auxerre, a été envoyé par deux fois en mission, quelques jours à Madrid, puis quelques semaines en Allemagne et en Pologne, affecté à l'administration des territoires occupés. Il prend en dégoût ses fonctions et ses lettres indignées sont lues avec joie par Germaine.

« Celui qui m'aurait prédit que moi, non soldat, je m'en irais vivre au milieu des soldats, c'est-à-dire jouer le rôle le plus gauche et le plus faux qui se puisse imaginer, m'aurait bien tristement surpris... » (*Stettin*, 14 *novembre* 1806)

« S'en aller de sang-froid, sans y être pour rien, voir faire la guerre et quelle guerre ! Par des gens qui, de nécessité et par la position où on les a mis, sont nécessairement des vandales !... Vous parlez de venir en Allemagne. Est-ce à Weimar pour y voir les cendres des maisons qu'on y a brûlées ? Est-ce à Berlin ? Pourriez-vous vous résoudre à voir un tel changement ? Aimeriez-vous à retrouver tous ces Allemands dont l'âme est vaincue aussi bien que les armes ? [*Jean de*] Müller faisant la cour à M. Malet et à M. de Talleyrand et se faisant présenter au vainqueur de la Prusse ? Et des administrations prussiennes percevant des impôts pour l'armée ? Et des régiments de prisonniers prussiens au service de France, puis des Polonais qui le prennent pour libérateur, sans songer qu'il est homme à les laisser demain en proie à la vengeance de leurs souverains, si cela l'arrange mieux... O honte de l'espèce humaine ! » (*Varsovie*, 2 *janvier* 1807)

« ... Mais comme la civilisation est la défaite du beau par l'utile, les nations civilisées ont plus de force que les nations du XIIIe siècle; elles font mieux la guerre, elles ont des armées mieux rangées, des finances plus en ordre et elles écrasent et partagent les pays qui sont en arrière sur la civilisation. » (*Breslau*, 29 *janvier*)

Le 11 mai, il apprend à Breslau par deux lettres que Germaine est à Paris et partage sa grande émotion.

« Vous êtes une personne universelle pour les mouvements de l'âme et de l'imagination : vous pouvez répondre au cœur de tout le monde. »

Le 19 mai il a reçu *Corinne* et, se croyant peint dans Oswald, admire mais proteste. Quelques jours plus tard, toujours à Breslau, il écrit :

« J'ai bien reconnu Benjamin dans les articles du *Publiciste*. Quel homme que ce Benjamin ! Que de gros livres je donnerais pour les six pages qu'il a écrites sur *Corinne*. Chaque ligne fait sentir la force, la longue méditation; la pensée abonde et les mots ont peine à la contenir; je me sens petit auprès de vous et de lui. »

Oui, quel homme..., quel pauvre homme que ce Benjamin ! Grand écrivain, malheureux amant ! Ses séjours à Vincelles, à Rouen, au château d'Acosta le mettent au supplice quand ils sont orageux, traversés par de grossières querelles; mais quand ils sont charmants et que l'esprit, l'amitié, le travail, les souvenirs les sauvent de la colère et de la vulgarité, il souffre encore bien davantage de sa lâcheté, de sa clairvoyance et de sa duplicité. Il n'est plus lié à Germaine que par la crainte qu'il a, au dernier moment, de n'oser consommer la rupture. Car son plan ou plutôt ses plans sont prêts et ses dispositions arrêtées. Mais le verra-t-on jamais un jour en mesure de se décider? Le machiavélisme sera inévitablement son suprême recours puisque le courage lui est interdit et qu'il sait toute franche tentative d'émancipation vouée à l'échec. Il veut épouser Charlotte dès qu'elle sera libre et placer Germaine devant le fait accompli. C'est plus facile à écrire, et même à récrire cent fois, qu'à faire...

Feuilletons son journal intime :

28 *février* 1807. — Mme de Staël m'a dit une chose vraie : à force de sécheresse, je perdrai mon talent (1). Mais d'où vient

(1) Germaine a lu trois mois plus tôt la première version d'*Adolphe* — le roman ne paraîtra qu'en juin 1816. — Elle écrit le 15 novembre à Bonstetten : « Benjamin s'est mis à faire un roman, et il est le plus original et le plus touchant que j'aie lu. » Les ressemblances et allusions ne semblent pas la soucier.

ma sécheresse? de ce que je déteste ma situation. Sortons-en donc pour l'intérêt de mon talent autant que pour celui de mon bonheur.

23 *mars.* — Hier au soir, une scène assez violente. C'est folie que d'hésiter. Je fais du mal même à celle que je crois ménager en hésitant. Elle me le dit elle-même. Départ d'Acosta. Ce que j'y ai laissé m'oblige à y retourner. Faiblesse éternelle!

16 *avril.* — Réféchi. Scène violente. Folie! Folie! J'ai beau reculer devant le moment. A quelque époque qu'il arrive, la violence sera la même. Le hâter est donc le seul moyen de nous épargner ce que nous souffrons en attendant. C'est décidé, je ne retournerai pas auprès d'elle. Nous verrons comment esquiver le parti quelconque qu'elle prendra.

23 *avril.* — Écrit à Charlotte. Dîné à Charenton [*avec Germaine*]. Le nom a porté malheur. Je ne l'ai jamais vue si folle! Impossible! Impossible. Après des accès de vraie démence, arrêté un plan. Dieu sait s'il s'exécutera! J'en doute fort, mais si elle n'est pas partie dimanche, je pars lundi. C'est trop d'extravagance et d'égoïsme. Sans Mathieu, nous aurions eu quelque horrible scène. C'est un enfant enragé. *Lettre de Charlotte.* Celle-ci a au moins le sens commun. Elle a mieux que cela, et je l'aime de toute mon âme.

25 *avril.* — *Ecrit à Charlotte.* Nouvel incident. Enfin elle [*Germaine*] part. Deux lieues de gagnées. Je voudrais bien être à demain soir. Ah! si l'on m'y reprend! *Ecrit à mon père.* Route jusqu'à Montgeron. Soirée triste. Dissimulation pénible.

26 *avril.* — Journée à Montgeron. Elle a tant de bonnes qualités! Elle m'aime d'une si tendre affection! Albertine aussi! Mais que faire! Ni ses projets, ni son caractère, ni ses goûts ne peuvent donner du bonheur à elle ou aux autres. Retarder n'est que prolonger le mal que je lui fais et celui que j'éprouve.

27 *avril.* — Elle est partie. Mon cœur est déchiré. Je suis honteux de ma fausseté. Mais puis-je consacrer ce qui me reste de vie à un malheur perpétuel? Et Charlotte! Retour à Paris. *Lettre de Charlotte.* Je ne la verrai pas aujourd'hui. J'en aurais eu pourtant grand besoin. *Ecrit à Charlotte.* Spectacle. Soirée chez Mme Récamier. Écrit à Fourcault [*le notaire de Benjamin, qui est aussi celui de Germaine*].

A cette date du 27 avril Germaine, qui a autorisé Benjamin à ne rejoindre Coppet qu'en juin, a revu Prosper de Barante, venu pour quelques jours de Breslau à Paris.

« J'ai revu Prosper, écrit-elle à Juliette le 14, avec les mêmes sentiments qu'il y a dix-huit mois. Il m'a semblé qu'il avait gagné encore comme mouvement de conversation. Mandez-moi ce qu'il vous aura dit de son séjour. Et je vous en supplie, chère Juliette, ne mettez rien entre nos deux cœurs. J'ai un tel penchant, une telle reconnaissance, une si haute idée de vous que je me désole quand vous mettez une épine entre mon sentiment pour vous et ma confiance en vous. »

Elle n'est pas inquiète au sujet de Benjamin. Elle ne se méfie pas de lui. Dans la même lettre à Juliette il n'y a que ces lignes : « Engagez Benjamin je vous prie, à partir maintenant pour venir me trouver (au château d'Acosta). Il m'a fait assez de peine cet hiver pour qu'il vienne me consoler. » Elle croit une rupture impossible et se flatte, en tout cas, de la rendre impossible. Elle connaît son Benjamin.

Et puis en ce mois de mai 1807, tandis qu'elle rentre par petites journées avec ses enfants et sa suite, Germaine de Staël a cette fois quelques motifs de satisfaction : elle a marqué des points. Elle a passé cinq jours et cinq nuits à Paris. Son impérial persécuteur l'en a fait chasser une fois de plus. Mais depuis Eylau et Friedland, il est en difficultés, menacé par les Russes. On commence à se plaindre en France et les fonds baissent. Enfin Mme de Staël a publié *Corinne* et s'inquiète aussitôt auprès de ses fidèles de l'accueil, des opinions, du retentissement.

De Lyon, le 5 mai, elle écrit à Juliette :

« Vous avez *Corinne* à présent. Dites-moi ce que vous en entendez dire littérairement, et si du côté du gouvernement, il ne vous revient rien de mauvais... Je compte un peu qu'Adrien [*de Montmorency*] m'écrira ce qu'il pense. »

De Coppet, où elle arrive le 8, elle fait l'envoi de ses exemplaires d'auteur aux relations de Genève et de Lausanne. Elle charge Sismondi des amis d'Italie. Il écrit à la comtesse d'Albany dont Germaine a fait la connaissance à Florence :

« Je me hâte de vous envoyer *Corinne;* c'est à vous que

l'auteur voulait que son livre parvînt avant tout autre en Italie... »

Tous les destinataires, en France, en Suisse, en Italie, en Allemagne, en Angleterre, sont d'ailleurs impatients de le lire. Le 19 mai, Rosalie de Constant, la cousine de Benjamin — dont il disait, assez méchamment : « ...Elle est bonne, mais aigre..., mais bossue et fille à quarante-cinq ans, peut-on être douce?.. » — écrivait de Lausanne à son frère Charles :

« Je lis *Corinne ou l'Italie* de Mme de Staël. Il est impossible de lire ce qu'écrit cette femme sans en avoir l'esprit très occupé. Elle nous fait, on peut le dire, respirer l'Italie. Où elle excelle, c'est dans la peinture des mœurs et du caractère italien... » et le 2 juin : « ...Elle jouit à Coppet de la gloire et de l'encens qui lui arrivent de tous les pays, cela la désennuie pour le moment... »

Tout ce qui est devenu aujourd'hui à peu près illisible dans *Corinne*, descriptions dialoguées, nomenclatures des beautés artistiques, etc., présente en effet un caractère de nouveauté à une époque où la propagande touristique n'existe pas et où Chateaubriand n'a pas encore distancé sa rivale. C'est un attrait supplémentaire mais le grand succès tient au charme de l'aventure de Corinne et d'Oswald, au cosmopolitisme du roman, à l'étude comparée des mœurs anglaises, italiennes et françaises, à la liberté et au respect de l'amour, enfin à la belle et douloureuse héroïne, victime des conventions et de l'opinion publique en qui on se plaît à reconnaître Mme de Staël idéalisée, revendiquant pour la femme supérieure, pour l'artiste, pour le génie, le droit..., comme les peuples, à la fierté et à l'indépendance.

Germaine crut naïvement que l'ouvrage lui vaudrait un satisfecit officiel. Napoléon qui ne le lut « qu'avec le pouce » y vit un pamphlet déguisé. Elle prônait les Anglais, personnifiés par le généreux Oswald, et les opposait aux Français, représentés par le ridicule d'Erfeuil et le cynique M. de Maltigues. Elle poussait les Italiens à la révolte, à l'unité. Elle dénonçait plus ou moins ouvertement l'abaissement des esprits, la contrainte des caractères, le manque d'enthousiasme... Enfin surtout elle s'était dignement refusé, méprisant les conseils de Fouché, à glisser ici et là quelques phrases, quelques mots de louange bien nette, de flatterie bien basse à l'égard de l'Empereur, de son génie et de ses victoires.

Si elle y consent, promet le tentateur, « tous les obstacles seraient aplanis et tous ses désirs satisfaits ». Non seulement elle n'y consent pas, mais veut qu'on lui sache gré de sa modération et de n'avoir pas mis, par une préface ou un avertissement, les points sur les i. Et dans les six articles du *Publiciste*, signés de fausses initiales, Benjamin apporte superbement de l'eau au fier moulin de son amie. L'amant excédé reste un allié fougueux et fidèle.

Pour ne pas revenir à Coppet, pour tenter de rompre sans la revoir, Benjamin fait appel, pendant deux mois, à ses dernières ressources d'énergie. Il note le 7 juin : « Il y a un an que j'arrivai à Auxerre, décidé à lui consacrer encore un an et à la servir de tout mon pouvoir. Qu'y ai-je gagné? Mes yeux sont abîmés, et c'est un an de plus de perdu dans la vie. » Mais il prend son passeport pour la Suisse et note le 18 : « ...Je rougis de ma faiblesse et de mes ruses, mais que faire avec une personne furieuse que rien n'arrête. C'est au reste le dernier acte de ce long et triste drame. » Il revoit Anne Lindsay qui tente de le détourner de Charlotte. Il déteste la jalousie, mais Charlotte soudain lui paraît fade. Et puis après une « lettre affreuse » de Germaine le 23 juin « Quelle furie ! Quelle rage que ce qu'elle appelle amour » il dîne avec Charlotte...

« ... Triste journée. Elle a lu dans mon âme avec un instinct parfait. Elle a voulu rompre. Elle a été dans un état affreux. Elle est d'une douceur, d'une raison, d'un désintéressement adorables. Quelle différence entre elle et cette furie qui me poursuit l'écume à la bouche et le poignard en main ! Pauvre Charlotte, elle a été plus d'une heure sans connaissance au milieu de la rue, de l'effort qu'elle avait fait. La fin de la soirée a été moins amère... Mais ce grand moyen de réconciliation n'a pas complètement réussi. Cependant elle a tout promis et repris à l'avenir. »

Le 30 juin, Charlotte est partie pour Hardenberg négocier son divorce. « Je l'aime plus que jamais. Reste Mme de St... avec laquelle je voudrais finir doucement, mais avec laquelle il faut finir tout de suite. » Il est en route. Il s'arrête à Dôle-Brévans pour voir son père. Juste est souffrant et déconseille le mariage avec une divorcée. Eugène, « l'homme de confiance », expédié par Germaine, vient relancer Benjamin. Une lettre de Schlegel, pressant l'hésitant de se « résigner à ses liens », fait partie de l'offensive. Et Juliette lui fait savoir qu'elle se rend à Coppet. « Ce sera un moyen de distraction, note-t-il le 3 juillet, mais aussi les convulsions de Mme de St... seront plus ébruitées à Paris. » De plus en plus impatiente, Germaine, dans ses lettres, alterne le chaud et le froid. Elle promet qu'elle n'aura plus de coquetteries pour personne. « Belle promesse ! Qu'elle en ait mille et me laisse en paix ! » Il apprend aussi, par la cousine Rosalie que Germaine « se distrait assez au milieu des lettres furieuses qu'elle m'écrit ». Le 7, il arrête un plan... un de plus : « ...aller à Besançon, de Besançon à Orbe; laisser ma voiture à Orbe; d'Orbe à Lausanne; laisser mes manuscrits à Lausanne; ne prendre à Coppet que les cartes et un sac de nuit : à la première scène, repartir. »

Le 10, il reçoit de Francfort des nouvelles de Charlotte. « Lettre adorable ! Ange que je bénis, oh ! oui, dans un mois, nous serons ensemble. Dieu bon, fais que je la revoie et que je passe ma vie auprès d'elle. » Mais Germaine persiste à lui répéter qu'elle se tuera s'il l'abandonne. « Je n'en crois pas un mot, mais c'est un bruit importun à mes oreilles. » Partira? Partira pas? Et tout à coup surgit Schlegel, chargé de l'amener sans délai. Les notes de Benjamin, pendant trois jours, évoquent des apartés moliéresques...

« Elle ne pense pas du tout à rompre. Je ne suis pas plus avancé qu'il y a six mois, qu'il y a dix ans. Je ne gagnerai rien à retourner près d'elle. Il me faudra repartir et je n'aurai pas mieux arrangé cette rupture. Cependant il la faut. Je me suis embâté dans ce retour. Mais prenons mes mesures pour repartir au plus vite. » (13 *juillet*)

« ... Arrivée subite de Schlegel. Conversation violente. Je partirai après-demain. Elle me tue. Je passerai pour un monstre si je la quitte, je mourrai si je ne la quitte pas. Je la regrette, je la hais. Je ne sais ce que j'éprouve. Enfin, je laisse tout ici pour pouvoir m'enfuir au premier moment. » (14 *juillet*)

« ... Je serai donc après-demain auprès d'elle. Grand Dieu, quelle entrevue ! Enfin, traçons-nous un plan. Du calme et de la tristesse. Je n'aurai certes pas besoin de feindre... » (15 *juillet*)

Il est le 17 à Coppet. Il y trouve une grande compagnie, Sismondi, Bonstetten, le jeune Américain Middleton, Mathieu de Montmorency, Elzéar de Sabran, Schlegel, les trois enfants et Juliette qui l'a devancé d'une semaine. Elle sera triste quelques jours de la mort de son cher prince Pignatelli, généreux adorateur qui, lors de la faillite, s'est empressé de louer meublé l'hôtel de la rue du Mont-Blanc qu'il lui faudra vendre pourtant. Mais elle se consolera vite de la mort du prince comme de la vente de l'hôtel.

Benjamin est accueilli comme il s'y attendait par une terrible scène; après quoi la furie s'apaise, s'attendrit et ronronne. Il note le 18 : « ...Quoi que je fasse, je n'ai gagné en reculant d'un jour à l'autre que de me donner des torts et me rendre plus odieux... » Le 19 : « Après de la tendresse et de l'émotion des deux côtés », il croit naïvement la voir réfléchir au moyen de se détacher de lui. Mais le 20, il veut partir pour Lausanne. « J'aurai ma famille et rupture publique s'il le faut ». Il veut échapper à son influence comme à celle de « son parti ». Il écrit le même jour à Rosalie :

« ... J'ai essayé de la ramener à des sentiments doux, mais toute discussion est impossible. Son raisonnement est toujours qu'elle veut me garder, et que puisque j'ai pu vouloir me détacher d'elle après l'avoir quittée à Paris, elle ne me perdra plus de vue, et à la première tentative que je fais pour m'éloigner elle menace de se tuer. Ses enfants, ses domestiques, ses amis, toute la terre est dans la confidence de cette menace, et tous me regardent comme un monstre de ne pas apaiser ce qu'elle souffre... »

Rosalie n'aime guère Mme de Staël. Son plus grand grief, qu'elle lui exposa hardiment dans une lettre, dès 1803, est de ne pas avoir trouvé son Benjamin assez noble pour un mari.

« Oh ! combien je vous aurais aimée, si vous aviez épousé Benjamin et qu'il y eût trouvé son bonheur ! Que n'aurais-je pas fait, pour mériter aussi un peu d'amitié de votre part... Je suis accoutumée de tout temps à aimer Benjamin, il a toujours tenu dans notre famille la place d'un objet précieux sans cesse environné de quelque danger, ce qui augmentait l'intérêt pour lui. J'ai hérité de tous ces sentiments et je les conserverai même indépendamment de ses procédés plus ou moins aimables envers moi... »

Au début d'août, Benjamin ose quitter Coppet pour Lausanne. Il s'installe chez une de ses tantes, Mme de Nassau, excellente personne d'une soixantaine d'années, séparée de son mari, qui vit avec Rosalie dans une de ses deux gentilles maisons, « Petit Bien » et « Chaumière », louant à des étrangers tantôt l'une, tantôt l'autre. Germaine prend aussitôt ses quartiers au Petit-Ouchy, à quelques minutes de « Chaumière ».

« ...Elle croit que son esprit lui donne le droit de régner sur le monde entier, écrit le 7 avril Rosalie à son frère Charles. Elle veut des esclaves et surtout Benjamin dont l'esprit lui convient plus qu'aucun autre... Lorsque dans sa convalescence il est arrivé chez son père pour se reposer, elle l'a fait prendre par son valet Eugène et son pédant Schlegel, menaçant d'arriver elle-même et de se tuer à leur barbe, s'il ne venait pas... Lorsque Benjamin a été à Copet, elle lui a fait des scènes affreuses. Enfin il est parvenu à arriver chez Mme de Nassau où il a respiré quelques jours... mais bientôt elle est arrivée, elle a loué pour un mois la grande maison Montagny. Elle a amené avec elle Mme Récamier pour faire plus d'effet et de bruit, M. de Sabran, amant dédaigné, vaincu, attaché à son char après avoir tout fait pour faire sa conquête... »

Rosalie vient rendre visite à Germaine. L'entretien débute mal et finit mieux. Le soir, Germaine est à « Chaumière » chez Mme de Nassau et retrouve Rosalie.

« ...Il y avait du monde. Lorsqu'elle est quelque part, quoiqu'on ait bien envie de l'entendre et de jouir de son esprit, elle impose tellement que c'est à qui se reculera et se taira. Je me livrai un peu pour amuser la société, Benjamin s'y joignit. Elle fut gaie, brillante, amusante... »

Germaine gagne encore cette partie. Elle rentre ses

griffes, se fait douce. Pour mieux occuper son monde et rendre sa victoire publique, elle organise au Petit-Ouchy une représentation d'*Andromaque* en costumes naturellement, dont la distribution suscite dans le tout Lausanne la curiosité la plus vive. Elle est Hermione; Benjamin, Pyrrhus; Juliette, Andromaque et Elzéar, Oreste. Elle a même failli engager le jeune François Guizot qu'elle voit pour la première fois et à qui elle trouve une belle voix quand il lui lit un violent article de Chateaubriand. L'étonnant spectacle est donné le 22 août. Il sera repris à Coppet le 19 septembre pour le tout Genève. Benjamin est assez satisfait : « Je n'ai pas mal joué », mais les commérages le ridiculisent : « Ce n'est pas le roi d'Épire, c'est le pire des rois. » Le 25 août Mme de Staël et sa suite rentrent à Coppet. Benjamin rêve à nouveau de se réfugier chez son père. Il obtient un sursis de Germaine. Il parle longuement de Charlotte à sa tante, Mme de Nassau, et note avec soulagement que la divorcée — mais l'est-elle enfin? il manque de nouvelles — serait assez bien vue dans la famille. Le 30 août, Germaine, refusant tout nouveau délai, envoie sa voiture chercher Benjamin à « Chaumière ».

L'irrésolu, prêt à fuir, se bat tout le jour. Partira-t-il pour Dôle ou pour Coppet ? Il cède et parle comme Schlegel : « C'est une puissance magique qui me domine... » Il arrive au château et tente, après l'orage de l'accueil, une explication décisive. Il évoque l'engagement de 1804 et met Germaine en demeure de choisir : le mariage ou la rupture. C'est alors l'explosion. Elle crie, elle appelle ses enfants, et devant toute la maison rassemblée, prise à témoin, elle s'exclame : « Voilà l'homme qui veut perdre votre mère et compromettre votre fortune en la forçant à l'épouser ! » Il se cabre sous l'affront et prend Auguste par le bras : « Regardez-moi comme le dernier des hommes si j'épouse jamais votre mère ! »

Puis il rentre dans sa chambre où il passe une « nuit convulsive », cependant que Germaine demande à l'opium dont elle use depuis Auxerre, un peu de paix. A sept heures du matin, c'est le 1er septembre, Benjamin saute sur un cheval et rentre à Lausanne à bride abattue, après avoir laissé sur sa table une lettre d'adieu éternel. A peine Germaine a-t-elle parcouru le pli qu'elle commande sa voiture. A demi-folle de colère et de douleur, elle vient arracher à sa tante et à sa cousine un Benjamin qui commençait à se tranquilliser...

« ... Nous entendons des cris dans le bas de la maison, écrit Rosalie à son frère. Il reconnaît sa voix. Mon premier mouvement fut de sortir de la chambre en la fermant à clef. Je sors, je la trouve à la renverse sur l'escalier, le balayant de ses cheveux épars et de sa gorge nue, criant : « Où est-il? Il faut que je le retrouve ! »

C'en est fini pour quelques semaines. « Elle est arrivée, elle s'est jetée à mes pieds, elle a poussé des cris. Quel cœur de fer eût résisté?... » Les deux malades, les deux bourreaux d'eux-mêmes, les deux inséparables rentrent à Coppet, une fois de plus passagèrement réconciliés. Une nouvelle trêve est conclue. Benjamin restera sagement au château où il travaillera sur *Wallstein*, cinq actes en vers qu'il tire du *Wallenstein* de Schiller. Germaine compte partir pour Vienne et l'Allemagne du Sud à la mi-octobre. Il ne bougera pas jusque-là tout en formant des vœux ardents pour la liberté de Charlotte, et la sienne...

De nouveaux visiteurs de qualité passent ou séjournent à Coppet durant l'automne : Lemontey, l'historien de « la Régence »; les deux Barante, père et fils; Vicente Monti; le spirituel Neuchâtelois François Gaudot, ancien précepteur du comte Pouchkine et ami de Mme de Krüdener; Mme Vigée-Lebrun; Mme de Dalmassy, cousine de Mme Récamier; la duchesse de Courlande, le baron de Balk, et enfin avec M. de Clausewitz, un jeune prince de la Cour de Berlin, Auguste de Prusse, neveu du grand Frédéric, qui va s'éprendre de Juliette jusqu'à jurer de l'épouser.

Fait prisonnier quelques mois plus tôt dans les marais de Prentzlow après avoir perdu son frère, le prince Louis, tombé à Saalfeld, Auguste se voit traité avec magnanimité par l'Empereur. On lui assigne d'abord Nancy et Soissons pour résidence puis on l'autorise à se rendre en Italie. C'est le moment où Juliette, en route pour Coppet, est immobilisée à Morez dans le Jura par un accident de voiture dont elle sort le pied foulé. Elle profite de ce contretemps pour écrire au prince Auguste, qu'elle connaît un peu, l'ayant rencontré dans les salons, à Paris, avant la guerre. Juliette rappelle au charmant prisonnier qui est aux eaux d'Aix qu'elle espère le voir à Coppet. C'est sur son chemin. Germaine, venue chercher la belle éclopée à Morez, confirme l'invitation :

« ... Elle [*Mme Récamier*] est si fatiguée de la route qu'elle ne vous écrira pas par le courrier prochain quoiqu'elle soit bien constamment occupée de votre santé ; donnez-nous en des détails et si, comme je l'espère, les eaux vous font du bien, passez par ici pour aller en Italie ; c'est la route la plus courte et la meilleure, et vous êtes bien sûr d'être reçu ici comme un ami. Je n'ai eu l'honneur de vous voir qu'une fois [*à Berlin*], mais vous savez que je crois beaucoup vous connaître et je ressens et l'on m'inspire le plus tendre intérêt pour vous... »

Ce jeune prince que Benjamin, à son arrivée, trouve « distingué » mais qu'il peint, neuf ans plus tard « commun, gauche, fier et bavard, les coudes en dehors et le nez en l'air » ne songe plus à l'Italie, après quelques jours passés à Coppet. Sous le charme de Mme Récamier, ravie et flattée, il ne quittera le château le 28 ou le 29 octobre pour Berlin où il peut rentrer la paix signée, qu'après avoir applaudi passionnément les deux amies dans *Phèdre* (1) et échangé, selon la mode, un pacte d'amour avec Juliette. Auguste jure « par l'honneur et l'amour » de conserver dans toute sa pureté le sentiment qui l'attache et de faire toutes les démarches autorisées par le devoir pour se lier à elle par les liens du mariage, « et de ne posséder aucune femme » tant qu'il gardera l'espérance d'unir sa destinée à la sienne. Juliette jure « sur le salut de son âme » de conserver dans toute sa pureté le sentiment qui l'attache, « de faire tout ce que permet l'honneur » pour faire rompre son mariage, de n'avoir d'amour ni de coquetterie pour aucun autre homme, de le revoir le plus tôt possible et, « quel que soit l'avenir » de confier sa destinée « à son honneur et à son amour. »

(1) Voici la distribution : Phèdre (*Mme de Staël*), Aricie (*Mme Récamier*), Hippolyte (*Elzéar de Sabran*), Thésée (*De Prangins*), Théramène (*Auguste de Staël*), Ismène (*Albert de Staël*).

***

On rend généralement responsable le banquier Récamier de la renonciation de Juliette qui provoqua la colère du prince Auguste. Il apparaît plus juste aujourd'hui de penser que l'humiliante et cruelle perspective d'avoir à partager la couche d'un vrai mari dut finalement effrayer l'épouse immaculée.

« ... On acceptera difficilement, écrit Louis Martin-Chauffier dans son *Chateaubriand*, qu'elle renonçât à l'amour et à la gloire pour ne causer aucune peine à M. Récamier. Son sentiment même l'obligeait à se refuser; elle ne pouvait tromper et décevoir un homme qui, lui apportant tout, n'eût reçu en échange qu'un aveu déplorable. En l'épargnant, elle s'épargnait elle-même... »

Ce n'est pas la faute de Germaine qui se révèle pendant de longs mois le meilleur allié du prince si l'affaire échoue; et l'on trouve là une raison supplémentaire de croire que les sentiments secrets de Juliette furent seuls à entraîner sa triste décision. Germaine ne voit que des avantages à ce mariage prestigieux qui neutraliserait l'amie exquise et chérie. Juliette enfin amoureuse, guérie de ses coquetteries... et tenue! Quelle joie et quelle sécurité! Et quel bon tour à jouer à l'empereur..., la plus ravissante des Françaises unie à un jeune prince allemand! Napoléon accusait déjà en décembre 1807 le prince Auguste d'être rentré à Berlin infecté par l'esprit de Coppet.

« ...Ce jeune prince aurait encore besoin des conseils de son respectable père et de sa digne mère. Ils lui seraient plus profitables que les leçons des mauvais esprits qu'il a vus à Coppet et que les mauvais propos qu'il y a entendus. » (*Journal de l'Empire*)

Ouvrons une brève parenthèse au sujet de Mme Récamier.

Dans la réponse que fit Jacques Récamier à la lettre par laquelle sa femme le priait de consentir au divorce et de la laisser épouser le prince Auguste, une phrase a troublé, avec Édouard Herriot, nombre de commentateurs, analystes et biographes.

« ...Je regrette, a écrit le mari pour justifier son irritation et son refus, d'avoir respecté des susceptibilités et des répugnances sans lesquelles un lien plus étroit n'eût pas permis cette pensée de séparation... »

Quelques semaines plus tard, Juliette Récamier, dans « un moment de cruel découragement », envisageant de s'empoisonner, laissa pour son mari un mot (dont Récamier n'eut vraisemblablement pas connaissance) exprimant de son côté le regret de « n'avoir pas été pour vous tout ce que je devais ».

Ces deux regrets sont généralement considérés aujourd'hui comme l'argument décisif ruinant l'hypothèse selon laquelle, amant de Mme Bernard et père de Juliette, Récamier, menacé par la Terreur dans sa personne et dans ses biens, aurait épousé sa propre fille pour lui laisser sa fortune (mariage de circonstance dont il y eut de nombreux exemples pendant la Révolution).

Les deux phrases sont-elles aussi déterminantes qu'il y paraît? Toute la question est là. Écartons d'abord les mots de Juliette, bien vagues, qui se prêtent à trop d'interprétations pour qu'on les retienne. Reste la phrase de Récamier en effet troublante, mais sans valeur si le banquier n'est pas sincère. Or qui peut affirmer qu'il le soit? Qui peut démontrer que Récamier ait écrit là ce qu'il pensait et non ce qu'il voulait que crût Juliette?

S'il est effectivement le père de sa femme, n'est-il pas naturel qu'il veuille la maintenir dans l'ignorance en feignant répondre à sa demande en mari offensé? Ne lui joue-t-il pas la comédie depuis quinze ans? Pourquoi cesserait-il de la jouer dans une circonstance aussi délicate?

Et s'il n'est pas le père de sa femme, s'il a donc inexplicablement laissé la plus séduisante des épouses, libre de ses caprices et de son temps pendant quinze ans, ne lui faut-il pas, pour s'opposer à un divorce qui va de soi, mais qui le blesse dans sa vanité et le gênerait dans ses affaires, dans son crédit, ne lui faut-il pas inventer une raison capable d'émouvoir Juliette et de mettre éventuellement les bonnes âmes du côté du mari?

Comment croire, au moins sans grandes réserves, à la sincérité de Récamier? Comment croire qu'un homme bien constitué, amateur de femmes, qui a quarante-sept ans lorsque son épouse en a vingt — ce n'est pas si terrible... — puisse, sans raison grave, précise, impérieuse, se comporter à son égard comme s'est comporté Jacques Récamier avec Juliette? Comment croire qu'après avoir été pendant quinze ans le témoin consentant, flatté, des coquetteries et des triomphes de sa femme, un mari regretterait soudain — parce qu'elle demande le divorce — d'avoir respecté jadis « des susceptibilités et des répugnances » qu'il avait le droit, le moyen et le temps de bousculer? Comment croire d'autre part qu'une jeune femme royalement choyée par son mari, puisse, sans raison grave, précise, impérieuse, se comporter à son égard comme Juliette s'est comportée avec Jacques Récamier?

L'absence de preuves décisives laissant libre chacun de choisir sa version, j'opte pour celle qui, dans l'état actuel du dossier, apparaît la plus plausible et la plus vraisemblable. Celle qui permet d'établir clairement pourquoi Jacques Récamier se trouvait moralement empêché d'être le mari de sa femme; et pourquoi Juliette, physiquement empêchée d'être la femme de qui que ce soit, n'a pas commis la dangereuse imprudence d'épouser le prince Auguste de Prusse.

III

« *Je me suis étourdie cet hiver* »

La publication de *Corinne* n'ayant pas arrangé les affaires de Mme de Staël et « les quarante lieues » étant plus que jamais de rigueur, l'exilée envisage dès octobre un second voyage en Allemagne et en Autriche. Elle veut achever son enquête, compléter avec l'aide de Schlegel sa documentation et placer Albert, son cadet, en pension à Vienne. Benjamin semble repris. Prosper de Barante, rappelé à Paris, est hors d'atteinte. Et il n'est pas d'autre part impossible que le comte O'Donnell passe l'hiver 1807-1808 à Vienne où il se trouve déjà lorsque Germaine lui écrit du château d'Acosta, en mars 1807.

« ... Savez-vous qu'un des projets qui me sourit le plus, c'est d'aller passer un hiver à Vienne avec mes fils qui apprendraient là d'abord l'allemand, puis mieux encore, quoique cela soit déjà fort intéressant... Adieu, Monsieur, je voudrais que cette lettre fût plus heureuse que les autres... »

Le 16 juin, de Coppet :

« A mon passage à Paris, j'ai fait demander à M. de Metternich par M. Schlegel d'envoyer à Vienne deux exemplaires de *Corinne*, l'un pour vous et l'autre pour le prince Maurice Lichtenstein; il me l'a promis solennellement et je les lui ai confiés; comment se fait-il que vous ne l'ayez pas reçu ! J'ai conservé des jours que j'ai passés avec vous, Monsieur, une estime pour votre caractère et un intérêt pour votre sort que deux ans d'absence n'ont pas effacés. Il est vrai que j'ai le désir d'aller passer l'hiver à Vienne pour y achever l'éducation de mes fils, le nord de l'Allemagne me paraissant tout à fait inabordable. Mais resterez-vous en paix? On me presse beaucoup d'aller à Rome et à Naples dont le chef actuel [*Joseph*] est lié avec moi depuis dix ans... Enfin, Monsieur, si vos nouvelles occupations ne vous absorbent pas, je me promettrai beaucoup de plaisir d'une société telle que la vôtre, mais encore une fois, les événements politiques ne permettent à personne de prévoir le mois suivant... »

Le 13 octobre, Germaine semble tout à fait décidée. Elle écrit à Weimar à la duchesse Louise qu'elle a déjà félicitée de sa fière attitude à l'égard de Napoléon, tandis que Gœthe, enfermé dans son ermitage, n'avait que la crainte de perdre ses papiers pendant « les mauvais jours »...

« ... J'irai à Weimar pour vous, Madame, pour vous et votre auguste famille... Je reste ici encore un mois, d'abord le prince Auguste de Prusse y est encore... Benjamin a entrepris de faire une pièce pour le Théâtre français de la mort de Wallenstein... Nous voulons jouer cette pièce sur le théâtre de Coppet avant que la société ne soit dispersée et alors je partirai. Benjamin Constant ira voir à Paris si la pièce peut être jouée... Il se peut que je commence mon voyage par le midi de l'Allemagne, et ne vous arrive qu'au printemps... »

A O'Donnell, inquiète de le savoir en Pologne, elle a écrit le 3 octobre :

« ... Dites-moi s'il est bien sûr que vous passerez tout l'hiver à Vienne, car j'éprouverais un serrement de cœur véritable en entrant dans une ville où je ne connais personne... Vous ne me dites rien sur votre santé, c'est mal à vous. J'y prends toujours un vif intérêt et je ne connais personne qui, en si peu de temps, m'ait laissé un souvenir si durable. »

Benjamin qui croyait être libre le 15 octobre de courir à Brevans chez son père où Charlotte doit le rejoindre, attendra jusqu'au 4 décembre le départ de Germaine dont il se sépare à Lausanne en pleurant... De septembre à décembre, il multiplie dans le Journal les témoignages, plus déconcertants les uns que les autres, de son éternel flottement. Il n'a de force que la plume à la main pour stigmatiser ses faiblesses. Germaine a pris prétexte de *Wallstein* pour retarder son départ qu'elle remet jusqu'à la certitude du retour d'O'Donnell à Vienne. Elle ne quittera Coppet, affirme-t-elle, qu'après avoir donné la première de la pièce à Coppet, ou au moins, après l'avoir lue achevée, et le 15 octobre Benjamin, qui n'en est pas pleinement satisfait, n'a encore écrit que trois actes sur cinq... Il se fouette pour avancer. Il note le 23 :

« Achevé mon quatrième acte. Lu les quatre actes chez le Préfet. J'en ai été très content. Le troisième et le quatrième ont beaucoup touché, mais 2 000 vers déclamés de suite m'ont brisé la poitrine. »

Le 18 novembre, sans nouvelles de Charlotte qu'il retrouvera malade à Besançon, il espère finir en deux ou trois jours sa tragédie. Il note : « Je vis doucement avec elle [*Germaine*], mais c'est que je fais tout ce qu'elle veut. »

Jusqu'aux tout derniers jours, on joue la comédie et la tragédie sur la scène de Coppet. Le dernier spectacle est composé de *Geneviève de Brabant*, que Germaine a écrit pour elle et ses trois enfants, et de *Deux fats ou le grand monde* d'Elzéar de Sabran.

« Malgré tout ce qu'il y avait à voir et à entendre, écrit un spectateur bernois, M. de Freudenreich, on ne fut pas fâché de voir tomber la toile, surtout ceux qui étaient debout depuis trois heures et demie jusqu'à dix heures et demie, au nombre desquels j'étais. »

La veille du départ, Germaine, assistée de l'auteur, vient lire le *Wallstein* de Benjamin à Rolle chez le duc de Noailles. Succès d'estime et d'émotion. On pleure au dénouement. La saison théâtrale est close, elle a provoqué dans toute la région la plus vive et la plus stimulante excitation. Les deux triomphatrices, à la scène comme au château, à Lausanne comme à Genève et à Coppet, sont naturellement Germaine et Juliette.

« Elles sont les deux pôles autour desquels le mouvement tourne, écrit à sa sœur François Gaudot — qui se pique de belles-lettres et se croit un moment distingué par Mme Récamier — et l'une et l'autre de ces deux femmes célèbres sont dans la situation la plus extraordinaire, et beaucoup plus que vous ne pourriez l'imaginer, relativement à leurs relations subsistantes, à leur cœur et à leur avenir. L'une et l'autre sont à une patte d'oie des chemins où il faut opter. Quoiqu'elles rient beaucoup toutes deux à table et au salon, toutes deux sont malheureuses, par des raisons opposées, qu'elles m'ont dites dans des moments d'abandon... »

***

Le 2 décembre 1807, Benjamin est encore à Coppet. Germaine écrit à Juliette, rentrée à Paris :

« J'étais mille fois plus triste après votre départ qu'en vous disant adieu... l'absence s'empare de moi. Je vais quitter Benjamin et Auguste. Tous mes liens avec la vie se déchirent. Après votre départ, je suis restée à consoler Middleton qui pleurait à sanglots. Je ne serais point du tout étonnée qu'il vous arrivât un de ces jours. Réfléchissez avec bonheur et fierté à cette puissance de plaire que vous possédez si souverainement. C'est un don plus précieux que l'empire du monde... »

La même lettre découvre d'une façon touchante, désarmante, la force de son sentiment pour Benjamin :

« J'ai lu la tragédie de Benjamin à Rolle; elle a eu plus de succès là que partout. Cela m'a fait plaisir, car M. de Noailles et le comte Golowkin sont d'excellents juges. Vous aurez la bonté, n'est-ce pas, ma chère Juliette, de lui réunir à Paris une société choisie pour entendre cette pièce qui est vraiment un chef-d'œuvre. Les succès de Benjamin me sont plus chers que les miens et contribuent à mon bonheur d'une manière bien plus intime...

« Je vous écrirai encore une fois avant Munich. Vous savez notre marché : deux lettres de moi pour une de vous. Je ne me soumets qu'à vous aimer deux fois plus. Adieu, cher ange, je vous serre contre mon cœur. »

Le 5 la voilà partie avec le factotum Eugène, Schlegel qui exulte à la pensée de revoir l'Allemagne et de parler allemand, et ses trois enfants. Auguste la quitte à Payerne et va loger à Genève. Elle est le 6 à Berne et le 14 à Munich où elle retrouve, avisés et ravis de son arrivée, Schelling qui a épousé Caroline de Schlegel, et Jacobi. Celui-ci sera son guide pendant les cinq jours qu'elle passe à Munich.

Tandis qu'elle part pour Vienne le 20 par Braunau et Ulm, Napoléon, en Italie, rentre à Paris. Il quitte Milan le 24. Alerté par sa mère, Auguste attend trois jours le passage de l'Empereur à Chambéry. Réveillé en sursaut le 30 novembre à six heures et demie par les cris de « Vive l'empereur ! », il prend à la hâte sa demande d'audience et la remet à un aide de camp qui ramasse les pétitions. Napoléon, enveloppé dans une pelisse de mameluk, entre dans une auberge du relais pour déjeuner. Après une demi-heure d'attente, Auguste est appelé et introduit dans la chambre où Napoléon est attablé, servi par un seul mameluk, avec quatre personnes, gardes et policiers sans doute, qui ne diront pas un mot.

Auguste n'est plus, à dix-sept ans passés, le petit garçon intimidé par Joseph. Il a pris de l'assurance. Un peu trop même, si l'on en croit Prosper de Barante :

« ...Je savais qu'Auguste avait parlé à l'Empereur et en avait été reçu avec considération; il paraît que ce succès et ceux qu'il obtient à Genève ont un peu accru l'importance d'Auguste; mes frères me mandent qu'il a pris une certaine hauteur et un dédain pour le vulgaire qui est bien un peu plaisante. Vos fils ont quelque penchant à ne pas avoir cette aimable bienveillance dont vous leur donnez l'exemple; comme ils sont destinés tous deux à être des hommes fort distingués, ils devraient ne pas tomber dans ce défaut... » (*à Germaine, février* 1808)

Un an plus tard, Prosper, oubliant de faire état de l'âge d'Auguste seul à Paris, n'a pas changé d'opinion :

« ...On le voyait avec regret parler avec dédain des sociétés qui le recevaient avec empressement et accueil... » (*à Germaine, février* 1809)

La sympathie que l'Empereur témoigne au jeune homme pendant le déjeuner de Chambéry ne s'adresse qu'à Auguste — il aime que les fils défendent leurs mères — et n'entraînera aucune adhésion aux arguments et promesses de Germaine. Le récit d'Auguste à sa mère paraît tout à fait véridique. On y retrouve l'ironie insolente de Bonaparte et il est évident que le narrateur, conscient de son importance, n'a pas eu de peine à rapporter fidèlement des propos tout de suite gravés dans sa mémoire.

— D'où venez-vous? — Sire, de Genève. — Où est votre mère? — Elle est à Vienne, ou près d'y arriver. — Eh bien, elle est bien là; elle doit être contente; elle va apprendre l'allemand. Votre mère n'est pas méchante; elle a de l'esprit, beaucoup d'esprit; mais elle n'est accoutumée à aucune espèce d'insubordination... (il parlait, explique Auguste, avec une espèce de calme qu'on aurait pu prendre pour de la douceur, mais qui n'est, je crois, que le résultat de l'habitude qu'il a que ses moindres paroles soient regardées comme des lois.) Votre mère n'aurait pas été six mois à Paris que je serais forcé de la mettre à Bicêtre ou au Temple. J'en serais fâché parce que cela ferait du bruit, cela me nuirait un peu dans l'opinion... Aussi, dites bien à votre mère que, tant que je vivrai, elle ne rentrera pas à Paris. Elle ferait des folies; elle verrait du monde; elle ferait des plaisanteries : elle n'y attache pas d'importance, mais moi j'en mets beaucoup. Je prends tout au sérieux.

Sur un mot d'Auguste à propos de Necker et des *Dernières vues de politique et de finance*, l'empereur fulmine :
— A soixante ans, vouloir renverser ma Constitution! Il accuse Necker d'avoir renversé la monarchie et conduit Louis XVI à l'échafaud...

— ... C'est M. Necker qui a fait la Révolution, vous ne l'avez pas vue, et moi j'y étais! Il ajoute :

... Au bout du compte, je ne dois pas me plaindre de cette révolution puisque j'ai fini par attraper le trône... le règne des brouillons est fini, il faut de la subordination, respecter l'autorité, parce qu'elle vient de Dieu...

Il laisse Auguste insister, lui pince l'oreille et conclut :
— ... Si vous aviez mon âge, vous jugeriez mieux les choses... Votre mère vous a donné là une commission très difficile et vous vous en êtes acquitté avec esprit. Je suis bien aise d'avoir causé avec vous, mais vous n'obtiendrez rien. Le roi de Naples [*Joseph*] m'a beaucoup parlé là-dessus, et cela n'a servi à rien. Si je l'avais mise en prison, j'en reviendrais, mais de l'exil, non. Tout le monde comprend que la prison, c'est un malheur : il n'y a que votre mère qui soit malheureuse quand on lui laisse toute l'Europe!

***

Ce qu'il y a de vérité dans ce jugement commode et sévère ne console pas Germaine, on s'en doute... C'est le glas de ses espérances. L'accueil qu'elle reçoit à Vienne où l'ambassadeur de France, le général Andréossy, qui a des instructions, organise en son honneur le 4 janvier 1808, à la vive surprise de la Cour et de la police autrichiennes, un dîner de quarante couverts, la flatte sans la duper. Ni ces égards officiels, ni la grande curiosité (suscitée par ses moindres faits et gestes) ne dissipent la tristesse qu'elle va, comme toujours, tenter de noyer dans les vives satisfactions que le sentiment et la vanité lui procurent irrégulièrement. Elle arrive en pleines fêtes. L'empereur d'Autriche, François Ier, se mariant pour la troisième fois, vient d'épouser Marie-Ludovique, sa cousine germaine.

« ...La Cour m'a véritablement reçue à merveille [*à la duchesse Louise à Weimar*, 19 *janvier*]. Je n'en espérais pas autant dans un pays où ce qui peut me distinguer n'excite pas un grand intérêt... » Seul, parmi les écrivains, le prince de Ligne, dont Germaine préfacera les *Pensées* en 1809, trouve grâce à ses yeux. « C'est dommage qu'il soit vieux [*à Juliette*], mais j'ai pour cette génération une tendresse invincible... » et « Le prince de Ligne et sa famille sont ma véritable ressource... » [*à la duchesse Louise*].

Après avoir habité quelques jours l'hôtel du Cygne blanc, elle loue un grand appartement dans la jolie maison de Mme Aichelburg, sur la Plankengasse. Elle y donne des réceptions et des thés. Elle place Albert dans une école de cadets, grâce à l'appui de l'archiduc Jean, et sous la condition qu'elle n'en retirera pas l'adolescent à son départ. Elle demande et obtient pour Guillaume Schlegel qui n'a plus à s'occuper que d'Albertine, l'autorisation d'ouvrir un cours sur l'art dramatique où il glorifiera l'esprit et le théâtre allemands et dont le succès dépassera les espérances du conférencier grisé. Mais Germaine n'aime pas Vienne, et Vienne n'aime pas Germaine. Ses façons, son mouvement, ses éclats, sa personne, sont cruellement jugés.

« Sa physionomie avait quelque chose de mauresque, note une femme de lettres, Caroline Pichler... son costume voyant et même osé, témoignait de prétentions qui n'étaient en rapports ni avec son âge, ni avec son manque de charme... »

On ne loue que « ses yeux superbes », que sa conversation, « éblouissante » dit l'un, « feu d'artifice inouï », dit l'autre. Les représentations d'*Agar*, de *Geneviève de Brabant*, du *Legs* de Marivaux, qu'elle organise avec une tranquille autorité provoquent des commentaires malveillants. Zinzendorf, un plaisant économiste-mémorialiste, note après *Geneviève* :

« ... Sa fille (Albertine) joue à merveille. Les gestes de sa mère et son attitude sont affreux. Schlegel prononce bien le français, mais propre uniquement à un rôle de remplissage. »

La comtesse Thurheim, spectatrice plutôt favorable, dit en sortant : « Maintenant nous pouvons aller au lit, notre prière du soir est faite. » Après *Le Legs*, Zinzendorf fait cette rude réserve :

« ... Il serait à désirer qu'on ne vît point sa figure hommasse, lourde, massive, laquelle nuit infiniment à l'agrément de son jeu. »

Cependant Germaine, se fiant, en grande vedette, aux éloges et aux applaudissements, écrit le 1er avril à Sismondi qui la rejoindra le 16 :

« ... Schlegel donne un cours très brillant, j'ai joué *Geneviève*. Nous fûmes, comme on dit, *on the top of the fashion, auf der hohe des Landsart...* »

Enfin on ne peut taire qu'au cours de son séjour à Vienne, Mme de Staël ne cherche à rencontrer ni Haydn qui devait mourir un an plus tard à soixante-dix-sept ans, ni Beethoven alors en pleine force, qui venait de publier l'*Appassionata* et composait la 5e *Symphonie*. On a beau savoir que cette grande passionnée n'avait d'enthousiasme que pour les idées, la philosophie, la discussion, les livres, on regrette de ne pas avoir encore rencontré le nom de Beethoven dans une de ses lettres. Elle semble n'avoir vraiment admiré que Glück et les compositeurs italiens.

*
* *

Et Maurice O'Donnell? Eh bien, Germaine le voit pendant cinq mois à peu près chaque jour et souvent deux fois par jour. Il vient souper chez elle, la raccompagne quand elle sort et s'attarde parfois jusqu'à quatre heures, le matin. « Les lettres de Mme de Staël au comte O'Donnell, écrit Jean Mistler qui les a publiées et commentées, nous le feront voir sérieux, un peu froid, mais spirituel et s'animant par degrés dans la discussion, dévoué et incapable d'égoïsme, mais un peu puritain et trop occupé du qu'en dira-t-on. En somme, un caractère plutôt fait pour inspirer une solide amitié qu'une passion. » Mais à Vienne, inquiète au sujet de Benjamin et comme avertie de ce qu'il trame, Germaine n'est pas en état de se contenter de l'amitié. Seul l'amour peut la distraire, la tromper, l'endormir, avec le risque de s'y laisser prendre. C'est ce qui se passera. Les trente-sept billets de Vienne « fiévreusement écrits sur de petits carrés de papier, à toutes les heures du jour et de la nuit » marquent l'évolution de ce qui n'est d'abord qu'un caprice, qu'une envie, et qui devient bientôt un sentiment violent, exigeant, exclusif que les moindres manquements exaspèrent. Lorsque Germaine quitte Vienne le 22 mai pour Coppet via Weimar, et que le cher Maurice tarde à répondre à ses reproches ou se justifie sans chaleur, on pourrait croire que le jeune comte est le plus grand amour de sa vie. Mais si l'on rapproche ces lettres enflammées de celles, très simples, que Germaine écrit dans le même temps à Juliette au sujet de Benjamin, il est aisé de distinguer la douleur romantique de l'angoisse véritable, et le feu de paille de la flamme secrète qui ronge l'âme.

Les lettres de Germaine à Juliette durant l'hiver et le printemps de 1808 permettent aussi de souligner une différence essentielle entre les caractères des deux amies. Tandis que Juliette, discrète sur l'essentiel, évite les allusions au prince Auguste et garde le silence sur la tentative de suicide par laquelle elle envisage, dans un court instant de désarroi de trouver une issue à son drame, Germaine, incapable d'une telle réserve, parle au contraire de l'essentiel, Benjamin, et dissimule l'épisodique, O'Donnell.

Voici quelques extraits de février et mars 1808 :

« Je voudrais bien que vous encouragiez Benjamin à faire imprimer sa pièce de *Wallstein*... Je vous en prie, chère amie, encouragez-le dans ce sens. Il a un si grand talent littéraire, et son imagination s'oppose à son bonheur dans ce genre comme dans les autres... Il est, Benjamin, vous le savez, un être bien cher, l'être le plus cher pour moi, de quelque manière qu'il soit pour moi. Vous en a-t-il parlé et que pensez-vous de sa disposition? Auguste [*de Staël*] est à Paris à présent. J'espère aussi dans vos bontés pour lui. Est-il possible que je ne sois pas là, au milieu de tout ce que j'aime ! Il me semble que Vienne est un rêve tant tout ce que je vois est en relation avec mon passé et mon avenir... Voulez-vous que nous donnions rendez-vous au prince Auguste quelque part? Et Middleton? Il parle d'aller en Grèce. Chère Juliette, je voudrais vivre et mourir près de vous. Adieu, adieu. »

« ... J'ai bien besoin d'un été pour me dédommager de cet hiver, car je vous avoue que je m'ennuie... On prétend que le prince Sapin est amoureux de vous. Vous êtes la seule personne à qui cela puisse arriver sans qu'elle le veuille. Voulez-vous que j'écrive au prince Auguste? Viendra-t-il à Coppet? J'ai aussi des lettres de Middleton, toutes remplies du désir de revenir; mais vous êtes l'âme de tout cela... »

Des extraits suivants, si révélateurs, si émouvants, qui doivent être d'avril et mai à Vienne — l'idylle avec O'Donnell s'épanouit — on doit peser les termes :

« ... Benjamin vous dit que je suis mécontente de lui. Mon Dieu ! je n'ai qu'une peine, mais elle est cruelle : c'est la crainte de ne pas être aimée. Si je croyais l'être, tous les malheurs de ma vie disparaîtraient. Mais ni lui, ni vous, ni personne ne me parlerez vrai sur cela; et je sens moi-même que je ne puis provoquer la vérité, tant elle me ferait mal si elle n'était pas ce que je souhaite. Je me suis étourdie cet hiver, tant que j'ai pu, mais étourdie comme une personne de dix-huit ans. Rien n'a approché de mon âme à cent lieues. Il y a si peu de gens sur la terre qui parlent la sorte de langue sans laquelle aucune corde de mon cœur n'est émue. Ce que j'aime m'a tout à fait gâtée... Adieu, chère Juliette, comme ma vie serait à vous si elle était à moi. Je vous serre contre mon cœur. Dites à Benjamin qu'il soit un peu content de me revoir. Cela me cause tant d'émotion de revenir dans sa patrie. Et vous et lui et Mathieu, voilà ma patrie. »

« ... Chère amie, que cette robe m'a touchée ! J'y cherchais l'empreinte de votre beauté, de tous les succès de votre prospérité, qui vous rendaient moins touchante que votre noble courage. Je la porterai mardi, cette robe, en prenant congé de la Cour. Je dirai à tout le monde que je la tiens de vous, et je verrai tous les hommes soupirer de ce que ce n'est pas vous qui la portez... Mais, chère amie, serait-il possible que Benjamin eût la tentation d'aller en Amérique ? Son cœur ne lui dit-il pas que c'est la mort pour moi qu'une telle idée ? Je ne vis que par mes sentiments pour Benjamin. Son caractère, ses torts envers moi font que cette vie est malheureuse ; mais j'aimerais beaucoup mieux qu'il me brûlât la cervelle que de m'abandonner. De grâce, faites-lui donc sentir que cette affection est quelque chose, et que votre amitié pour moi la lui fasse apprécier ...Voyez Benjamin, voyez-le souvent. Vous avez plus de crédit sur lui que moi si vous lui parlez. Vous savez si bien faire valoir vos amis, et je vous devrai peut-être une vie. Il n'en est pas pour moi sans l'ami de toute ma jeunesse ; et tous les succès, tous les hommages de la terre ne valent pas Coppet avec lui. J'essaie de me distraire, parce qu'il est mal pour moi ; mais la blessure est au cœur, et sans exagération, je puis dire que je mourrais, s'il me quittait... Je ne me suis point amusée cet hiver ; mais, si Benjamin m'avait toujours écrit doucement, je n'aurais pas souffert... »

« ... Je veux vous dire un dernier adieu, chère Juliette, en quittant cette ville.

... Je serai à Coppet le 30 de juin. J'espère y trouver Mathieu. J'espère aussi que Benjamin est déjà parti pour Dôle. S'il ne l'était pas, engagez-le, de grâce à partir. Chère Juliette, je n'aurai pas ma tête à moi de douleur si je ne le trouvais pas en arrivant... Dites-moi vos projets pour cet été. Pensez-vous à moi ? *Pouvez-vous y penser ?* Mon Dieu ! que j'aurais de questions à vous faire ! Quant à moi, ma vie est hors de ma puissance ; et vous le savez mieux que moi. »

Une dizaine de jours avant cette dernière lettre, Germaine dirige les dernières répétitions des *Femmes Savantes*, qui sera son spectacle d'adieu. Elle se réserve Philaminte, distribue Clitandre à O'Donnell, Ariste à Sismondi, Trissotin à Ouvaroff l'attaché russe, Chrysale au comte Cobenzl, Armande à la princesse Pauline de Schwarzenberg et Henriette à Flore Wrbna. Zinzendorf qui assiste à la représentation le 11 mai, dans l'hôtel Lichtenstein, très séduit par Pauline de Schwarzenberg, note : « Mme de

Staël, bien coiffée, mal vêtue, espèce de pet en l'air jaune, toujours un air commun et un mauvais maintien. » Le 16 mai, Schlegel termine son Cours de littérature, où il s'enorgueillit d'avoir compté plus de deux cent cinquante auditeurs, presque toute la haute noblesse, des hommes de la Cour, des ministres d'État, des généraux, dix-huit princesses..., « et beaucoup de femmes belles et spirituelles »... qui n'étaient pas toujours de son avis, si l'on en croit Zinzendorf : « L'auditoire femelle de Schlegel a été choqué ce matin (8 avril) lorsqu'il a déclamé contre Corneille. »

Le 15 mai, Germaine a écrit à Benjamin :

« Je reviens avec le même attachement pour vous, un attachement qu'aucun hommage n'a effleuré, un attachement qui ne vous compare avec personne sur la terre, mon cœur, ma vie, tout est à vous si vous le voulez et comme vous le voulez, pensez-y. Je suis convaincue que personne ne remplacera Albertine et moi auprès de vous, et que vous fuyez le bonheur et la gloire sur cette terre en agitant si cruellement nos rapports ... Cette année, je veux travailler jour et nuit, peut-être cela me fera-t-il du bien à l'âme; mais le vrai bien à l'âme pour moi est si vous me traitez avec tendresse, je ne souhaite rien que cela... »

Elle a naturellement correspondu avec Prosper de Barante, maintenant sous-préfet à Bressuire. Elle lui a fait part de ses déceptions viennoises, des épigrammes dont on l'a blessée... Prosper qui n'aime guère Schlegel et ses amis répond :

« Ah, vos Allemands qu'en dites-vous?... On ne peut savoir ce que c'est qu'un étranger, à moins d'être son intime. Les âmes ne sont pas compatriotes. Ces gens-là n'entendent ni la nuance de nos sentiments, ni celle de nos discours. » (3 *mars*)

Il marque plus nettement encore sa mauvaise humeur un mois plus tard :

« ... Quoique votre vie de Vienne me paraisse un peu vide, c'est encore mieux ce qui s'accorde avec tous vos goûts. Le principal sera toujours pour vous que votre nom se mêle au bruit du monde... Vous n'êtes pas encore désabusée sur le compte du public et vous lui dédiez encore une part de votre vie... »

Le 21 mai Germaine qui depuis trois jours ne lâche pratiquement pas Maurice O'Donnell part avec lui en voiture pour une romanesque promenade dans la vallée du Brühl où il gravera leurs deux noms sur l'écorce d'un arbre. Le lendemain 22, il accompagne son amie jusqu'à Stockerau sur la route de Vienne à Prague et, la laissant en larmes avec Albertine, Schlegel, Sismondi et Eugène, il rentre à Vienne.

Le lendemain, en Moravie, elle lui écrit une longue, une très longue lettre :

« ... La voilà donc commencée, cette cruelle absence, cher ami, et déjà j'ai senti toutes les amertumes du regret... Cher Maurice, ce dernier jour, tout déchirant qu'il était, m'a convaincue que vous aimiez votre pauvre amie... Ah ! donnez-moi toute ma vie le bonheur de vous aimer et de vous respecter comme un être que je sens avec bonheur plus ferme, plus sévère, plus distingué que moi par mon caractère... Noble ami de mon cœur, appui qui ne peut manquer, je me confie à vous de toutes les puissances de mon âme, je vous verrai donc dans quatre mois moins un jour, n'est-ce pas ? ...Ah, j'ai entendu le pas de vos chevaux et je me suis représenté votre charmante figure triste et touchante telle que je l'ai vue tout le jour, la pauvre cravate rouge, le gilet jaune, les cheveux à demi-relevés sur le front, j'ai tout revu par l'imagination... »

Le 26, de Prague, autre longue lettre sur le même thème :

« Pendant cinq mois, je vous ai vu deux fois par jour au moins, mon âme n'était remplie que de l'attente ou de la présence. Je me sens comme après une fête dans une obscurité profonde, je cherche cette musique qui était votre voix, cette parure du jour qui était votre regard, et ma peine est si vive que je la prends quelquefois pour un pressentiment... »

Elle commence à craindre qu'on ne cherche à Vienne à le détacher d'elle, à l'impressionner par des commérages... et qu'il n'apprenne la vérité sur l'état de ses relations avec Benjamin, mais la première lettre qu'elle reçoit de lui le 30, à Dresde, la rassure... Nouvelle inquiétude jusqu'au 6 où une seconde lettre d'O'Donnel dissipe ses craintes réveillées. Elle va partir pour Weimar où elle apprit quatre ans plus tôt « le malheur de sa vie ». Elle y retrouvera la duchesse Louise, peut-être Gœthe qui s'est enfermé pendant les batailles pour terminer paisiblement son *Faust* « ouvrage dit-on très original » et elle rappelle à O'Donnell sa promesse de la rejoindre à Coppet en septembre. Ne peut-il gagner un mois? « ...Vous pourriez voir les glaciers, nous pourrions aller aux îles Borromées... »

A Weimar où elle est le 9 juin, trente lettres attendent Mme de Staël, mais pas une du cher Maurice ! Il y en a huit de son fils Auguste, deux d'Elzéar de Sabran, deux de Mathieu, une de Juliette, une de Prosper, deux d'affaires, trois de Genève... et onze de Benjamin ! Germaine est d'autant plus touchée que ces lettres de Benjamin sont naturellement très tendres et douces... Le ténébreux irrésolu a enfin réussi sa machination. Il a épousé secrètement chez son père à Brevans, le 5 juin, Charlotte de Hardenberg et il a obtenu l'accord de son épouse, reconnaissante et soumise, pour qu'un silence absolu soit gardé sur leur union... jusqu'au jour où il croira pouvoir l'annoncer sans trop de risques à Mme de Staël.

Germaine qu'aucun doute n'effleure attribue pour une grande part la gentillesse de Benjamin aux interventions de Juliette. Satisfaite de ce côté, elle ne se fâche pas du silence insolite de Maurice O'Donnell, et dans une lettre du 13 juin où elle commence pourtant à montrer de l'irritation, elle parle de la duchesse Louise, des bruits de guerre avec l'Autriche qui lui font peur, du succès de l'ouvrage de Sismondi sur les Républiques italiennes... et enfin, une fois de plus, de la joie qu'elle attend de la venue de Maurice à Coppet...

Elle écrit le même jour à Juliette :

« Il m'en a coûté cruellement de venir ici. Jugez quel souvenir m'y a saisie ! Mais je croyais devoir ce sacrifice à l'admirable personne qui est souveraine de ce petit pays. Je l'ai trouvée bien malade. Son courage héroïque pendant la bataille de Iéna a pour jamais... abîmé sa santé... Vous aurez reçu une lettre de moi où je vous peignais ma crainte que Benjamin ne vînt pas à Lausanne. Cette crainte, je l'espère, n'était pas fondée... »

Quand elle quitte Weimar le 19, elle n'a toujours rien de Maurice. Toujours rien le 20, à Gotha. Toujours rien, le 26, à Francfort. Et les lettres d'Albert qui voit O'Donnell à Vienne ne permettent pas à Germaine de retenir l'hypothèse, douloureuse mais apaisante, d'une maladie. Alors elle s'indigne, elle explose, elle accuse, elle pleure... L'offense à sa fierté, la brûlure d'être négligée, créent l'angoisse et réveillent l'amour. Plus rien ne compte que ce silence accablant, outrageant, qui lui rappelle son âge et celui de Maurice... Ah, pourquoi ne dispose-t-elle pas des armes magiques de l'exquise Juliette, à qui elle écrit le 25 juin, de Francfort : « ... Croyez-moi... le premier bien de ce monde, c'est cette certitude de plaire et d'être aimée, qui reforme sans cesse un univers nouveau... »?

« ... La terre manque sous mes pas, car, pendant cinq mois que nous avons passés ensemble, je n'ai pas observé en vous un seul mouvement, un seul mot qui pût me faire supposer une âme légère... Vous a-t-on dit du mal de moi? Avez-vous cru la calomnie?.. Votre père serait-il contre moi?... La tête me tourne de douleur... J'ai pris de l'opium pour dormir... Albertine voulait vous écrire pour se plaindre à vous du chagrin que vous me faisiez... » (18 *juin*).

« ... De quoi m'accusez-vous? quand j'aurais été trop vive, trop irritable, est-ce que nos derniers adieux n'étaient pas un serment de tout oublier hors l'affection mutuelle?... Est-ce la promesse que vous m'avez faite de venir à Coppet qui vous gêne? J'irai en Italie si vous le préférez, à Vienne, je ferai tout pour que ce lien qui m'attache à vous ne soit pas déchiré » (20 *juin*).

« ... Je suis seule tête à tête avec Sismondi enfermée quinze heures dans une voiture à penser seulement : vous ne m'avez point écrit..., enfin dans un état moral si cruel qu'il y a, j'en suis sûre, des gens, qui sont sortis de la vie pour moins d'accablement que cela... Amenez-moi Albert, ces bruits de guerre m'inquiètent, enfin décidez de ce que je dois faire à cet égard, je vous l'ai confié, voudriez-vous ainsi l'abandonner? Il vous aime, Albertine vous aime, Auguste m'écrivait qu'il souhaitait bien de vous connaître, vous étiez tant aimé au milieu de nous !... Ah ! si une esclave priait Dieu pour des lignes de moi, je ne pourrais exister en les lui refusant — et cette esclave, Maurice, je la suis parce que je vous aime » (21 *juin*).

« ... Schlegel, qui est arrivé, dit qu'il est impossible que vous ayez une conduite mésestimable, qu'il en répondrait, bien qu'il ne soit pas d'accord avec vous... Il me vient quelquefois dans l'idée qu'avec ces bruits de guerre votre père vous conseille de rester, mais dites-le moi ! Un mot, et je reviendrai au mois de novembre à Vienne, il me sera doux d'y être, j'y mènerai une tout autre vie que cet hiver, ce sera un établissement. Ah ! si c'est cela que vous voulez, dites-le moi ! » (26 *juin*).

A Bâle le 30 juin, bien que toujours sans nouvelles, elle se calme presque (elle a dû recevoir une bonne lettre de Benjamin). Et puis, ses souvenirs de juillet 1789 l'assaillent :

« ... Me voici dans la même ville, dans la même chambre où tous les députés de la France vinrent chercher mon père il y a dix-neuf ans. J'étais là avec lui, j'avais dix-huit ans [*non, elle en avait vingt-trois...*] je croyais à tous les bonheurs... Lavater vint nous voir, il prédit des merveilles de mon père, de ma mère et de moi. Quatre ans après, je suis revenue ici en retournant d'Angleterre, et votre vieux général Wurmser vint me voir dans cette auberge; aujourd'hui j'y suis le cœur tout rempli de vous, entre la crainte d'une douleur horrible — point de lettre à Coppet — et l'espoir d'un bonheur inexprimable, vous recevoir chez moi, vous entourer de mes soins, d'une affection ingénieuse à vous intéresser, à vous amuser au moins par la diversité de la société, des occupations... »

Quand elle rentre à Coppet où elle trouve enfin une lettre de Maurice, mais quelle lettre ! (il croit à la guerre et veut en être...) Germaine ne sait pas encore que le 28 juin Napoléon, de Bayonne, où le retient l'affaire d'Espagne, a porté les « quarante lieues » à cinquante. L'Empereur a été avisé par sa police des entretiens que Mme de Staël, sur le chemin de Prague eut à Toeplitz, nid d'ennemis de Napoléon, avec le chevalier Frédéric Gentz, redoutable agent de l'Angleterre, celui qu'en 1814, on appellera « la plume de Metternich » et qui sera à Vienne le secrétaire du Congrès... Que se disent-ils? On l'ignore, mais on sait que Mme de Staël s'est montrée enthousiaste de Gentz et l'on s'irrite au plus haut point de ces « rencontres antifrançaises », au moment des premiers revers d'Espagne. Désormais « l'intrigante » sera surveillée plus sévèrement que jamais et se trouvera plus ou moins prisonnière à Coppet.

« Cette liaison avec cet individu [*Gentz*] écrit l'Empereur à Fouché, ne peut être qu'au détriment de la France. Vous ferez connaître que jusqu'à cette heure on ne l'avait regardée que comme une folle, mais qu'aujourd'hui elle commence à entrer dans une coterie contraire à la tranquillité publique. »

IV

Bataille de dames

Une nouvelle saison, aux halos étranges, s'ouvre au château, teintée de piétisme et de mysticisme, en raison de la présence du dramaturge Zacharias Werner converti au catholicisme qui salue en Mme de Staël « Notre-Dame de Coppet », et de Mme de Krüdener, amoureuse mystique qui veut sublimer l'amour, romancière purifiée qui presse Germaine de suivre son édifiant exemple et de s'abandonner à Dieu... Germaine y rêve quand elle écoute le troublant auteur de *Valérie*, rivale littéraire d'un jour, mais elle est bientôt réclamée par ses problèmes terrestres.

Benjamin est là, fidèle au rendez-vous, transformé par sa mauvaise conscience, sage, affectueux, tout occupé de *Wallstein* qu'il n'arrête pas de retoucher et de la préface-manifeste qu'il compose pour la présentation de la pièce en librairie. Heureuse et sans méfiance, Germaine écrit à Juliette triste, restée à Paris : « Benjamin est doux cette année... »

Du fond de sa province, Prosper de Barante, sous-préfet de Bressuire en Vendée, en train d'achever, lui, un *Tableau de la littérature française au* XVIIIe *siècle* dans lequel il évitera ou négligera — impardonnable faute ! — de faire figurer Jacques Necker, poursuit régulièrement avec Germaine une correspondance qu'il voudrait amicale et détachée et qui le montre très soucieux de ne pas rompre ses liens.

Mais ni les songes religieux, ni les plaisirs du sentiment, ni le travail — elle a commencé, sous une première forme, épistolaire, à laquelle elle renoncera, son grand ouvrage sur l'Allemagne — ne lui font oublier le téméraire qui veut à Vienne exposer une vie dont elle se flattait d'être un peu la maîtresse. A peine arrivée, elle se désole, tremble et cherche à lier son ami, comme elle l'a fait avec Narbonne et Benjamin, par une générosité dont O'Donnell choqué, et qui souhaite la rupture, trouvera de sa dignité de se blesser plus que de raison.

« Vous croyez à la guerre, vous voulez y prendre part et vous ajournez ainsi de la plus cruelle manière notre réunion !.. Maurice, avez-vous donc oublié ce que je suis et vous imaginez-vous que je pusse vivre ici en sachant votre vie en danger? Si la guerre a lieu, si ce malheur horrible m'est réservé, j'irai à Vienne, le prétexte de chercher moi-même Albert me le permet, et certainement je partagerai *tout* votre sort...

... Il faut aussi que vous acceptiez ce que je veux vous proposer, je vous enverrai mardi cent vingt-cinq louis de France... je vous supplie à genoux de me permettre de vous les prêter, voici mes motifs : s'il y a guerre, si en effet une telle épreuve m'est réservée dans ce monde, vous aurez nécessairement besoin de plus d'argent pour des chevaux, pour vos gens, pour tous les genres de soins que votre santé exige. Ne pourriez-vous pas vous trouver dans un pays où le papier n'eût pas cours et prendre une partie de cette somme en or? S'il n'y a pas de guerre, vous viendrez vers moi et nous parlerons affaires, ou vous irez en Italie et j'irai vous rejoindre... »

« Mes affaires de fortune sont dans un ordre parfait, mes amis à qui j'avais prêté de l'argent il y a quelques années me l'ont rendu, si je n'avais pas peur de vous fâcher, je vous aurais envoyé une assignation quatre fois plus forte, songez donc que dans les circonstances actuelles, j'ai cent vingt mille livres de rente sans un sol de dette, ainsi mon père avait arrangé sa fortune pour moi ! Qu'en puis-je faire, si tout ce que j'ai n'est pas en commun avec ce que j'aime ! Ah, je mépriserais bien la délicatesse qui, plaçant l'argent au-dessus de tout, accepterait le cœur et pas la fortune... » (7 *juillet*).

Si O'Donnell était un faible, un joueur, un cynique ou s'il était seulement assez épris pour se laisser tenter,

Germaine, qui s'exalte en écrivant comme en parlant et qu'entraînent l'imagination, l'éloignement, le goût maternel de l'assistance, l'occasion, la course au bonheur, pourrait se trouver conduite à l'épouser d'un jour à l'autre. Mais le jeune comte qui aime et épousera Christine de Ligne, ne verra jamais en Mme de Staël qu'une flatteuse conquête, une amie rare, encombrante et voyante, qu'il veut bien admirer et chérir à distance et dont il se défie depuis le premier jour. Il est d'autre part homme d'ordre et de devoir, respectueux de la morale, de la société, des conventions et son père sera bientôt ministre des Finances d'Autriche. L'or de la châtelaine de Coppet provoquera tout naturellement sa colère.

En attendant sa réponse, Germaine brosse un tableau de la vie édifiante qu'elle mènera à Vienne avec lui... elle se voit déjà là-bas...

« ... C'est pour vous que je viendrai, c'est pour vous seul que je vivrai, votre oncle et le prince de Ligne, voilà quel sera mon cercle, j'écrirai, je serai encore heureuse si je ne crains pas pour vous... »

Elle lui donne les nouvelles et les échos de la guerre d'Espagne; elle lui parle d'une révolte en Calabre; d'une belle découverte des chimistes anglais qui ont « décomposé le charbon et le soufre »; de son projet d'envoyer Auguste de Staël en Amérique, et aussi de *Faust* qu'il vient de lire; et après avoir annoncé que Benjamin allait faire imprimer son *Wallstein* : « ...Je vous l'apporterai, je me suis *expliquée* avec lui et je crois que notre été sera calme, mais nécessairement triste » elle achève sa longue lettre du 12 juillet sur une note chez elle tout à fait insolite, la poésie de Coppet et du lac sous la lune... « Ah, que n'étiez-vous là, vous la vie de toute la nature pour moi ! »

Germaine reçoit de Maurice O'Donnell le 5 août une cinglante réponse à l'envoi de son banquier. Durant plusieurs semaines elle protestera avec beaucoup de noblesse et de sincérité de sa bonne foi; on la sent plus touchée par l'atteinte à sa réputation que par la blessure d'amour. Elle est si profondément convaincue d'échapper, par sa nature exceptionnelle, aux règles communes qu'elle ne peut admettre qu'un homme qu'elle estime la juge comme une créature ordinaire. Elle est si sûre de rester pure en suivant ses impulsions et ses élans qu'elle ne peut tolérer qu'un homme qu'elle aime se laisse abuser par l'apparence.

« Votre lettre du 21 m'a déchiré le cœur. Je ne m'attendais pas que le sentiment le plus vrai reçût une telle récompense... Vous avez un grand malheur au milieu de vos rares vertus, *c'est de croire à la calomnie...* Je pouvais me permettre, ce me semble, au milieu de la guerre, dans des conditions sans pareilles ce que je n'aurais pas osé dans un autre temps... Vous me demandez si j ai des *droits illimités* sur vous, je n'en ai sûrement pas par aucun lien que votre injustice envers moi rend à jamais impossible, mais vous ne pouvez pas empêcher que je ne vous aime, que je n'aille à Vienne, que je ne fasse deux cent cinquante lieues, cinq cents, mille, pour vous voir un quart d'heure et me justifier... (5 *août*).

« En quoi méritais-je la lettre que j'ai reçue ce matin? Tout ce qu'il y a de plus nobles chevaliers en France n'ont pas craint de recevoir des services de moi pendant l'émigration, je pourrais vous en nommer dix qui m'ont fait l'honneur d'en accepter...

...Vous n'avez jamais vu une personne de ma nature et vous voulez la juger par quelques propos inconsidérés, légers, à la française... mais, je vous le demande, si vous étiez en prison au bout du monde, qui attendriez-vous, si ce n'est moi? S'il fallait exposer sa vie pour sauver la vôtre, sur qui compteriez-vous plutôt que sur moi?... Comment se fait-il qu'au lieu d'écouter tous les commérages de la ville, vous ne tiriez pas parti de moi pour développer en vous l'esprit distingué que la nature y a mis? »

« ...Maurice, vous vous jouez de la rare fortune d'être passionnément aimé, mais croyez-moi, vous la regretterez — la vie n'est pas si douce, le monde n'est pas si bon, le sort n'est pas si prospère, qu'un ami fidèle soit tant à dédaigner. Je rougis de vous le dire, mais il faut pourtant que je l'affirme, à travers des inconséquences, ma vie est celle d'une âme pure, et je méritais d'être aimée de vous » (6 *août*).

« ...Je ne puis encore me persuader que de telles paroles s'adressent à moi, *l'art, la dissimulation, l'abus de confiance...* Si j'avais montré votre lettre aux amis qui m'entourent maintenant, Camille [*Jordan*], Mathieu, Elzéar, etc..., ils vous auraient cru fou, mais cette folie ne m'en a pas moins donné un coup de poignard dont je ne guérirai jamais... (14 *août*).

Fort heureusement, cette blessure, sans guérir, n'empêche pas Germaine qui peut souffrir, écrire, rêver, bâtir dans le même temps avec la même intensité, de participer le 15 août à Interlaken, aux fêtes de l'anniversaire de l'indépendance de la Suisse. Dans sa lettre du 18 à O'Donnell, à demi distraite par le déplacement, les rencontres, l'atmosphère, les orages, elle est déjà presque résignée, plus ou moins prête à renoncer provisoirement à Maurice, à se contenter provisoirement de ce qu'elle tient : Schlegel, Benjamin, Prosper.

Schlegel, secrétaire, précepteur, commissionnaire, correcteur, Schlegel qui lui rend pour « L'Allemagne » les plus signalés services, en dépit de la façon dont elle le traite (« ...à tous moments vous me donnez à entendre que vous me trouvez désagréable, importun, ennuyeux et inconvenant. Il est trop tard pour entreprendre mon éducation, je vous conseille de vous en désister... »). Benjamin, dont la gentillesse et l'insolite égalité d'humeur ne tranquillisent Germaine qu'à demi; enfin Prosper de Barante dont heureusement l'ardeur n'est pas éteinte.

Après le départ de Souza et la défection de O'Donnell, Prosper, malgré son offense à Necker et ses faiblesses pour Juliette, reste la seule sécurité de Germaine, son dernier carré d'espoir au cas toujours obscurément redouté où Benjamin parviendrait à s'évader, à secouer le joug...

Il est d'autre part indiscutable qu'à ce moment de sa vie, Mme de Staël désire faire un mariage heureux qui pourrait avoir, du moins elle l'imagine, une influence décisive sur sa destinée. Elle supporte Coppet parce qu'au cours de l'hiver 1808-1809 elle y a son travail, ses livres, ses notes et qu'en compagnie de Schlegel et de Benjamin (qui montera en décembre à Paris faire prendre patience à Charlotte...) elle y discute des œuvres et des hommes, qu'elle y fait de grandes lectures et des traductions. Mais sitôt l'ouvrage paru, il faut qu'elle sache où se fixer. En Suisse, elle étouffe. Coppet est un saint lieu de pèlerinage, un relais, un séjour de vacances, mais l'hostilité de l'Empereur en a fait une geôle dont elle sortira coûte que coûte.

Une lettre remise en mains propres par Auguste de Staël à Talleyrand — et qui restera sans réponse — avertit par ce silence même Germaine qu'aucun adoucissement de son sort n'est à espérer.

Elle est alors résolue à s'expatrier avec ses enfants, dès la publication de l'*Allemagne*. Il n'est plus hélas question de Vienne. Londres? Stockholm? Non, c'est aux États-Unis qu'elle songe. Elle peut espérer s'y établir. Elle y a des amis, des intérêts, des terrains, des créances.

Dès novembre 1794, Necker avait fait un excellent placement en chargeant un émigré de ses amis, Le Ray de Chaumont, qui fut naturalisé citoyen américain l'année suivante, de lui acheter quelques milliers d'acres de terrains dans l'État de New York. Il renouvela, au nom de Mme de Staël, quatre fois l'opération (Le Ray de Chaumont était le fils du propriétaire du château de Chaumont-sur-Loire qui logea Franklin « gratis » à Paris à son hôtel Valentinois, place de Passy, pendant toute la durée du séjour du physicien-négociateur).

Ce n'est pas tout. Quand Du Pont de Nemours — qui, deux fois président de l'Assemblée constituante échappa de justesse à la guillotine, puis au bagne après le 18 Fructidor — partit pour l'Amérique s'établir avec sa famille en 1800, Necker, Louis de Germany son frère, et Germaine de Staël qui l'avaient en grande estime et amitié lui avancèrent des sommes importantes. Après la mort de Necker et de Germany, Du Pont de Nemours écrit à Mme de Staël :

« ... Vous avez pour sûreté notre société tout entière qui n'a pas d'autres créanciers que vous, notre terre du Kentucky de 56 000 acres (dont 16 000 non contestés valent au moins 160 000 francs) ...et la poudrerie de mon fils Irénée hypothéquée à votre nom... Il n'y a point d'intérêts mieux servis ni de capital plus assuré, ajoute Du Pont de Nemours. Je ne sais même si votre bon esprit, capable de juger l'Europe, ne doit pas trouver que les fonds aux États-Unis y sont avec plus de sécurité qu'en aucun pays du monde ».

Il est donc naturel que Germaine opte pour l'Amérique et envisage d'y envoyer Auguste, le moment venu, en reconnaissance. Elle écrit à Jefferson, à Gouverneur Morris, à Du Pont de Nemours à New York pour leur recommander son fils aîné. Elle fait demander à Fouché les passeports du jeune homme, elle avise l'ambassadeur américain à Paris, le général Armstrong qu'elle connaît bien.

Mais comment partir pour l'Amérique, et même laisser partir Auguste, tant qu'elle ignore ce qu'elle veut faire de Benjamin et ce que Prosper veut faire d'elle?

Benjamin, toujours à Paris, sous l'excellent prétexte de l'édition de *Wallstein* est-il sûr? Peut-elle le garder sans l'épouser? Peut-elle le garder en épousant Prosper? Et Prosper acceptera-t-il qu'elle garde Benjamin? Les hommes sont parfois si ombrageux...

La reprise d'intérêt d'une correspondance plus soutenue et plus étoffée avec le jeune sous-préfet de Bressuire coïncide insensiblement pour Germaine, dès l'automne 1808, avec la crise O'Donnell et les menaces de la guerre autrichienne qui s'ouvre le 10 avril 1809. Elle n'aura plus de nouvelles qu'en juillet, après Wagram, du vaillant commandant O'Donnell qui, touché des attentions et de la magnanimité de Germaine, lui rendra volontiers amitié et justice. La passion peut mourir, le sentiment demeure vivant. Dans ces sortes de luttes, même vaincue, Germaine obtient le précieux avantage de rester la gardienne de la flamme.

***

De son trou de Vendée, Prosper, qui connaît bien mal sa Germaine, lui a écrit le 25 mai 1808 :

« ... Ainsi à vous en Allemagne, à moi à Bressuire, la seule chose qui manque, c'est l'affection. Vous trouvez là-bas du mouvement, des succès bruyants qui vous plaisent; ici, j'ai du bon repos, des pensées qui divaguent à leur aise, une liberté comme je ne l'avais jamais connue. Si donc on pouvait se passer d'aimer, nous serions à merveille... mais je trouve le calme tellement la meilleure chose du monde que j'ai grand-peur des affections qui troublent la vie... »

Il ignore tout de l'idylle autrichienne comme du plan machiavélique de Benjamin. On ne peut pas dire qu'il cherche à plaire... Il écrit le 28 juillet :

« ... Il est clair que si j'ai choisi, j'ai mal choisi et que même, par calcul, j'aurais dû attacher ma vie à la vôtre, chère amie. Le sort et non ma volonté a fait autrement. Je n'ai pas cru trouver un bonheur durable de cette façon et je me suis abandonné au cours des choses... Je n'ai plus de goût à rien; un loisir un peu studieux et de l'affection, voilà ce que je chercherais, si je cherchais quelque chose... Je n'ai plus pour Paris ce penchant exclusif... C'est un séjour dont il est peu malheureux d'être exilé... »

Germaine doit penser qu'il se moque d'elle... Cependant, appelé à Paris en septembre, il s'échauffe un peu. Il a vu Juliette à Versailles. Il écrit à Germaine rentrée à Coppet :

« ... J'ai vu votre belle amie et j'ai passé un jour à la campagne chez elle. Elle est malheureuse de vide et d'ennui; une affection vive lui manque; elle hésite entre la religion et l'amour; elle parle naïvement et finement de sa triste position. Je ne crois pas qu'elle puisse trouver du bonheur dans l'amour; elle l'eût fort bien goûté doux, permis, tranquille; mais elle n'aimera pas assez pour oublier ses devoirs sans douleur. Du reste, elle vous aime beaucoup; nous avons parlé de vous sans cesse; vous auriez été bien placée entre nous deux, dans ce joli jardin de Versailles. Je songeais que si vous habitiez là, ce serait presque comme à Paris, peut-être mieux... »

Un aimable paragraphe à propos d'Albertine n'arrange pas les choses :

« ... elle sera bien distinguée, votre fille; moins que vous, mais on peut se contenter de cette infériorité. Nous disions l'autre jour avec Mme Récamier qu'elle aurait plus de douceur, de timidité, mais assurément moins de bonté; il n'y a que vous au monde pour cela... »

Spécule-t-on sur « sa bonté »? Veut-on l'endormir et la trahir? Elle le redoute soudain et réagit avec vivacité, tant auprès de Prosper que de Juliette qui ne lui écrit plus au sujet du prince et qu'elle craint de voir tentée par une diversion.

« ... Ce que vous me dites sur votre jalousie de Mme Récamier, proteste le jeune Barante, m'a surpris; elle a dû vous mander que jamais un mot plus vif que la confiance et l'amitié n'a été prononcé entre nous. Je pense qu'elle m'eût trouvé mésestimable de former le projet de vous affliger et elle aurait eu raison... Aussi, chère amie, à supposer que cela vous fasse quelque chose, assurez-vous que je n'ai pas prononcé le mot d'amour à d'autres qu'à vous, soit avant, soit après le temps où il en résultait quelque bonheur. Je ne m'en fais pas un mérite, mais cela est... »

Quand, après avoir joué à Coppet Ezéchiel dans un nouveau drame biblique de Mme de Staël, la *Sunamite*, Benjamin part pour Paris, Germaine s'installe à Genève où elle pose, en musique, chez le peintre Firmin Massot. L'incident Prosper-Juliette n'est pas clos. Germaine persiste à soupçonner Juliette de légèreté et elle reproche à Prosper d'être oublieux du temps où il se disait prêt à vaincre la résistance de son père à leur mariage. Il répond le 5 décembre avec une pertinence cruelle :

« ... Vous avez tant de force et de chaleur qu'il semble que toute la vie soit concentrée dans chacune des choses que vous embrassez; mais enfin, vous en embrassez plus d'une... Ainsi, chère amie, quand je me donnerais tout à vous, vous ne seriez pas toute à moi, je serais un objet de plus qui entrerait dans votre tourbillon...

...Lorsque je vous ai rencontrée, votre vie était déjà si compliquée que vous ne pouviez plus me la donner. Le temps heureux que nous avons passé s'est écoulé sans prévoyance; nous ne formions jamais de projets pour plus de six mois, jamais vous ne m'avez parlé d'union durable que comme d'un moyen pour éviter une séparation... »

Comme il rejoint sa sous-préfecture, il ajoute :

« ... Quelque déplaisant que vous soit Genève, on ne peut douter que ce ne vous soit un séjour plus agréable que Bressuire ne l'est pour moi. L'hiver dernier, vous l'avez passé à Vienne au milieu des succès cherchés et obtenus. Tout cela n'est pas le bonheur de la vie, mais enfin vous en recueillez sur le moment quelques sensations agréables que je n'ai pas même la faculté d'avoir... »

et il annonce l'envoi de son tableau littéraire du XVIIIe siècle qui va provoquer un nouvel incident. La fille de M. Necker voudra croire que l'omission des ouvrages de son père est une vilaine concession de Prosper qui attend d'être nommé préfet de la Vendée. « Je continue à être fort blessé du motif qu'elle suppose à mon silence sur M. Necker », écrit Prosper à Juliette le 2 janvier 1809. Germaine lui en tint plus sérieusement et plus longtemps rigueur que de ses assiduités auprès de Mme Récamier. Prosper rentré à Bressuire, elle oublie ses alarmes. Quand Juliette, pour preuve... bien discutable de son innocence, offre de lui faire lire les lettres de Prosper, Germaine, sans s'arrêter un instant à la fragilité du témoignage, répond, dans un élan le 9 février par une de ces déclarations d'amour qui ont pu paraître équivoques à certains :

« ... Je ne veux point voir les lettres de Prosper. Je ne veux rien qu'un retour de votre affection... Si vous me retirez ce sentiment qui a fait toute ma consolation depuis trois années, je sens que la vie aurait perdu pour moi le dernier charme que l'exil ne m'avait pas ravi... La douce surprise de votre ravissante lettre m'a causé une émotion que je ne puis vous peindre. Je vous écrirai par Auguste qui part pour Paris, mais je ne voulais pas une heure de retard pour vous embrasser à genoux, pour baiser vos jolis pieds et vous demander de pardonner à la susceptibilité du malheur. Pardonnez-moi aussi de regarder comme impossible qu'on puisse vous voir et ne pas vous aimer...»

Germaine, au cours de ces premiers mois de 1809 paraît dans une forme extraordinaire. Le mal qui dans huit ans — elle en a quarante-trois — la terrassera comme il a terrassé sa mère, ne s'est pas encore signalé. Elle manifeste une activité prodigieuse. Elle travaille soigneusement, régulièrement, à l'*Allemagne*, en compagnie de Schlegel, de Sismondi, de Benjamin quand il est là, vérifiant avec eux sa documentation et ses vues. Elle prépare le voyage — qui ne se fera jamais — d'Auguste à New York. Elle gère ses biens, achète ici, revend là, écrit mille lettres, se fait peindre, lit *Les Martyrs* qui viennent de paraître (« la chute la plus brillante dont nous ayons été témoin » annonce Sismondi à Mme d'Albany), engage pour Albertine une institutrice anglaise « qui a eu des malheurs », Fanny Randall. Rivalisant de dévouement avec Schlegel, Miss Randall le distancera très vite et prendra une place exceptionnelle dans la confiance et l'amitié de Mme de Staël. Enfin, Germaine se réjouit du succès « inoffensif » de son recueil des *Pensées* du prince de Ligne qui paraît à Paris en même temps que la tragédie de Benjamin.

« ... Vous êtes à Rome, écrit-elle à Gaudot. Faites-y toutes mes commissions. Dites à Middleton de revenir avec vous, à Alborghetti que je compte sur lui cet été, à Mme Brun qu'elle devrait revenir, au baron de Strogonoff que je l'attends, et à vous Gaudot, que vous devez passer une partie de l'été à Coppet. Tout cela est-il clair? *Wallstein* a paru et, malgré l'ordre de n'en dire que du mal, il perce et fait sensation. Mon extrait du prince de Ligne a été très bien accueilli; c'est un succès inoffensif — Coppet sera, je crois, brillant cette année. Werner y revient; il m'appelle sainte Aspasie. Je vous prie de noter ce compliment; aucun ne m'a plus flattée. Le mariage ne vous tente-t-il pas pour vous-même? Voulez-vous épouser Amélie Odier? Cette idée me passe par la tête en vous écrivant; j'ai dix autres demoiselles à vous offrir. Je travaille toujours à mon ouvrage sur l'Allemagne; je vous en lirai cet été. Vous êtes un esprit sur les frontières des deux pays et votre jugement me servira pour les deux nations. Je fais arriver Albert de Vienne vers le mois d'avril. Auguste est à Paris et revient pour repartir à la fin de mai pour l'Amérique. J'ai aussi de grands projets de voyage l'année prochaine, mais nous en parlerons... »

Au mois de mai 1809, le climat change brutalement. D'abord parce que Germaine, sans nouvelles de Maurice O'Donnell, apprend les premiers revers de l'armée autrichienne entrée en avril en Bavière. (Elle sera ainsi empêchée d'aller chercher Albert à Munich où Maurice O'Donnell eût accepté de conduire l'adolescent). Ensuite parce que Benjamin s'est enfin décidé après onze mois de dissimulation, de préparation, de mise au point, à allumer la mèche de sa bombe.

Le 9 mai, le jour où Napoléon arrive en vue de Vienne, un courrier apporte à Germaine tard dans la soirée un billet signé Charlotte Constant de Hardenberg. N'osant évidemment pas se présenter elle-même au château, la nouvelle Mme Benjamin Constant prie respectueusement Mme de Staël de se rendre le lendemain à l'hôtel de Sécheron où elle réside (à deux heures de Coppet) pour une communication importante.

Comment croire que Germaine puisse attendre au lendemain! Elle fait atteler à l'instant même et court seule à

Sécheron, laissant son cercle stupéfait et bouleversé. Sans se faire annoncer elle frappe et entre dans la chambre de Charlotte. Elle croit y trouver Benjamin qui, selon le plan établi, entre les époux, se cache à Ferney où il attend anxieusement le récit de l'entrevue.

Bien que prête pour la nuit et en train de prendre un bain de pieds à l'arrivée de Mme de Staël, Mme Constant qui a du monde ne se laisse pas impressionner et reçoit de son mieux la redoutable visiteuse. D'ailleurs le premier mot, théâtral, de Germaine « Je suis venue parce que vous êtes une Hardenberg » est un salut. Cela n'empêche pas l'entretien qui se prolongera jusqu'à l'aube d'être aussi pénible qu'orageux. Charlotte tient héroïquement la promesse faite à Benjamin de garder jusqu'au bout, sous les assauts, calme et raison. Elle n'est pas la simple d'esprit peinte par Germaine et ses amis, comme le prouve Mme Dorette Berthoud, sa biographe, et elle se tire somme toute à son honneur d'une situation périlleuse que Benjamin n'a pas osé affronter. Elle n'a pas trop plié sous l'attaque; elle n'a révélé ni la retraite de Benjamin ni les circonstances du mariage qui n'a pas de valeur légale, n'ayant pas été enregistré civilement par crainte des indiscrétions. Ah, si Mme de Staël savait que l'union prononcée par le pasteur Ebray de Besançon, n'eut d'autre témoin, à Brévans, que Juste de Constant !...

Tandis que Germaine rentre à Coppet, Charlotte, brisée, écrit longuement à Benjamin. Elle a cédé beaucoup de terrain, mais elle n'est pas si mécontente de son travail. Cela pouvait être pire ! Elle se félicite surtout d'avoir, par sa conduite, « presque forcé » Mme de Staël à se montrer douce envers elle.

« ...*Elle* est restée ici jusqu'à quatre heures du matin. Tout ce qu'il est au pouvoir d'une créature humaine de faire, je l'ai fait. Tout ce qu'on peut promettre, je l'ai promis. Te le dirai-je ? A travers tout ce qu'elle a montré de violence et de peine, je vois distinctement que ce qu'elle veut le plus, c'est une longue attente. Elle s'est mille fois trahie sur ce point. Soit. Je ne me refuse à rien de ce qu'il vous faudra à tous deux. Il est absolument essentiel que nous nous parlions avant que tu ailles chez elle... »

Le lendemain à Coppet Benjamin s'empresse naturellement de ratifier les promesses de Charlotte. Qu'a obtenu Germaine? Avant tout, que le silence gardé onze mois sur le mariage soit maintenu jusqu'à nouvel ordre. L'étonnante femme, la surprise et le choc passés, juge en réaliste, en stratège, la situation... Il l'a épousée? Et puis après? Qu'est-ce que ça change, *si ça ne se sait pas!...* Méprisant sa faible rivale, sous-estimant le pouvoir de la patience et de la modération de Charlotte, Germaine pense mettre à profit le délai qu'on lui consent pour reprendre définitivement l'avantage et neutraliser ce mariage ridicule qui ne peut conduire les coupables qu'au divorce. Après avoir souffert et crié elle respire comme un joueur qui a forcé le partenaire à abattre ses cartes. Voilà donc la grande pensée et l'arme secrète de Benjamin! Si c'est par cette voie qu'il croit pouvoir gagner la partie il se trompe! A elle de jouer maintenant! Elle dicte à nouveau en les aggravant ses conditions : jusqu'à la publication de l'*Allemagne*, jusqu'à son départ pour l'Amérique, Benjamin viendra, comme chaque année, passer l'été à Coppet. Mme de Hardenberg, toute mariée qu'elle est, ira gentiment attendre silencieusement dans son pays qu'on lui rende son époux. La façon dont Benjamin accepte le diktat fait trembler la malheureuse Charlotte. Elle voit bien que la fermeté dont se prévalait le velléitaire avant d'avoir revu Germaine n'était qu'une construction de l'esprit et sans cesser de le plaindre elle se désole :

« ... Grand Dieu! devais-tu laisser croire à une autre, après m'avoir mille fois juré que ton bonheur était en moi, que ce bonheur, loin d'elle, ne pouvait jamais exister? Je l'avoue, ce dernier coup a été trop fort pour mon cœur, trop fort pour ce courage dont, plus que jamais, j'avais besoin. Ne t'afflige pas cependant; je ferai tout ce que je pourrai... »

Germaine ne s'en tient pas là. Pour sa contre-offensive, elle cherche des alliés et les trouve dans la propre famille de Benjamin. Juste de Constant, après avoir encouragé le mariage de son fils, célébré dans sa maison, prend tout à coup le parti de Germaine. Regrette-t-il son premier geste? Désavoue-t-il sa bru? Joue-t-il un tour à Benjamin? Reconnaît-il les droits, tous les droits, les moraux et les matériels, qu'a Mme de Staël de se plaindre? Ignorait-il l'existence du pacte signé par les amants en 1804 qui interdisait à l'un comme à l'autre de se remarier, et qui lui est communiqué par Germaine? Commet-il l'imprudence de révéler tout ou partie de la vérité sur le mariage secret? Les raisons du singulier octogénaire paraissent encore obscures, en raison aussi de la façon dont s'enchevêtrent les questions d'intérêts et de sentiments entre Germaine et Benjamin, mais il passe nettement à l'ennemi, réduisant la liberté de manœuvre de son fils qui ne peut guère compter dans cette épreuve que sur l'aide et la bienveillance de la cousine Rosalie. Ceux qui l'approuvent d'avoir voulu échapper à Germaine admettent mal qu'il ait choisi Charlotte. Auguste venu à Brévans chercher Benjamin pour l'emmener de force à Lyon manque provoquer en duel le misérable qui fait souffrir sa mère et veut l'abandonner... Schlegel, apprenant l'incident, se réjouit trop vite d'être débarrassé de Benjamin.

« ... Vous êtes un bien grand appui pour votre mère. Je vous prie seulement de réprimer ce mouvement d'indignation qui, du reste, sied bien à votre âge et à la droiture de votre caractère. Il ne peut plus être question de celui qui l'a excité en vous, c'est un homme fini pour nous, nous ne pouvons le considérer que sous le rapport des effets momentanés que produit son absence ou sa présence. J'espère que nous sortirons de tout ceci plus tôt qu'il n'y a apparence... »

Vains espoirs! Schlegel a beau déclarer en même temps à Germaine que le temps qu'elle passe encore avec Benjamin est perdu pour sa destinée; qu'il sait bien « qu'il y a des opérations trop douloureuses pour les achever à la fois », qu'il souhaite qu'il y ait pour elle « une impossibilité physique de revoir Benjamin », il ne sera pas entendu.

A Lyon où Auguste a conduit Benjamin sur l'ordre de Germaine, Talma donne quelques représentations. C'est pour l'applaudir dans tout son répertoire que Mme de Staël, en grande compagnie, a quitté Coppet le 6 juin. « Ne pas vous entendre, avait-elle écrit au tragédien en 1807, est pour moi une des grandes douleurs de l'exil. » Et elle tient expressément à la présence de Benjamin à son côté. On s'étonnerait trop de ne pas le voir! Mais l'épouse délaissée qui était à Brévans — Benjamin n'a pu encore se résoudre à l'éloigner — a suivi son mari. Charlotte est le 8 à Lyon, dans la chambre de Benjamin. Fort gêné, il la presse de rentrer à Lausanne. Elle feint d'obéir. Veut-elle, à son tour, son épisode dans le grand feuilleton staëlien? Elle passe à l'hôtel de l'Europe où elle est descendue. Elle fait porter un mot à son mari à l'hôtel du Parc où il est avec Germaine et tente, plus ou moins sérieusement, de s'empoisonner. Benjamin accourt effrayé. Germaine émue l'accompagne. Elle a lu le billet dont les dernières phrases ouvrent un moment son cœur à la pitié.

« ... Je ne sens qu'une douleur au monde, c'est celle de te quitter. Prie Dieu pour qu'il me pardonne. Avant de quitter la vie, je le prierai aussi pour toi... Vis donc et ne fais de mal à personne, pas même à celle qui m'a détruite... »

Sauvée, Charlotte constate que le mélodrame paye. La désespérée marque un point. Germaine elle-même, en la soignant, la rassure. Il n'est plus question d'expédier Charlotte en Allemagne. Si elle est bien sage, Benjamin promet de la conduire à Paris dès qu'elle sera en état de faire le voyage. Chose promise, chose due : il l'emmène quelques jours plus tard et la laisse sous la surveillance d'un excellent médecin, le docteur Koreff, dont il ne se méfie pas, bien qu'il le sache épris de sa femme. Puis, Benjamin redescend sur Lyon où Schlegel a été autorisé à monter. Ils repartiront tous ensemble pour Coppet où ils seront le 10 juillet et, chose promise, chose due, Benjamin restera trois mois auprès de Germaine.

La spirituelle comtesse de Boigne (autre Charlotte) se trouvait de passage à Lyon pendant le séjour de Mme de Staël. Elle a laissé dans ses Mémoires un vivant tableau de leur rencontre.

« ... J'allais souvent en Savoie. A mon premier voyage, je m'arrêtai à Lyon. M. d'Herbouville en était préfet, et c'était un motif pour y séjourner. Je logeai à l'hôtel de l'Europe où j'arrivai tard. Le lendemain matin, le valet d'auberge me dit que Mme de Staël était dans la maison et demandait si je voudrai la recevoir. — Assurément, j'en serais enchantée, mais je la préviendrai.

« Cinq minutes après, elle entra dans ma chambre, escortée de Camille Jordan, de Benjamin Constant, de Mathieu de Montmorency, de Schlegel, d'Elzéar de Sabran et de Talma. J'étais fort jeune; cette grande célébrité et ce singulier cortège m'imposèrent d'abord. Mme de Staël m'eut bientôt mise parfaitement à mon aise. Je devais aller faire des courses pour voir Lyon; elle m'assura que cela était tout à fait inutile; que Lyon était une très vilaine ville entre deux très belles rivières, qu'en sachant cela j'étais aussi habile que si j'avais passé huit jours à la parcourir. Elle resta toute la matinée dans ma chambre, y recevant ses visites, m'enchantant par sa brillante conversation. J'oubliai préfet et préfecture. Je dînai avec elle. Le soir, nous allâmes voir Talma dans *Manlius*. Il jouait pour elle plus que pour le public, il en était récompensé par les transports qu'elle éprouvait et qu'elle rendait communicatifs...

...C'est ainsi que ce météore m'est apparu pour la première fois; j'en avais la tête tournée. Au premier abord, elle m'avait semblé laide et ridicule. Une grosse figure rouge, sans fraîcheur, coiffée de cheveux qu'elle appelait pittoresquement arrangés, c'est-à-dire mal peignés; point de fichu, une tunique de mousseline blanche fort décolletée, les bras et les épaules nus, ni châle, ni écharpe, ni voile d'aucune espèce : tout cela faisait une singulière apparition dans une chambre d'auberge à midi. Elle tenait un petit rameau de feuillage qu'elle tournait constamment entre les doigts. Il était destiné, je crois, à faire remarquer une très belle main, mais il achevait l'étrangeté de son costume. Au bout d'une heure, j'étais sous le charme et [*le soir*, *au théâtre*] pendant son intelligente jouissance du débit de Talma, en examinant le jeu de sa physionomie, je me surpris à la trouver presque belle. Je ne sais si elle devina mes impressions, mais elle a toujours été parfaitement bonne, aimable et charmante pour moi... »

La comtesse de Boigne ne semble pas avoir assisté à la représentation d'*Hamlet* au lendemain de laquelle Germaine, qui se sent du bâtiment, écrivait au tragédien :

« ...Il faut que je vous dise qu'hier vous avez surpassé, Talma, la perfection et l'imagination même. Il y a dans cette pièce, toute défectueuse qu'elle est, un débris d'une tragédie plus juste que la nôtre et votre talent m'est apparu comme le génie de Shakespeare, mais sans ces inégalités, ces gestes familiers devenus tout à coup ce qu'il y a de plus noble sur la terre...

... C'est admirable, trois fois admirable ! et mon amitié pour vous n'entre pour rien dans cette émotion la plus profonde que les arts m'aient fait ressentir depuis que je vis; je vous aime dans la chambre, dans les rôles où vous êtes notre pareil, mais dans ce rôle d'*Hamlet* vous m'inspirez un tel enthousiasme que ce n'était plus vous, que ce n'était plus moi, c'était une poésie du regard, d'accent, du geste à laquelle aucun écrivain ne s'était encore élevé... »

et le 8 juillet, à la veille du départ pour Coppet où Germaine aurait tant souhaité l'emmener et jouer avec lui *Andromaque* sur le théâtre du château...

« ... Vous êtes dans votre carrière unique au monde et nul avant vous n'avait atteint ce degré de perfection où l'art se combine avec l'inspiration, la réflexion avec l'involontaire, et le génie avec la raison... Je vais écrire sur l'art dramatique (*De l'Allemagne*) et la moitié de mes idées me viendront de vous... »

Après des semaines incertaines qui ont provoqué de grands remous dans toute l'Europe, l'étoile de Napoléon, au soir du 6 juillet 1809, est remontée au zénith. La cruelle victoire de Wagram ne laisse à Germaine quand elle rentre s'enfermer dans son fief — Genève-Coppet — aucun espoir d'une prochaine levée d'écrou. Il paraîtra même imprudent à quelques familiers, cette saison-là, d'aller lui rendre visite, fût-ce pour un jour... Gérando ne s'y risque pas et déconseille à Mme d'Albany, en route de Florence sur Paris, de s'arrêter à Coppet. Sismondi est outré :

« J'ai un très vif chagrin, madame, de votre passage près de nous sans que nous vous ayons vue et j'en garderai une longue rancune à M. de Gérando, car je ne puis pas ne pas reconnaître son ouvrage : quelles que fussent ses relations avec Mme de Staël et celles de tous ses amis, il n'osa pas lui faire visite, en passant à Genève, pour ne pas aventurer quelque chose d'un crédit dont il s'efforce à tirer parti. Mais, à présent, il voudrait que son action devînt tout ordinaire, il voudrait pouvoir citer en sa faveur des exemples illustres, et aucun ne pouvait avoir pour lui plus de prix que le vôtre. Comme il abandonne son amie, il voudrait faire croire à tous ses amis qu'elle est pestiférée; il vous a trompée, Madame, et je vous assure que rien ne compromet moins que de venir à Coppet; nous y voyons arriver successivement tous les gens qui ont besoin de plus de ménagement, les uns parce qu'ils craignent, les autres parce qu'ils espèrent... »

Il y a en effet du monde à Coppet. Ce n'est pas une grande saison, les spectacles y seront rares, mais on y trouve tous les intimes, Mathieu de Montmorency, Albertine Necker de Saussure, Juliette Récamier — qui a enfin conduit le prince Auguste à lui adresser une lettre de rupture — accompagnée du baron de Voght, Bonstetten, Sismondi qui tremble à la pensée du départ possible de la grande amie pour l'Amérique...

« ... De tous les pays du monde, c'est celui où l'on demande le plus : *à quoi cela sert-il?* et rien ne sert comme l'argent; aussi c'est leur première pensée. J'ai vu un journal américain dans lequel son arrivée était déjà annoncée. « C'est une femme fort riche, y disait-on, et qui vit d'une manière fort noble dans son château. Elle a aussi écrit plusieurs livres qui, étant beaucoup lus en Europe, lui rapportent assez d'argent. » Et c'est parmi ces misérables calculateurs qu'elle va passer quelques années !... » (*à Mme d'Albany*, 18 *octobre* 1809).

Il y a aussi, hôtes de choix et particulièrement bien accueillis au moment où Germaine conçoit, rédige, discute et lit à ses fidèles ses lettres sur l'Allemagne, Oelenschlaeger le poète danois, un ami de la Charlotte de Benjamin, et Zacharias Werner, dont on créera, sur la scène de Coppet, en septembre, *Le 24 février*, sombre drame à trois personnages, joué par l'auteur, une demoiselle de Jenner et Guillaume Schlegel. Pauvre Schlegel ! Germaine passe sur lui ses nerfs, ses déceptions, ses peines. On le plaindrait beaucoup si l'on ne pensait qu'il a voulu ce qu'il subit et qu'il puise dans ce traitement gênant des satisfactions indiscutables. Pourtant, un passage de la lettre que Werner écrit en novembre de Turin à Germaine laisse rêveur.

« ... Excusez-moi, amie adorable, ma conscience m'oblige d'ajouter deux mots sur notre digne ami, mon compatriote A.W.S. (*Auguste-Wilhelm Schlegel*). Vous savez que cet homme, peut-être le plus honnête et le plus estimable de tous les gens de lettres allemands, vous est dévoué d'un attachement sans bornes. Pourtant c'est le seul homme que vous, vous qui êtes l'idéal de la générosité [« *femme au cœur colossal* », *dit-il ailleurs*] traitez, excusez-moi, d'une manière qui ne répond pas à votre magnanimité... »

Oui, le berger allemand, le bon chien savant, hargneux et sûr, doit, cet été-là, être plus que jamais le souffre-douleur de Germaine. Le cœur de l'irascible maîtresse est blessé. Sans doute Benjamin est auprès d'elle comme les autres années. Sans doute le traître n'a pas épousé la Hardenberg par amour mais par peur. C'est moins une femme pour lui qu'un bouclier. Tout de même, il est le mari de cette Charlotte; elle a des droits sur lui... Germaine sent parfaitement déjà que la victoire qu'elle a remportée à Sécheron ne sauve que son amour-propre... L'amour, lui, à plus ou moins longue échéance, est condamné. Benjamin a beau promettre qu'il s'arrangera, qu'il raisonnera l'autre, qu'il partira avec Germaine pour l'Amérique ou l'y rejoindra... elle feint de le croire; la foi n'y est plus. Sans doute elle attaquera, combattra, avec l'aide de Juste et de Constance d'Arlens, ses alliés, utilisant toutes les armes permises et même parfois les interdites pour reprendre son bien, pour contraindre Charlotte à la résignation, à l'effacement ou au moins à un partage soumis à sa seule discrétion; mais elle sait déjà qu'elle n'y gagnera que quelques répits et que le seul grand amour de sa vie, le seul dont elle ne sait ni ne veut guérir, ne connaîtra plus de loin en loin après quinze ans d'orages et de joies que des soubresauts pareils à ceux qui agitent les tronçons d'un ver...

Benjamin qui a dit à Charlotte en la quittant : « Je serai revenu en septembre » et à Germaine en arrivant « Je partirai en octobre » tente, pour concilier les choses, de faire venir sa femme à Lausanne, Charlotte s'indigne de cette proposition :

« .... Comment, au moment où notre séparation va finir, où ...nous avons en perspective ces jolis herbages que tous deux nous aimons ... Le voisinage seul m'est une douleur... S'il faut te savoir près d'une autre — et tu ne peux t'empêcher de le sentir, elle ne te laisserait pas quinze jours de tranquillité — j'aime mieux encore être à cent lieues qu'à vingt... Dis-moi, mon gamin chéri, notre destin sera-t-il donc toujours de faire ce qu'elle propose? Nous sommes devant elle comme de pauvres bêtes devant le serpent à sonnettes. Sitôt qu'il ouvre la gueule, elles se précipitent dedans. »

Benjamin renonce aussitôt à son projet qui est d'ailleurs

très discuté dans sa propre famille où la soumission de « la femme aux trois maris », épouse bien accommodante, n'est pas moins sévèrement jugée que celle de l'époux...

« ...Tu es malheureusement depuis près de quatre mois, écrit Charlotte, dans une situation qui a fait naître une foule de faux bruits, de bruits fâcheux, préjudiciables, qui m'humilient et me font souffrir. Mon amour pour toi n'en a pas été diminué, mais ils m'ont profondément blessée... Ton étrange situation s'est tellement prolongée que le monde reviendra difficilement sur son verdict... »

Le 19 octobre, Benjamin quitte Coppet, désolé, lié par le serment, renouvelé même à Miss Randall ! de ne pas rendre public son mariage avant le départ de Mme de Staël pour l'Amérique... On peut en sourire, il y a quelque chose de pathétique dans cette impuissance de l'anxieux, à ce moment, à rompre le dernier lien. Benjamin voit le mal qu'il fait et qu'il laisse faire, et regrette la manière dont il abuse « d'une personne vraiment angélique », mais tant qu'il croira Mme de Staël « de bonne foi dans la douleur ou dans son sentiment », il ne pourra pas se décider à « prendre un parti violent »... « Si je pouvais découvrir l'apparence de duplicité, de mauvaise foi, de malveillance, le charme serait rompu », écrit-il à Rosalie. Mais comme Germaine souffre réellement, la souffrance de Charlotte doit s'incliner devant celle de Mme de Staël.

***

A la fin du mois de novembre, Germaine apprend que le roi de Suède Gustave Adolphe IV qui vient d'être déposé à Stockholm — favorisant ainsi bien involontairement l'ascension prochaine d'un des vainqueurs de Wagram, Bernadotte, l'ambitieux transfuge, ami de Germaine et de Juliette — se rend en Suisse. Elle écrit aussitôt à la duchesse Louise à Weimar :

« ... M. de Staël a été son ambassadeur; oserais-je vous prier d'écrire tout de suite à Mme la Margrave de Baden pour la prier d'avoir la bonté d'offrir Coppet à Leurs Majestés suédoises. La maison est assez grande pour les loger, et je ne crois pas que nulle part elles pussent rencontrer plus de respect et de dévouement. J'ai un autre château et une autre terre à une lieue de Coppet; ainsi, quand je ne serais pas dans l'intention de quitter ce pays, rien ne me dérangerait dans cette offre... »

Dommage ! Les souverains détrônés ne pourront accepter l'invitation à séjourner dans la capitale de l'exil. Sans Benjamin le château si peuplé, si animé qu'il soit, paraît vide à Germaine. Mais l'espoir n'est pas exclu de voir arriver pour quelques semaines, à la fin de l'automne, seul consolateur possible, le préfet de la Vendée. Prosper de Barante qui vient d'avoir vingt-sept ans a suivi de loin le drame de la rupture.

« Je ne conçois toujours rien, chère amie, à votre situation avec Benjamin et je ne m'imagine pas ce qui s'est passé; je soupçonne des scènes et des paroles qui vous ont fait du mal; mais il me paraît que, du reste, rien n'a changé, pas même son incertitude... » (9 *août*).

« ... C'est un homme bien inexplicable et personne, pas même vous, ne connaît le fond de son cœur... » (14 *août*).

Mathieu ne cesse de chercher, en accord avec Mme Necker de Saussure, le moyen de conduire vers la quiétude cette âme de feu. A Lyon et à Coppet durant l'été et l'automne il est le témoin navré des tourments de Germaine; il la supplie d'offrir ses souffrances à Dieu et de ne souhaiter de consolation qu'en Lui, qu'à travers Lui. Mais comme l'exhortation demeure à peu près sans effet, comme l'heure de la grâce n'a pas sonné, Mathieu pense qu'après tout Prosper de Barante, homme droit et bon chrétien, peut figurer sur la route de l'apaisement, malgré la différence des âges, une bifurcation salutaire. Mathieu observe avec bienveillance l'évolution des sentiments dont la courbe, avec des hauts et des bas comme il se doit, est en progression régulière. L'été a été cruel aux Barante : un des frères de Prosper a été tué en Allemagne; un autre, Anselme, le plus jeune, combat en Espagne. En cette douloureuse occasion, Mme de Staël s'est naturellement montrée, tant auprès du préfet de Genève, le père, que du préfet de Vendée, le frère, la plus tendre et la plus généreuse des amies. Elle a écrit au roi Joseph, à Madrid, pour obtenir le retour en France d'Anselme de Barante ou au moins sa mutation, et Anselme a obtenu un congé du maréchal Jourdan.

Prosper la remercie avec effusion le 1er octobre. La lettre parvient à Germaine quelques jours avant le départ de Benjamin dont elle pense ne pas pouvoir se remettre.

« ... Il est parti depuis huit jours et je n'ai jamais de la vie éprouvé une convulsion de douleur pareille... Voyez Benjamin, chère Juliette, et voyez-le souvent. C'est moi, sous des traits charmants, qui lui parlerai de moi... Priez pour moi, ce temps est cruel à passer. »

Le 14 octobre, c'est la paix de Vienne. Germaine reçoit enfin d'heureuses nouvelles de Maurice O'Donnell. Elle lui répond le 30 octobre :

« J'ai revu votre écriture avec une grande émotion, je n'ai pas cessé de penser à vous et de rattacher à vous les événements de cet été... Il était bien noble de sacrifier votre santé à la guerre, mais les occupations de la paix n'exigent pas un tel dévouement, ne vous reverrai-je donc pas?... Je passerai le mois d'avril ici [*à Coppet*], pourquoi n'y viendriez-vous pas? Mais il faudrait pour cela que vous fussiez comme moi, qu'il ne vous restât du passé qu'un souvenir doux et paisible; peut-être, et je le crois, vous m'avez mal connue, mais aussi je vous ai mal compris et mon âme était si déchirée entre divers sentiments que je n'avais pas le calme de résolution qui me décide maintenant... Je crois, quoi que vous en disiez, que je suis une des personnes du monde qui vous aime le plus... »

On peut sourire là aussi évidemment — c'est le plus facile — de ce cœur innombrable qu'aucune douleur, qu'aucune joie n'empêchent jamais d'aimer à nouveau et de souffrir encore. Prosper, au fond de soi, bénit cette tendance irrésistible, irréfrénable, de Mme de Staël à une sorte de libre polyandrie... Sa perplexité n'est pas d'ordre pathologique comme celle de Benjamin. Elle est le fait de la lucidité qui permet à Barante d'éviter l'erreur qu'il serait parfois tenté de commettre quand il se croit le seul aimé... Et à plusieurs reprises, au cours de l'été, il s'ingénie avec beaucoup d'amitié mais non moins d'honnêteté à mettre les points sur les i. La lettre du 22 août est à cet égard parfaitement claire et devrait édifier Germaine.

« L'inquiétude de l'avenir n'est pas, comme elle a pu être quelquefois, défiance de vous : c'est une crainte vague, mais forte dont je ne puis me défendre; c'est le sentiment du profond malheur où nous serions plongés l'un et l'autre, le jour où par une circonstance quelconque, le moindre repentir pourrait se montrer en nous.

... Au milieu de votre perfection de bonté, vous avez le défaut d'être reprochante avec amertume et c'en serait assez pour mettre un enfer entre nous... La vie est longue, vue d'une certaine façon, quand on regarde combien elle peut offrir de chance pour le malheur.

... Je vous dis là tranquillement et froidement ce qui, depuis trois ans, m'a souvent agité, ce qui se balance dans mon âme avec le sentiment que jamais je ne trouverai un tel accord d'imagination, de pensée, un tel concours dans toutes les impressions depuis les plus hautes et les plus profondes jusqu'à celle qu'il est plus doux de rencontrer semblables, parce qu'elles sont vagues, indéfinissables et qu'elles errent entre les sens et l'âme, sans qu'on puisse les indiquer. J'ai des remords, même pour moi, de laisser passer un pareil bonheur ! Quelle sera la chute quand il faudra se rabattre sur quelque union bien vulgaire, bien commune, où je serai obligé de réduire toutes mes facultés, si je veux trouver quelque bonheur de communication... Voilà, chère amie, avec sincérité, ce qui se passe en moi... »

Il obtient enfin son congé annuel en décembre. A Paris, c'est le moment du divorce de Napoléon et de Joséphine. Prosper est à Genève pour Noël. Il y passe trois semaines que Germaine s'emploie à lui rendre attrayantes et douces. Mais quand il arrive à Paris que Benjamin s'apprête à quitter pour Coppet, Prosper, si heureux qu'il ait été, n'a pas changé d'avis. Il a revu Benjamin, il a revu Auguste « qui s'amuse à courir le monde brillant » il a revu Juliette...

« ... Quand on avait pris l'habitude de se voir tous les jours, de se dire tout ce que l'on éprouvait, on se trouve tout surpris d'être sans vie intérieure et de courir toute la journée... J'ai toujours un plaisir vif à voir Mme Récamier, mais elle reçoit assez rarement et vit assez solitaire et renfermée. Ainsi, chère amie, ce séjour ne changera pas votre impression. Tel vous m'avez vu à Genève, tel vous me trouverez. Je ne vaux pas tant que vous dites, mais enfin je ne varie pas. »

Puis viennent quelques lignes d'une ironie à double effet :

« ... Il me semble que tout se passe assez paisiblement entre Benjamin et vous... Comme vous dites, il se travaille pour ne pas être trop mécontent de son sort. Il devrait s'occuper de son polythéisme [*l'ouvrage sur les religions*] ...Dans la situation où il est, pourquoi ne publierait-il pas son roman? [*Adolphe*] Quand il vous était attaché, médire des liaisons du cœur et travailler à les défaire était blâmable; à présent son roman sera d'accord avec son sort... » (4 *février* 1810).

Soucieux de régler définitivement ses comptes, de ne plus rien devoir à Germaine, Benjamin désespérant, Charlotte une fois de plus quitte Paris le 30 janvier. Il a promis à sa femme d'habiter Lausanne, mais c'est naturellement à Coppet qu'il s'installe. Il lui a juré qu'il ne resterait que quinze jours, mais il ne rentrera qu'en avril, retenu, s'excuse-t-il, par le seul souci d'examiner jusqu'aux plus petits détails.

Charlotte le félicite de son scrupule, mais en profite pour condamner l'attitude de Mme de Staël :

« ... Je continue à trouver incompréhensible cette femme qui, après m'avoir dit qu'aux yeux de Dieu elle était plus que moi ta femme, après avoir assuré à qui voulait l'entendre que sa fille était de toi, te présente des factures et, possédant une pareille fortune, te réclame de l'argent prêté... » (22 *février*).

A la vérité, comme le souligne justement dans *La seconde Madame Benjamin Constant* où elle a publié les lettres de Charlotte à Benjamin, Mme Dorette Berthoud, qui n'est pas toujours tendre pour Mme de Staël, Germaine « ne réclamait rien ». Elle laissait entendre qu'elle « *pourrait réclamer.* » Si elle croit pouvoir garder Benjamin un peu plus longtemps, tout lui devient bon, et s'il lui faut jouer la comédie de la ladrerie, elle la jouera. Elle est assez bonne comédienne pour cela. Hélas, cela ne servirait pas à grand-chose. Germaine réalise avec une tristesse infinie qu'elle ne sait pas administrer ses chances. Si elle attire indiscutablement les hommes, elle se révèle incapable d'en garder un seul. Elle va entrer en avril dans sa quarante-cinquième année et la perspective des années de descente et d'ombre qu'elle devra vivre sans un appui solide, sans un mari chéri, emmurée dans un exil dont rien ne laisse prévoir la fin entretient ses angoisses et peuple ses insomnies quand l'opium manque ou qu'elle s'interdit d'y recourir. C'est dans ses admirables lettres à Juliette des premiers mois de 1810 qu'on découvre le vrai visage de sa détresse. Ici il n'est plus question de sourire et, quoi qu'on pense de Mme de Staël, il faut s'incliner devant une telle puissance de sentiments. Racine aurait aimé traiter le dramatique de cette confiance aveugle, si dangereusement placée, de l'amoureuse en la coquette, de l'exaltée en la frigide. Séduite par la beauté de Juliette, trompée par son charme et son esprit, Germaine prête toutes les vertus à son exquise amie, oubliant que Juliette qui n'a pas l'âme d'une sainte n'est vertueuse que par obligation.

14 *janvier. — Prosper est encore avec Germaine.*

« ... Si mon malheur est unique, il est unique aussi d'inspirer un si tendre intérêt à une personne telle que vous ; et je me relève en pensant que vous m'aimez. La présence de Prosper m'a fait un peu de bien ; mais il n'en restera rien pour son avenir. Mon âme est trop brisée pour donner du bonheur à personne. Nous parlons souvent de vous. Vous avez porté atteinte à la fleur de son goût pour moi. Et je lui pardonne. Qui peut vous voir et ne pas sentir votre charme ?

... Benjamin m'a signé qu'il serait ici le 1er février sous peine, dit-il dans sa promesse, de manquer à l'honneur. J'imagine qu'il viendra.

... Mon fils m'écrit des hymnes sur vous... Adieu, ma Juliette. Je vous serre contre mon cœur, qui vous a dû depuis trois ans les seuls jours où il a respiré. »

23 *janvier. — Prosper est encore avec Germaine.*

« Chère amie, votre lettre m'a paru ravissante et c'est ainsi que Prosper en a jugé. Je m'en suis parée auprès de lui, mais, je vous en conjure, n'essayez pas votre charme sur lui. Je ne sais s'il me sera donné de passer ma vie près de lui ; mais je ne l'ai jamais trouvé si supérieur en tout que dans ce voyage... Je vous conjure de ne pas troubler une impression qui m'a relevée quand je succombais et qui pourrait seule changer le sort s'il n'était pas irrévocable. Prosper part dans six jours. Vous allez le voir dans six jours. Je m'en remets à vous pour voiler tout ce que vous êtes, pour ôter la séduction de vos manières et n'y laisser que la simple amitié. Je fais plus : j'ose vous demander de me faire aimer de lui. Quand vous parlez de moi, il me semble que vous me prêtez votre charme... »

29 *janvier. — Prosper s'en va. Germaine attend Benjamin.*

« Chère Juliette, c'est à Prosper que je remets cette lettre. Il vous en dira plus que moi-même. Je lui dois tout; dans ce moment où l'abattement le plus affreux m'ôtait toute espérance, le voir m'a fait un genre de bien que je ne puis exprimer. Mais la terre me manque par son départ. Chère amie, quelle puissance les affections exercent sur le cœur ! Et quand l'imagination est dans la sensibilité, comment se défendre de ce qu'on éprouve? Je m'en suis défendue cependant, et mon sort n'est pas entamé. Mais il dépend de ce que vous lirez dans le cœur de Prosper. Chère Juliette, faites qu'il m'aime, et qu'il ne vous aime pas. Je sais comme le second est difficile; mais dans ce monde qui est à vous, vous respecterez ma vie. J'espère moins souffrir par Benjamin à présent que je pourrais souffrir par Prosper. Mais expliquez-moi, chère amie, cette puissance du cœur pour réunir des peines qui sembleraient devoir s'exclure?

... Je vous supplie que Mathieu et vous seuls sachent l'effet que Prosper a produit sur moi... Vous qui êtes bonne, sûre et sérieuse comme si vous n'étiez pas pleine de charme, souvenez-vous que je ne puis avoir une impression, hélas ! peut-être passagère, sans vous la confier, et que toute mon âme est déposée dans votre sein. Adieu, ma jeune sœur, ma belle Juliette. Je vous serre contre mon cœur. Et je vous aime plus que l'amitié ne peut aimer. Je vous aime comme un lien du sang. Adieu. Adieu. »

Ce dont Germaine ne songe pas à faire état, qui est pourtant à l'origine de ses prières et de ses illusions, c'est que Benjamin et Prosper se réjouissent égoïstement de leurs positions respectives. Ainsi chacun, à l'égard de Germaine, a son excuse, celui-là pour se dégager comme celui-ci pour refuser de s'engager. Et chacun souhaite secrètement ce qui fait peur à l'autre. Le mariage de Prosper et de Germaine soulagerait Benjamin comme le retour de Benjamin à Germaine soulagerait Prosper...

***

Dès que Barante est à Paris, Germaine prie le cher Mathieu de l'entreprendre, de le tâter, d'avoir avec lui un entretien d'homme à homme et de l'assurer, le cas échéant, que Mme de Staël, s'il veut bien qu'elle devienne Mme Prosper de Barante, sera jusqu'à son dernier jour la plus fidèle et la plus comblée des épouses.

On ne possède pas la lettre par laquelle Mathieu rend compte de sa mission. Mais on a celle de Prosper qui tient Mathieu en haute estime : « Il n'y a que lui de juste et de sage en ce monde. »

« ... J'ai vu M. Mathieu; nous avons longtemps parlé sans qu'il osât aborder la chose à laquelle nous pensions... il souhaite votre présence et votre bonheur et voudrait que ce changement pût venir de moi. A peu de chose près, il pense comme vous et moi sur l'avenir et croit qu'il [*l'avenir*] peut être heureux si le sentiment est complet. Enfin il m'a parlé suivant un cœur qui ne veut rien que de bon; il priera Dieu de nous inspirer une résolution salutaire. »

Germaine s'en remet donc à Dieu qui inspirera hélas à Prosper de s'en tenir passionnément, mais strictement, à l'amitié.

V

L'Empereur se fâche

Heureusement l'écrivain aide la femme à traverser l'épreuve. La publication de *l'Allemagne* que Germaine veut croire prochaine la maintient dans un état de stimulante et féconde impatience qui agit heureusement sur ses nerfs. Elle a décrit elle-même dans les dernières pages de son livre cette joie profonde de l'auteur qui ne compose ses ouvrages que pour obéir à ses voix.

« Quand un livre paraît, que de moments heureux n'a-t-il pas déjà valus à celui qui l'écrivit selon son cœur, et comme un acte de son culte !... Dans le monde, on se sent oppressé par ses facultés, et l'on souffre souvent d'être seul de sa nature, au milieu de tant d'êtres qui vivent à si peu de frais ; mais le talent créateur suffit, pour quelques instants du moins, à tous nos vœux : il a ses richesses et ses couronnes, il offre à nos regards les images lumineuses et pures d'un monde idéal, et son pouvoir s'étend quelquefois jusqu'à nous faire entendre dans notre cœur la voix d'un objet chéri. »

En ce printemps 1810, les augures sont très favorables. Si Mme de Staël livre à temps les derniers cahiers de son manuscrit, encore inachevé en mai, le libraire Nicolle qui publia *Corinne* et mise, pour sortir de ses embarras, sur le succès de *l'Allemagne*, les trois volumes pourront paraître au début de l'automne. L'ouvrage sera imprimé à Tours chez Mame. Germaine, à sa vive surprise, obtient de Fouché dès le mois de mars l'autorisation, pour faciliter les rapports avec l'imprimeur, de séjourner quelques mois en France à sept lieues de Tours, au magnifique château de Chaumont-sur-Loire, propriété du cher M. Le Ray, alors aux États-Unis.

Mme de Staël infère de cette faveur inattendue que l'atmosphère change, que l'Empereur s'humanise, qu'une mesure de clémence interviendra sans doute à l'occasion de son mariage avec l'archiduchesse Marie-Louise... Par l'entremise du prince de Schwarzenberg dont la femme périra brûlée vive dans l'incendie du 2 juillet pendant la réception des souverains à l'ambassade d'Autriche, Germaine fait parvenir à Marie-Louise un exemplaire de sa brochure de 1793 sur les procès de Marie-Antoinette... Mais est-ce une si bonne inspiration que de rappeler à la nouvelle impératrice le sort de sa grand-tante, la reine autrichienne? Quoi qu'il en soit, stimulée par le travail, les lettres de l'éditeur, les épreuves de l'imprimeur, le printemps de France sur la Loire dans le château de Catherine et de Diane où l'ont accompagnée et rejointe tous ses fidèles, Germaine croit cette fois toucher au terme de la persécution. Ce grand voyage en Amérique auquel elle se prépare ne sera pas nécessaire... *De l'Allemagne* — Nicolle l'affirme — subira sans grands dommages l'épreuve inévitable de la censure; et Mme de Staël se flatte que l'Empereur, enfin conscient de son injustice et de ses préventions, reconnaîtra qu'il n'y a pas dans tout l'ouvrage une seule ligne dont il puisse s'offenser...

Jusqu'au début d'août, où il faudra rendre hélas sa somptueuse résidence à Le Ray rentré d'Amérique et accepter l'aimable hospitalité du comte de Salaberry, émigré royaliste, au château de Fossé, tout près de Blois, la vie à Chaumont est une manière d'enchantement. Le sérieux s'y mêle au frivole dans un cadre qui incite aux rêveries aussi bien qu'aux escarmouches et aux abandons. La compagnie staëlienne est au grand complet. Comme le souligne Maurice Levaillant, dans un plaisant alexandrin « Chaumont n'est plus Chaumont, il est Coppet-sur-Loire » et dans ce jardin de la France tout devient plaisir et joie. Tout y compris les querelles inévitables, car Benjamin s'est échappé, ravi d'avoir pour lâcher Charlotte deux mois, le solide prétexte d'une confraternelle assistance à l'auteur de *l'Allemagne* dans la correction de ses épreuves...

Germaine s'est mise en route après le sixième anniversaire de la mort du « sublime ami ». A son arrivée en Touraine, à la fin d'avril, Prosper de Barante, venu de la préfecture de Vendée à sa rencontre, passe quatre jours à Chaumont. Son père Claude-Ignace, préfet du Léman, lui succède. Il amène la jeune Sophie, sœur de Prosper, qui a l'âge d'Albertine et sera sa grande amie. Un troisième préfet de l'Empire, celui de Blois dont Chaumont dépend, M. de Corbigny, s'emploie de son mieux, en galant homme, au cours de ses fréquentes visites, à faire oublier à Mme de Staël qu'elle est placée sous sa surveillance. Outre les deux précepteurs Schlegel et Fanny Randall et leurs élèves, Auguste, Albert, et Albertine qui a cette année un maître de musique napolitain, il y a au château le cher Mathieu, venu en voisin de sa terre du Vendômois; Elzéar de Sabran; les deux barons, de Balk et de Voght; Middleton l'Américain; Adalbert de Chamisso, ami de Schlegel, l'auteur de l'*Homme qui a perdu son ombre*, hôte impertinent et malicieux; et naturellement Juliette Récamier, une Juliette plus désirable et plus coquette que jamais, reine des divertissements, qui met à profit les jeux en apparence les plus innocents comme celui des « petits papiers » pour troubler et blesser les cœurs de Schlegel et d'Auguste de Staël...

Schlegel serait plutôt flatté. Il a vite compris que la chatte lui fait la grâce de le prendre pour un raton. Mais Auguste, qui a dix-neuf ans, refuse d'être traité en gamin. Il aime comme aime sa mère, jusqu'à la mort inclusivement... Il s'exalte, flambe, exige, souffre et s'engage à vie. Juliette, amusée, ne fait rien pour libérer la proie. Elle raisonne le jeune homme à sa manière qui est insinuante et douce et Germaine inquiète prend le parti de sourire, préférant malgré tout voir tomber Auguste dans les filets de l'ensorceleuse que Prosper ou Benjamin...

Au début de juin un gros nuage passe sur Chaumont. Fouché qui tenta toujours inexplicablement d'amortir pour Germaine les colères du Maître est limogé et remplacé par un arrogant personnage, Savary, général duc de Rovigo. Mais après s'être renseignée à Paris Juliette revient confiante à Chaumont et rassure Germaine. Rien ne paraît changé à l'égard de Mme de Staël dans les dispositions de la police ni dans celles de Portalis, directeur de la Librairie, ni dans celles des censeurs. Nicolle recevant les mêmes assurances imprime à tour de bras les deux premiers volumes en juillet et août et presse l'auteur de donner le bon à tirer du troisième.

Lors du retour de Le Ray et de l'installation au château de Fossé, la publication est en très bonne voie, et la sortie du livre prévue pour les tout premiers jours d'octobre. Les censeurs ne demandent que des suppressions ridicules, mais relativement insignifiantes que Mme de Staël est prête à effectuer, secrètement ravie de s'en tirer à si bon compte.

Ses amis l'ont d'ailleurs mise en garde contre le danger d'inutiles audaces. Mme de Pange cite dans l'édition définitive de *l'Allemagne* (1958) une lettre significative du baron de Voght :

« ... Il vaudrait mieux qu'on n'y trouvât rien qui eût rapport avec la politique, qu'on n'y reconnût pas ce zèle contre le despotisme qui se rencontre dans tous vos ouvrages...

« ...Je voudrais que votre ouvrage eût une certaine innocence qui désarmât la critique... et désappointât la malveillance... »

Mme de Staël semble avoir suivi ce sage conseil. Aussi voit-elle déjà *De L'Allemagne* en vente, l'empereur séduit, son salon de la rue de Grenelle rouvert. Elle ignore que Savary, à la fin de juillet, a reçu, parmi ses instructions, une note impérative : « Je vois dans le nombre des personnes éloignées de Paris plusieurs dont on s'est permis d'adoucir la situation. Révoquez ces ordres. Il n'appartient pas à la police de rien changer aux ordres que j'ai pris. »

***

La bonne marche des opérations techniques est assurée par Uginet, l'homme de confiance et de liaison entre l'auteur, l'imprimeur et les censeurs. C'est lui qui traite avec Nicolle. Les opérations d'influence et de préparation du terrain sont menées à Paris par Mathieu et Benjamin et bientôt par Juliette dont le charme agit sur le poète Esmenard, censeur académicien et fonctionnaire à la Police.

Le 23 septembre, Germaine donne le bon à tirer définitif. Elle dresse aussitôt la liste des cent personnes à qui elle veut envoyer ses trois volumes en France et en Europe. Le lendemain, elle écrit à Mme de Custine :

« ... Mon ouvrage est fini; les deux premiers volumes sont censurés et j'attends le troisième. Je compte donc partir les premiers jours d'octobre pour Nantes; là j'attendrai l'effet de mon livre; et je partirai de là soit pour Rouen, soit pour Morlaix. Vous comprenez pourquoi je choisis Nantes, j'y apercevrai quelquefois Prosper et depuis quatre mois je ne l'ai vu !... J'écris à l'Empereur en lui envoyant mon livre; si j'obtenais seulement dix lieues, je resterais; mais si je n'obtiens rien, je partirai... »

Germaine s'imagine en effet que son livre sera si bien jugé qu'il lui vaudra la levée des cinquante lieues, réduites d'ailleurs de nouveau aux quarante et elle confie à Juliette, pour qu'elle la remette à son amie la reine Hortense avec les épreuves du livre, la demande d'audience, dignement et longuement motivée, que Chateaubriand a révélée dans les *Mémoires d'outre-tombe.*

« Sire, je prends la liberté de présenter à Votre Majesté mon ouvrage sur l'Allemagne. Si elle daigne le lire, il me semble qu'elle y trouvera la preuve d'un esprit capable de quelque réflexion et que le temps a mûri.

« Sire, il y a dix ans que je n'ai vu votre Majesté et huit que je suis exilée. Huit ans de malheurs modifient tous les caractères et le destin enseigne la résignation à ceux qui souffrent.

Prête à m'embarquer, je supplie Votre Majesté de m'accorder la faveur de lui parler avant mon départ. Je me permettrai une seule chose dans cette lettre, c'est l'explication des motifs qui me forcent à quitter le continent, si je n'obtiens pas de Votre Majesté la permission de vivre dans une campagne auprès de Paris, pour que mes enfants y puissent demeurer... »

Or, tandis que Germaine écrit le 24 à Mme de Custine, Savary fait tenir à M. de Corbigny un billet qui consterne l'aimable préfet de Blois. Ordre lui est donné de se faire remettre le manuscrit, les épreuves et les notes de l'*Allemagne* et d'aviser Mme de Staël qu'elle a quarante-huit heures pour quitter le territoire français. A Tours, chez Mame, les scellés sont apposés, les planches, les feuilles et les exemplaires du livre saisis. Germaine n'est pas à Fossé ce jour-là. Elle est avec Mathieu dans un château voisin où le hasard d'une promenade en forêt les a conduits. Auguste, alerté par M. de Corbigny et servi par un autre hasard, retrouve en pleine nuit leur asile, prévient Mathieu, repart pour Fossé et met en lieu sûr avec l'aide de Miss Randall le manuscrit original dont Germaine ne remettra quelques jours plus tard qu'une copie défectueuse et tronquée.

Bouleversée une heure, Mme de Staël, dont l'état naturel est le combat se dispose à contre-attaquer. Elle veut croire que le coup part de Savary, et non de l'Empereur qui, n'ayant pas encore reçu sa lettre et les volumes, ne peut avoir pris de décision. Elle commence par gagner du temps. Elle réclame sept jours pour rassembler son manuscrit et ses notes — qui sont, affirme-t-elle, à Paris — et faire ses préparatifs . « Je ne connais guère que les conscrits qui puissent rejoindre l'armée en quarante-huit heures... » écrit-elle dans la lettre qu'elle charge Auguste de remettre à Savary.

Auguste courra porter à Fontainebleau à l'empereur une nouvelle instante demande d'audience, plus courte que la première. Albert accompagne son frère à toutes fins utiles. Savary reçoit Auguste, ne lui laisse aucun espoir quant à la publication de l'ouvrage, mais accorde à Mme de Staël sept jours de délai pour faire ses malles. Par contre Esmenard qu'Auguste voit le 29 septembre grâce à son amie Juliette est moins catégorique. Selon lui, comme l'estime Germaine, la saisie n'aurait qu'un caractère suspensif et serait levée, une fois les remaniements et les suppressions effectués.

Les deux frères arrivent à Fontainebleau le 30. Auguste, toujours avec Juliette, est reçu par la reine Hortense qui l'assure de sa chaleur et de sa bonne volonté. Elle est prête à remettre elle-même la nouvelle demande de Germaine à l'empereur, à appuyer la démarche de toute son amitié. Mais le comte Regnault de Saint-Jean-d'Angély déconseille de prendre un tel risque avec une lettre dont le début lui paraît de nature à heurter inutilement Napoléon. Auguste dépêche Albert dans la nuit au château de Fossé, porteur du récit de la journée et des suggestions de Regnault. Germaine s'exécute. Elle modifie sa lettre. Albert repart dans la soirée du 2 octobre pour Paris. Elle a remis en outre au jeune courrier un message de remerciement pour la reine Hortense qui contient cet essai bien discutable de justification :

« Si l'on s'étonnait de ce que je n'ai pas osé nommer l'Empereur dans mon ouvrage, je dirais que, dans la disgrâce où je suis, privée de ma fortune et de ma patrie, un éloge ne pouvait être qu'une supplique et, par conséquent, un manque de respect. »

Le 3 octobre, les plis sont remis à la reine Hortense. Mais toute cette agitation n'aura eu finalement d'autre effet que d'abuser un peu plus longtemps Germaine, son libraire, ses enfants et ses amis. Car Savary, quand Albert rejoint son frère et Juliette, a déjà écrit à Mme de Staël la lettre fameuse à laquelle elle réservera une place d'honneur dans la Préface de 1813 :

« ... Il ne faut point rechercher la cause de l'ordre que je vous ai signifié dans le silence que vous avez gardé à l'égard de l'empereur dans votre dernier ouvrage, ce serait une erreur; il ne pourrait pas y trouver de place qui fût digne de lui; mais votre exil est une conséquence naturelle de la marche que vous suivez constamment depuis plusieurs années. Il m'a paru que l'air de ce pays-ci ne vous convenait point, et nous n'en sommes pas encore réduits à chercher des modèles dans les peuples que vous admirez.

Votre dernier ouvrage n'est point français; c'est moi qui en ai arrêté l'impression. Je regrette la perte qu'il va faire éprouver au libraire, mais il ne m'est pas possible de le laisser paraître.

Vous savez, Madame, qu'il ne vous avait été permis de sortir de Coppet que parce que vous aviez exprimé le désir de passer en Amérique. Si mon prédécesseur vous a laissé habiter le département de Loir-et-Cher, vous n'avez pas dû regarder cette tolérance comme une révocation des dispositions qui avaient été arrêtées à votre égard. Aujourd'hui, vous m'obligez à les faire exécuter strictement, et il ne faut vous en prendre qu'à vous-même... »

Huit jours plus tard, le 11 septembre, Savary fait mettre au pilon, chez Nicolle, toute l'édition de *l'Allemagne* et, chez Mame, détruire les formes. Mme de Staël qui rentre lentement, par petites journées, n'apprendra le désastre qu'à Coppet. Claude-Ignace de Barante qui, comme M. de Corbigny son collègue de Blois, sera bientôt destitué pour n'avoir pas montré assez de rigueur, est prié d'obtenir de Mme de Staël la remise du manuscrit original dont Savary, plus ou moins renseigné, craint justement qu'il n'ait été conservé par l'auteur.

Dans l'étude très serrée qu'il a faite de l'affaire de la destruction du livre, Maurice Levaillant voit en Mme de Staël l'artisan inconscient de l'interdiction définitive. Il pense que ses lettres, ses démarches, son insistance ont finalement tout gâché; et que l'empereur aurait laissé paraître *De l'Allemagne* après coupures et remaniements s'il n'avait pas été excédé par les porte-parole et les intercesseurs de la fatigante baronne. C'est infiniment probable. Germaine, à une époque où l'empereur a bien d'autres soucis en tête, a dû pousser Napoléon qui avait d'abord lu, comme pour *Corinne*, « avec le pouce », s'arrêtant seulement aux passages signalés par les censeurs, ordonnant la suppression du passage relatif au duc de Brunswick et « les trois quarts des passages où elle exalte l'Angleterre », à y regarder de plus près, à lire dans le dessous des cartes.

A première vue, qu'importent à l'empereur les études documentées des œuvres et des auteurs allemands, poètes, dramaturges, philosophes qui ouvriront demain les voies du renouveau aux jeunes lions de la Restauration, qui orienteront leurs appétits et leurs curiosités, qui leur feront considérer l'ouvrage de Mme de Staël comme « la Bible du romantisme »! Que lui importe même la signification profonde de cette profusion mal ordonnée de notes, d'aperçus, de considérations, de tableaux, de jugements, qui permettra à deux peuples, si différents, de se rapprocher par l'esprit et la pensée et de rechercher une entente que Gœthe félicitera Mme de Staël d'avoir rendue possible! Que lui importe que par la fréquentation de certains intellectuels allemands et en premier lieu du supernationaliste Guillaume Schlegel, ivre de Kultur, Mme de Staël semble pressentir les dangers des impératifs de la mystique germanique qui alourdit les *Discours* de Fichte, les *Recherches* de Schelling sur la liberté, et le *Cours de littérature dramatique* de Schlegel; et qu'elle rêve d'en neutraliser les mortels effets en poussant les deux voisins à s'étudier et à s'influencer mutuellement!.. Si le Français prend un peu de pensée et de sérieux à l'Allemand et l'Allemand un peu d'esprit et de légèreté au Français; si le Français qui croit tout savoir et juge de tout se donne la peine de lire l'Allemand, un premier pas sera fait vers la compréhension et l'estime, et l'Europe entière sentira le bienfait du rapprochement...

Ces préoccupations intellectuelles sont pour Bonaparte en 1810 un luxe inutile. Il a sa façon à lui de faire l'Europe qui n'exige pas tant de façons. Il s'intéresse aux arts comme butin de guerre et salue l'esprit et la pensée jusque chez les vaincus. N'a-t-il pas reçu Gœthe après Erfurt? Mais le tam-tam publicitaire fait autour de la publication de *l'Allemagne*, le retentissement qu'en escompte Mme de Staël alertent Napoléon et le braquent. Il reprend donc sa lecture d'un pouce moins négligent... et lui aussi, se montant, découvre dans l'ouvrage — qu'il déclarera inoffensif à l'île d'Elbe, parbleu... — tout ce que l'auteur voulut y mettre. Après avoir dédaigné l'adversaire, il va s'exagérer son pouvoir... C'est qu'il ne veut pas qu'on le gêne dans ses entreprises.

Il n'y a qu'une Allemagne pour l'empereur. C'est Ulm, Austerlitz, Iéna, Spandau, Magdebourg, l'électeur de Hesse et le duc de Brunswick détrônés, le royaume de Westphalie fabriqué pour Jérôme, la ligne rhénane reconstituée, l'électeur de Saxe promu roi. C'est la terrible victoire d'Eylau qui freine la Russie et ruine les espoirs de la Prusse, amoindrie, humiliée, paralysée dans son rêve d'expansion et d'union... Mais avec la dangereuse offensive autrichienne et malgré Wagram qui rétablit l'équilibre oscillant, rien n'est encore sûr. L'Espagne n'a pas fini de guériller, la Russie de comploter, la Prusse de réarmer, l'Autriche, excitée par Stadion et Gentz, deux amis de Mme de Staël, de trahir... Et c'est le moment que choisit l'agitatrice pour verser de l'eau au moulin de ce peuple de digestifs et de rêveurs qui savent si bien sortir des armes de leurs songes !

Napoléon tolérerait à la rigueur qu'on ne parle pas de ses conquêtes et il feindrait d'admettre que c'est par « délicatesse » que Mme de Staël, comme elle le prétend, évite de le nommer; mais à la réflexion il ne peut tolérer qu'un tel livre, par la célébrité de l'auteur, le choix du thème, la portée des digressions, les appels à l'indépendance nationale, à la liberté de pensée, à l'enthousiasme, soit promis à un succès européen que les adversaires de l'Empire, les factieux, les trublions se réjouiront d'entretenir et d'exploiter. Et pourquoi le tolérerait-il? En vertu de quels intérêts, de quels avantages, de quelles espérances laisserait-il la fille de Necker compliquer sa tâche et faire le jeu de la Prusse, de l'Angleterre et de l'Espagne? Que risque-t-il? L'opinion? Il s'en moque tant qu'il maintient sa puissance. Et s'il tombe, ce n'est pas l'Allemagne de Mme de Staël qui le sauvera. Il explose tout à coup :
— Qu'elle s'en aille ! Que je n'entende plus parler d'elle ni de son ouvrage !

Les raisons du revirement de l'empereur apparaissent si logiques et si fortes qu'on s'étonne qu'aucun des amis de Germaine ne les ait décelées. Mais il faut faire la part de la fièvre d'optimisme et d'illusions dont brûlent avec l'auteur, ses amis, ses associés, ses zélateurs pendant les semaines d'intense activité qui précèdent la sortie d'un livre ou la première d'une pièce. Les inquiétudes et les objections fondent dans cette ardente atmosphère. Même Prosper et Benjamin, conseillers critiques hautement qualifiés, se laissent endormir par leur zèle affectueux et leur commune admiration.

***

Le 30 septembre, Germaine ne sait pas encore que son ouvrage est condamné. Elle a seulement appris la saisie et reçu l'ordre de quitter la France. « ...le désespoir s'est emparé de mon âme et pour la première fois j'ai senti toute la douleur de ce que je croyais facile », écrit-elle à Paris à Juliette qui à ce moment tente encore avec son page d'éviter le pire... « Je suis sûre que vous excitez Auguste à faire ce qu'il y a de mieux, mais je n'espère rien... »

« ... Mathieu est là, l'ami de vingt années, l'être le plus parfait que je connaisse, et il faut le quitter... Ah ! mon Dieu, je suis l'Oreste de l'exil et la fatalité me poursuit... Avez-vous vu Benjamin ?... J'ai envoyé un courrier à Prosper pour lui demander s'il voulait ou non me voir à Saumur... »

Ce courrier c'est Alberto de Chamisso que Barante engagera sur la proposition de Germaine comme secrétaire et qui l'aidera à traduire le *Cours d'art dramatique* de Schlegel.

« ... Ah ! chère amie, répond Prosper, quelle terrible nouvelle !... Je serai à Saumur au jour dit... J'y voudrais être déjà, je voudrais pleurer avec vous sur votre sort et sur le mien aussi, car il sera à l'avenir enveloppé d'un sombre brouillard. J'aurai perdu tout ce qui rendait la vie moins insignifiante pour moi... »

Mais « au jour dit », Prosper attend vainement Germaine.

« ...Je n'ai pu aller à Saumur, écrit-elle à Juliette. Le préfet m'a dit brutalement : Si vous voyiez Prosper, dans un instant, il serait destitué. J'ai dû me faire une cruelle peine. Mais c'était mon devoir. J'ai un tel nuage de douleur autour de moi que je ne sais plus ce que j'écris... Je plains Auguste de vous quitter. Mais il me faut son appui... Dans cet affreux voyage, j'ai besoin d'un ami avec Schlegel. Et certes, Auguste s'est montré le mien. Chère amie, depuis que Mathieu et M. de Balk m'ont quittée, qu'il m'a fallu renoncer à mon projet de Saumur, de Nantes où je devais vous voir, la tête me tourne tout à fait, et je recommence à craindre que je n'arrive pas vivante à la fin de tout ceci. Adieu, ma chère Juliette, combien j'ai honte, non de la cause, mais du poids dont je suis à tout ce que j'aime. »

Savary, prévoyant que le départ trop claironné pour l'Amérique n'est sans doute qu'un moyen de gagner facilement Londres et d'y faire de l'agitation, a interdit les ports de la Manche à Mme de Staël. D'autre part ses amis et même ses correspondants américains représentent avec force à Germaine quelle déception l'attendrait aux États-Unis. Pour une personne de sa sorte qui ne peut vivre sans société, sans discussions littéraires et philosophiques, « la terre de la liberté » sera surtout celle d'un immense ennui. Même à New York qui compte à peine 70 000 habitants Mme de Staël risque de n'en trouver pas dix qui aient lu *Corinne*... Elle renonce, du moins provisoirement, à cette expédition et s'achemine tristement vers la Suisse, où l'exil lui offre tout de même quelques compensations intellectuelles et d'amour-propre. Mais elle veut voir Benjamin qui est avec sa femme dans sa campagne aux *Herbages*. Le rendez-vous est fixé à Briare. Benjamin y court mais ne peut empêcher la vigilante Charlotte qui le ramènera de l'accompagner. Dans quelle situation s'est-il placé ! Il croyait se libérer, il n'a fait que changer de chaînes et les nouvelles qu'il ne pourra plus rompre lui font naturellement regretter les anciennes. « Autrefois j'étais entraîné par un torrent. Aujourd'hui, je succombe sous le poids d'un fardeau ». Pour chasser son irritation il a recours à la roulette dès son retour à Paris. Mais il prend une culotte si sévère qu'il doit vendre les *Herbages* pour régler sa dette.

Germaine n'est pas si mécontente de l'arrivée de Charlotte qui lui montre ainsi, une fois de plus, la peur qu'on a d'elle.

« ... Mes deux jours à Briare [*Germaine à Juliette*] ont été bien singuliers. J'y ai acquis la preuve, mais la preuve la plus complète que Benjamin m'aimait toujours, et qu'il était malheureux avec sa dame, et elle avec lui. »

La preuve la plus complète? Vraiment? La lettre, datée d'Auxerre, ne laisse pas de faire rêver.

« ... Puis-je me retrouver ici sans être remplie de mille souvenirs où vous régnez ! C'est ici que vous m'avez donné ces premières marques d'affection qui m'ont attachée à vous jusqu'à la mort. C'est ici que j'ai bien souffert. Voilà cette église où j'ai failli m'unir avec Prosper. Ah ! si vous étiez ici, comme j'irais causer avec vous sous ces peupliers !... »

puis à nouveau, sur Benjamin :

« ... Il n'y a de vrai, en fait de cœur, que ce qui n'est pas vraisemblable. Quand je lui montrais une douleur la plus touchante, il était dur; depuis ces trois ans de Fossé et de Chaumont où j'étais bien, il a ressenti le besoin de moi avec fureur. Mais aussi, au reste, je l'ai trouvé ce qu'il était, c'est-à-dire le premier esprit du monde... »

La façon dont Germaine manœuvre et joue pour entretenir et garder les deux affections dont elle a une faim différente mais égale, puisant dans l'une ce qui manque à l'autre, apparaît dans une curieuse réponse de Prosper à une question non moins curieuse.

« ... Pourquoi vous étonnez-vous, chère amie, que j'écrive avec amitié à Benjamin ? J'ai un goût particulier pour son esprit, il m'a toujours montré de l'attachement ; il est malheureux et puni cruellement des fautes qu'il a faites ; vous n'en souffrez plus du tout ; il tient toujours à vous et sait vous connaître et vous aimer. Il ne m'en dit jamais rien, mais n'importe, vous êtes une sorte de lien entre nous, car il n'y a guère que lui et moi qui vous entendions bien. Au reste, mon père me disait que vous parliez maintenant de lui avec une liberté qui prouvait combien vous étiez dégagée du charme et aussi de la souffrance... »

VI

« *Un air écossais dans ma vie* »

Quand elle arrive à Coppet où l'attend, transmise par Claude-Ignace de Barante qui sera destitué le 2 décembre 1810, la nouvelle de la destruction de *l'Allemagne*, Mme de Staël est en mesure de résister au découragement. Elle peut faire front. Grâce à Auguste et à Fanny Randall le manuscrit original est intact, hors d'atteinte. Schlegel l'emportera en novembre à Berne puis à Vienne où il le déposera chez son frère Frédéric. La publication n'est que partie remise. Enregistrant l'échec de la première phase de son offensive, Germaine a écrit au baron de Voght :

« ... Une nouvelle Commission de Censeurs a été nommée pour examiner l'ouvrage : Esmenard, Lacretelle, Fiévée, etc... Ils ont conclu à la publication; en conséquence, l'ouvrage a été pilé et brûlé. Le libraire a reçu 500 francs de dédommagement et moi je lui en ai envoyé 1.500. Voilà toute l'aventure » (7 *novembre* 1810).

Et voilà pour l'esprit. Pour le cœur, si elle n'était pas aussi avide, Germaine pourrait s'estimer satisfaite. Sans doute quelques amis de circonstance redoutant, comme le baron de Balk, d'être compromis, reviennent sous des prétextes divers sur la promesse de lui rendre visite, mais les vrais amis comme Juliette et Mathieu négligeront dangereusement les avertissements de Savary pour la joie de réconforter et d'embrasser la proscrite et seront frappés tous les deux. Mais Schlegel demeure invinciblement fidèle. Mais le dévouement de Miss Randall est inimaginable. Mais Auguste, Albert et Albertine adorent leur mère et lui en donnent mille témoignages. Mais Prosper qui regrette de ne pouvoir se décider à l'épouser, mais Benjamin qui s'irrite d'avoir placé Charlotte entre elle et lui, sont toujours sous le charme et lui demeurent attachés.

C'est beaucoup. C'est considérable. Seulement Mme de Staël est dans sa quarante-cinquième année et l'âge l'a fortement atteinte. En dehors de ses yeux éclatants, de son prestige et de sa voix, seuls avantages physiques que le temps n'ait pas dégradés, qu'il a même servis, Germaine, épaisse, alourdie, isolée par sa célébrité abusive, ne dispose plus d'aucun moyen de séduction. Le cycle des aventures paraît clos et l'espoir vivace qui la porta jusqu'à ces derniers mois — trouver le bonheur dans le mariage — s'est dégonflé comme un ballon d'enfant. C'est là le secret de son profond désenchantement auquel elle ne voit qu'un remède, « le bruit qui escamote la vie », la société, les réceptions, le théâtre... Elle obtient de Claude-Ignace de Barante — dernière complaisance du préfet qui motivera sa disgrâce depuis longtemps décidée — le droit de s'installer à Genève pour l'hiver et de s'y manifester. Elle ne pense qu'à s'étourdir, qu'à tuer le temps, du moins celui qu'elle n'emploie pas à étudier avec de rares intimes les possibilités de briser le cercle qui se referme sur elle, de choisir un plan d'évasion et d'assurer, coûte que coûte, la publication de *l'Allemagne*.

***

C'est à ce moment que surgit l'événement le plus déconcertant d'une vie pourtant fertile en surprises. Un lieutenant de hussards au charmant visage, qui n'a pas encore vingt-trois ans, fils d'un grave sénateur de Genève, rentre éclopé de la guerre d'Espagne au foyer paternel. Il se nomme Albert-Michel-Jean (dit John) Rocca. Il a quitté la Suisse trois ans plus tôt dans un coup de sa faible tête pour s'enrôler dans les armées françaises et se couvrir de gloire au combat. Il a une jambe cassée et marche avec une béquille. La tuberculose qui l'emportera lorsqu'il atteindra sa trentième année a déjà commencé de brûler ses poumons. Mais il ne se soucie guère de son état ; il parle, sort, s'amuse et se livre à mille excentricités à travers les rues hautes de la cité sur un bel andalou noir, son cher compagnon de guerre, blessé en même temps que lui, Sultan, qu'il a ramené, guéri, de Ronda. Ses épreuves, son courage, sa gaîté le font considérer par les Genevois les plus conformistes avec bienveillance. Tous les salons lui sont ouverts et les femmes se laissent naturellement attendrir par son charme, sa pâleur, son uniforme et sa béquille. Germaine, à qui John Rocca a été présenté un soir de décembre au cours d'une réunion dans une vieille famille genevoise, les Argant-Picot, a marqué sa sympathie par « deux mots de pitié » au malheureux enfant, si frêle et si vaillant, qui paraît plus jeune qu'Auguste, de deux ans et demi son cadet. Mais déjà le malade s'est romantiquement embrasé. Comme il a obéi en 1808 à l'élan qui le portait vers la gloire militaire, John Rocca obéit au mouvement de passion qui le porte vers la femme la plus célèbre d'Europe qu'un hasard heureux lui permet d'approcher, d'admirer, d'entendre. Et comme il avait décidé jadis : « Je serai puissant ou je mourrai », il décide « je l'aimerai tant qu'elle finira par m'épouser ! » quand l'idée de conquérir cette tourbillonnante reine des lettres s'impose à son esprit dérangé. Il est rentré écœuré de la guerre, prêt à brûler ce qu'il avait adoré, prêt à offrir ses rancunes, en hommage à sa dame. Mais il lui faut une revanche, une victoire ! Il veut Mme de Staël, et pour lui seul ! Et par son exaltation, ses discours, ses périlleuses escalades du quartier de la Corraterie, monté sur Sultan qu'il a dressé à caracoler et à s'incliner dans la grande rue de Genève sous les fenêtres de sa belle, il annonce les éclats d'Hernani, d'un pauvre Hernani de cinéma muet, qui voit en Corinne sa Doña Sol, et n'ose pas lui parler.

« ... Quand j'entrais dans la salle de bal pour lui parler, je ne voyais plus qu'*elle*, mais croyant que tout le monde devait savoir que je l'aimais, je m'éloignais quelquefois de la place où elle était afin de pouvoir la regarder plus à mon aise. Lorsque je m'approchais d'elle pour lui parler, je rougissais, je pâlissais, j'essayais vainement de trouver pour lui plaire quelques-uns de ces compliments, que ses compatriotes lui adressaient avec tant de facilité... Je me taisais auprès d'elle pour ne pas réduire à la mesure de la parole un sentiment sans borne. [« *La parole n'est pas son langage » dira Germaine*]. Un regard d'elle qui m'eût indiqué son déplaisir m'aurait mis à ses pieds, aurait suspendu tout à coup en moi l'excès de ces colères violentes auxquelles mon impétuosité me rendait sujet. »

Jusque-là, l'affaire, dans son extravagance, reste explicable. C'est l'attitude et l'évolution de Germaine de Staël, si habitué qu'on soit à ses égarements, qui stupéfient en portant indiscutablement témoignage de son déséquilibre passionnel.

Elle passe en quatre mois de l'indifférence à la compassion, de l'amusement à la sympathie, de la reconnaissance à l'amour. Et si l'on comprend qu'elle soit touchée, flattée, séduite; qu'elle éprouve un trouble plaisir à jouer avec Rocca, pour qui son âme entraînant ses sens s'intéresse, le même jeu qu'elle s'inquiète de voir Juliette jouer beaucoup moins dangereusement... avec Auguste; si l'on est prêt à excuser une faiblesse passagère de quadragénaire, heureuse dans sa détresse de tout ce que lui apporte pour son amour-propre, sa confiance, sa sexualité, cette gênante victoire, on se sent incapable de motiver psychologiquement l'aberration qui conduit une femme illustre à lier le reste de ses jours au restant de la vie d'un jeune phtisique infirme, sans raison ni culture, obsédé par l'idée fixe d'une union absurde aux conséquences désolantes.

« Elle est aimée en dehors de la littérature, de la gloire, de la politique, hors du temps, du nombre, de l'espace, elle est aimée pour *elle*, parce qu'elle est là, parce qu'elle vit, parce que c'est *elle* qu'on attendait et qu'elle remplit tous les désirs, toutes les aspirations d'un être. Elle est tout pour cet enfant et il ne peut vivre sans *elle*, écrit Mme de Pange qui défend Germaine avec une conviction émouvante. Le bonheur, elle le sait maintenant, après avoir tant cherché, tant espéré, c'est cela. Rien que cela. Elle l'a enfin trouvé. C'est sa revanche sur la vie qui lui a été si décevante, c'est une grâce suprême que Dieu lui accorde au déclin de sa jeunesse... »

Grâce suprême, peut-être, mais dérisoire aussi. A la fin d'avril 1811, cédant aux instances du demi-fou qui la veut tout entière à lui... (« Je veux que tu portes mon nom, je veux un enfant de toi qui sera vraiment un *petit nous* ! ») Germaine échange avec John, à Coppet, devant un pasteur et un seul témoin, Fanny Randall, une solennelle promesse, pour un mariage qui sera célébré « dès que les circonstances le permettront ».

Le secret très bien gardé — mais que les mouchards du château livreront aux agents du baron Capelle, nouveau préfet du Léman — souligne bien que Germaine a parfaitement conscience de l'effet déplorable qu'aurait son imprudente décision si elle était rendue publique.

Elle, pourtant si expansive, se garde dans ses lettres d'hiver de la moindre confidence au sujet de Rocca, même et surtout à sa sœur d'élection. En février 1811, l'amitié lui enjoignant de vaincre sa gêne, elle fait en passant, dans une lettre à Juliette, cette curieuse et lucide allusion à sa nouvelle liaison :

« ... A cette occasion, et pour en finir de moi, je vous dirai que le nouveau sentiment dont on me croit occupée est un jeune homme de vingt-trois ans, beau comme le jour, et qui marchait avec des béquilles à cause de cinq balles qu'il a reçues ou plutôt qu'il a cherchées à l'armée. Je croyais sa vie en danger et je l'ai soigné. Il s'est pris d'un sentiment passionné pour moi. Mais son esprit n'est pas cultivé, et il n'y a aucun avenir dans cette relation. Son caractère très noble la rend sûre, et vous savez que l'amour qu'on inspire console et distrait pour quelques instants, mais aucun de mes projets ne peut être modifié par cette relation qui n'est qu'un air écossais dans ma vie. »

L'air écossais est une citation de *Corinne.* Il paraît impossible d'admettre dans cette lettre la parfaite sincérité de Germaine. « Je croyais sa vie en danger et je l'ai soigné » marque le souci de rendre la compassion responsable de tout. Cependant l'assurance négative donnée sur « l'avenir de cette relation » marque qu'au moins à cette date Germaine ne souhaite pas donner satisfaction à John en s'engageant dans une indéfendable aventure.

Mais dès la fin de l'hiver les réactions produites au plus près d'elle chez Benjamin, Prosper, Schlegel et quelques autres, par le développement hélas spectaculaire de ce qui ne peut plus passer pour un caprice, entraîne insensiblement Germaine à répondre au vœu de Rocca.

« ... Résignée à vivre en ne publiant plus rien sur aucun sujet... il me fallait au moins, en faisant le sacrifice des talents que je me flattais de posséder, trouver du bonheur dans mes affections. »

Or ses affections sont menacées de relâchement. Ceux qui se croient des droits sur elle sont peut-être encore plus blessés que ceux qui en ont réellement. Sismondi qui veut se réjouir de voir sa grande amie, malgré « la tristesse extrême de sa situation » se divertir et composer des comédies d'une extrême gaieté, souffre en silence. Chamisso s'indigne, Camille Jordan, qui se permet de la juger, est sévèrement rappelé à l'ordre...

« ... En fait de dignité morale, les circonstances me placent aussi haut qu'il est possible et je m'étonne que vous, qui êtes si indulgent pour l'inconcevable conduite de Gérando, vous tourniez toutes vos foudres contre une malheureuse femme qui, résistant à tout, défendant ses fils et son talent au péril de son bonheur, de sa sécurité, de sa vie, est un moment touchée de ce qu'un jeune homme d'une nature chevaleresque sacrifie tout au plaisir de la voir. »

Elle a de plus graves sujets de contrariété. Benjamin, qu'elle se réjouissait d'avoir reconquis une nuit à Briare, est en train de lui échapper. Il a décidé ou plutôt il s'est résigné à partir avec Charlotte pour l'Allemagne où il espère travailler en paix à son grand ouvrage. Il s'est arrêté avec sa femme à Lausanne et Germaine accepte de le rencontrer.

« Benjamin fait le mari à Lausanne d'une manière affectée. Il a bien changé depuis Briare. J'en suis fâchée pour nous. Mais les femmes communes l'emportent toujours sur les femmes distinguées. » [*à Juliette*]

Un soir d'avril 1811 Germaine a pourtant le plaisir de voir Benjamin arriver seul à Coppet où il soupera avec elle — mais en compagnie de Rocca. Offensé au plus haut point par le sentiment d'être éclipsé sur tous les plans,

John rejoint Benjamin à sa sortie du château, provoque l'ancien amant et parle de lui couper la gorge. Rendez-vous est fixé pour le lendemain à l'aube. Benjamin, fort ennuyé, prenant l'affaire très au sérieux, rédige dans la nuit à Genève son testament dont Maurice Levaillant a retrouvé par hasard la minute en 1929 :

... M. Rocca m'a dit que mes assiduités auprès de Mme de Staël lui déplaisaient fort, et qu'il voulait se couper la gorge avec moi. Cette proposition ne pouvant être jamais refusée, je n'ai pu ni dû entrer dans aucune explication avec le dit M. Rocca, ni lui observer que mes prétendues assiduités s'étaient réduites à deux visites en trois mois, que je repartais demain et allais faire un très long voyage, et que tendrement attaché à ma femme, je ne pouvais être soupçonné d'aller sur les brisées de personne...

Puis Benjamin, envisageant sa mort, se met solennellement en règle tant à l'égard de Charlotte que de Germaine.

... Je demande pardon à ma femme de toutes les peines que je lui ai causées et de cette dernière catastrophe qui l'affligera bien plus amèrement. Je la prie au moins de ne pas croire que je l'aie provoquée en rien. Mon sentiment vrai, profond et inaltérable pour elle était un obstacle à toute assiduité de ma part auprès d'une autre femme, je n'aime personne au point où je l'aime. Elle a été un ange pour moi, et mon dernier mot, si je meurs, sera une prière pour elle, et mon dernier sentiment un sentiment de reconnaissance et d'amour.

Je pardonne à Mme de Staël l'événement qu'elle aura causé, et je ne la rends point responsable de la fureur d'un jeune fou. Je la prie de me pardonner aussi, si je lui ai fait de la peine dans quelques circonstances. Je n'examine point si j'ai eu tort ou raison. Il suffit que je lui aie fait de la peine pour que j'en aie du regret...

Le duel stupide n'a pas lieu. Un familier de Germaine, on ignore qui, arrange l'affaire à la dernière minute. Trois semaines plus tard, le 10 mai, seconde alerte, à Lausanne. Germaine était venue embrasser Benjamin, prêt à partir pour le Hardenberg avec Charlotte. A nouveau, trouvant leurs adieux trop tendres, Rocca provoque Constant. Cette fois, Benjamin refuse purement et simplement de se battre. Le 15 mai, il est en route. Le couple traverse l'Allemagne, s'arrêtant souvent pour des séjours de famille ou d'amitié. Les époux n'arrivent qu'en août au Hardenberg. Benjamin est en de mauvaises dispositions, sans goût pour le travail. Il espère que le climat de Gœttingue, ville d'université et de bibliothèques, lui sera plus profitable, mais il y transporte avec lui son ennui. Il y retrouve Villers et Mme de Rodde qui ont dû quitter Lübeck pour des raisons plus ou moins liées à l'élogieuse citation de Charles de Villers dans *l'Allemagne*. Benjamin revoit aussi à Gœttingue sa première femme, Minna von Cramm, qu'il épousa le 8 mai 1789, vingt ans moins un jour avant la rencontre de Germaine à Sécheron avec sa seconde femme... Mais il a bien de la peine à se remettre au travail. Il lui manque de pouvoir parler, discuter avec un esprit qualifié ! Ah ! le stimulant des lectures des pages du jour à Mme de Staël, le coup de fouet de leurs entretiens, de leurs querelles... il ne les remplacera jamais ! Il y a aussi que ses dettes, ses pertes de jeu, ses démêlés financiers avec son père qui témoigne dans leur correspondance d'une âpreté extrême (« Exécrable lettre de mon père, serait-ce vraiment un méchant homme? Marianne [*belle-mère de Benjamin, soixante ans*] pourrait bien être une coquine. Répondrai-je franchement? ») ne l'inclinent pas à l'optimisme. La douceur et surtout la continuelle présence de Charlotte recommencent à l'irriter. « Ah, si je vivais seul ! »

Juste Constant meurt le 2 février 1812 à quatre-vingt-six ans. Benjamin n'apprend la nouvelle que le 19 « Ma tête est troublée et mon sang glacé »; le 20 : « Je suis abîmé »; le 21 : « Le fond de mon cœur est triste à périr »; le 22 : « la perte de mon père me devient chaque jour plus douloureuse »; le 28 : « travaillé. Mon père se serait réjoui de mon ouvrage ».

Quelques jours plus tôt à la réception d'une « excellente lettre de Mme de Staël », il avait noté : « Qui sait ! » et à propos de Charlotte : « Je ne parierais pas que nous finirons notre vie ensemble. »

***

Avec Prosper de Barante, les choses ne s'arrangent pas mieux. Lui aussi, renonçant définitivement à la trop célèbre, à la trop avide, à la trop fantasque, choisit la raison. Lui aussi, après Benjamin, prend femme. Il épouse, le 28 novembre 1811, Mlle d'Houdetot. Cruelle nouvelle rendue plus cruelle encore par le fait que l'Empereur est un des signataires de son contrat de mariage. On comprend à ce moment que Germaine soit reconnaissante à Rocca d'être là, lui dont la passion exclusive et la jalousie à l'espagnole la réconfortent et lui permettent de ne pas trop souffrir du vide que le départ de Benjamin et le mariage de Prosper ont ouvert dans son cœur. Sans doute « l'air écossais » est une musique bien grêle qui n'entre pas dans l'âme comme les violons. Mais c'est tout de même une musique.

Pas plus qu'elle ne se fâche avec Benjamin, Germaine ne coupe les ponts avec Prosper.

« ... J'ai reçu une lettre de Prosper, écrit-elle à Juliette, pleine de grâce et presque de sensibilité. Sa sœur [*Sophie de Barante*] m'a décrit ce mariage où elle a paru en robe traînante avec un voile couronné de fleurs. Il était là celui qui devait être une fois le compagnon de ma vie. On dit qu'il était sérieux. A-t-il donc pensé à moi ? Ah ! je n'avais plus droit à la couronne blanche. Mais vous qui pourriez encore la porter, vous qui pourriez encore être heureuse, que de choses j'aurais à vous dire si vous vouliez me croire et quitter tout à fait le pays qui vous retient... »

Ayant rendu sa parole à Prosper avant ses fiançailles, Germaine avait reçu en réponse un billet lyrique où l'infidèle, transposant et sublimant leur aventure, cherchait à rendre à Corinne la pilule moins amère.

« ... Corinne, pourquoi t'ai-je connue ? Pourquoi ai-je vécu avec toi de cette vie exaltée et enivrante... Sans doute, au milieu de cette existence exagérée, lorsqu'elle vous apporte des tourments... on tourne quelquefois des regards d'amitié vers la vie simple... cependant, quand on retombe dans cet état d'infériorité après avoir goûté le nectar et l'ambroisie à la table des dieux, que de regrets vifs s'élancent vers ces jouissances perdues... ! »

***

Schlegel, de plus en plus hargneux, de plus en plus fidèle, rentre de son voyage à Vienne pour être le témoin des duos d'amour de John et de Germaine. Il prend cela très mal.

« ... Quoi que vous disiez de mon humeur, je sais pourtant que ce que je sens n'est autre que la profonde douleur de découvrir dans une aussi belle âme toujours des preuves nouvelles et plus fortes d'une légèreté qui détruit toute confiance en votre amitié... Quelle est la situation d'un homme dont toute la destinée se compose de cette prétendue amitié qui occupe une place si subalterne dans votre âme que vous risquez d'y renoncer vous-même en faveur du plus frivole nouvel engouement. Dans une époque où vous me trouviez infiniment coupable de former des projets pour moi et de ne pas suivre implicitement votre sort, vous avez pensé à passer votre vie avec un autre, à former un lien qui m'exilerait infailliblement de chez vous après avoir consacré sept années de ma vie à une illusion...
... Tous les soirs enfermé dans ma chambre, je crois être dans un cachot devant la porte duquel se promènent des gens qui se moquent tout haut de ma situation... »

Ses légitimes rancœurs exhalées, Schlegel ne pense plus qu'à se soumettre et à servir la terrible maîtresse dont les malheurs l'affligent plus que ses méchancetés ne le frappent. Mais il est bientôt contraint de quitter Coppet de nouveau par un ordre, des plus arbitraires, du baron Capelle.

« Je voulus savoir pourquoi l'on m'ôtait la société de M. Schlegel, mon ami et celui de mes enfants. Le préfet, qui avait l'habitude, comme la plupart des agents de l'empereur, de joindre des phrases doucereuses à des actes très durs, me dit que c'était par intérêt pour moi que le gouvernement éloignait de moi M. Schlegel, qui me rendait antifrançaise. Je demandai ce qu'avait fait M. Schlegel contre la France; le préfet m'objecta ses opinions littéraires et, entre autres, une brochure de lui dans laquelle, en comparant la Phèdre d'Euripide à celle de Racine, il avait donné la préférence à la première... »

Schlegel reste de longs mois séparé de Mme de Staël. Il la voit quelques heures avec Mathieu de Montmorency, au début d'août 1811, près de Fribourg, à l'occasion d'une visite clandestine du conspirateur catholique chez les trappistes de la Val Sainte qui, depuis l'arrestation du pape, servent d'intermédiaires entre le clergé français et Pie VII, toujours prisonnier de Napoléon à Savone. Il apparaît vraisemblable que le mystérieux rendez-vous de Fribourg — qui échappe à la vigilance du baron Capelle — permet à Schlegel de rendre compte à Mme de Staël des résultats de son activité en Suisse et en Autriche, partiellement employée à reconnaître l'éventuel itinéraire et les relais de l'évasion que Germaine prémédite. Il faut croire que l'absence fait moins de mal à Schlegel que la présence, car ses lettres de Berne, après l'entrevue de Fribourg, le montrent confiant et presque guilleret.

« ... Il me semble que j'aurais mauvaise grâce en vous disant que je me morfonds et que j'enrage. Je suis aussi insouciant qu'il est possible sur mon avenir; je n'y vois qu'une chose de bien claire, c'est que notre séparation n'est que momentanée. Je dois toujours trouver une patrie dans votre cœur. Mais vos résolutions sont trop importantes pour que vous ne deviez rien précipiter en ma faveur... »

Ces lignes sont du 29 août. A cette date Mathieu qui, avant de rejoindre Germaine à Coppet, s'est arrêté à Sécheron où réside Mme de Krüdener, a déjà reçu l'ordre de ne pas rentrer à Paris dont il doit se tenir éloigné d'au moins quarante lieues. La fugue avec Mme de Staël est le prétexte avoué de cette mesure dont la raison principale tient aux menées monarchistes du fidèle ami de Germaine.

Entre temps, au mois de mai, passant entre les mailles du filet Capelle, Germaine a gagné Aix en Savoie sous le prétexte d'un traitement de douches pour son fils Albert qui commence à mériter le sobriquet de « Lovelace d'auberge » dont elle l'affuble et qui lui donne déjà, par ses écarts, du fil à retordre. Il semble qu'elle ait eu des motifs plus sérieux qu'un traitement hydrothérapique pour risquer l'arrestation dont, huit jours après son arrivée à Aix, la menace le préfet de la Savoie, mais on ne sait rien de précis au sujet de ce séjour. Elle dîne chez Mme de Boigne, à Chambéry, dans une nombreuse compagnie quand on apporte au préfet, son vis-à-vis, un pli urgent. Mme de Boigne, qui se trompe d'année en croyant Juliette et Benjamin présents, fait un piquant récit de la scène :

« Il [*le préfet, M. Finot*] mit la lettre dans sa poche. Après le dîner, il me la montra; c'était l'ordre de faire reconduire Mme de Staël à Coppet, par la gendarmerie, de brigade en brigade, à l'instant même où il recevrait la lettre. Je le conjurai de ne pas lui donner ce désagrément chez moi; il m'assura n'en avoir pas l'intention, ajoutant avec un peu d'amertume : « Je ne veux pas qu'elle change d'opinion sur *les employés de ma classe*. [*Au cours du dîner, à propos d'un autre préfet, Mme de Staël avait déclaré : « J'ai généralement eu à me louer de cette classe d'employés.* »]

« J'ai cité cette circonstance, explique Mme de Boigne, pour avoir l'occasion de remarquer une bizarre anomalie de cet esprit si éminemment sociable, c'est qu'il manquait complètement de tact. Jamais Mme de Staël ne faisait entrer la nature de son auditoire pour quelque chose dans son discours et sans la moindre intention d'embarrasser, encore moins de blesser, elle choisissait fréquemment les sujets de conversations et les expressions les plus hostiles aux personnes auxquelles elle les adressait. »

***

Désolée de la mesure qui a frappé Mathieu, dont elle veut se croire seule responsable, Germaine redoute à juste titre que Juliette — qui tient expressément à embrasser son amie avant le grand départ supposé prochain — ne subisse le même sort. En effet Mme Récamier est en route pour Coppet. Elle s'annonce pour le 30 août. Effrayée, Germaine envoie Auguste le 28 à sa rencontre au relais de Morez, avant Genève. Juliette qui voyage avec sa nièce, une enfant de sept ans qu'elle vient d'adopter, la petite Amélie Cyvoct (future Mme Lenormant), ignore la disgrâce de Mathieu. Avertie par Auguste, Juliette commence par s'évanouir. Ranimée, elle lit les deux lettres, de Mathieu et de Germaine que son chevalier lui a apportées. En dépit de la pressante adjuration de Mme de Staël : « ...Au nom du Ciel, ne vous exposez pas... je ne résisterais pas à un malheur qui tomberait sur vous... Ah, mon ange, ayez pitié de moi ! », Juliette ne se résigne pas à faire demi-tour sans avoir vu Germaine à Coppet. C'est une question d'affection et de dignité. Il est possible que l'entrevue qu'elle a accordée à l'autre Auguste, le prince de Prusse, pour la mi-septembre, à Schaffouse soit pour quelque chose dans la détermination de Juliette qui souhaitait rester à Coppet jusqu'à sa rencontre avec le prince. Mais à peine est-elle arrivée au château que son neveu Paul David, de passage à Genève, la conjure de rentrer sans délai à Paris et la décide. A Dijon, Récamier, venu attendre sa femme, annonce à Juliette que, comme Mathieu de Montmorency, elle n'a plus droit à résider à Paris dont elle doit se tenir jusqu'à nouvel ordre éloignée de quarante lieues. L'ordre qui n'est notifié par le préfet de police que le 1er septembre à Récamier est daté, comme celui concernant Mathieu, du 17 août. Elle est accusée de « mauvais esprit dans les sociétés » et doit se considérer dans la résidence qu'elle choisira — elle choisira Châlons-sur-Marne — comme « en état d'arrestation jusqu'à révocation de la part de l'Empereur ». Récamier, alors en difficultés et soucieux d'être en règle, souhaite que Juliette se rende directement à Châlons. Mais une jolie femme ne peut partir, fût-ce pour l'exil ou la prison, sans avoir mis un peu d'ordre dans sa garde-robe et choisi ce qui convient à son séjour. Elle monte donc à Paris, y reste deux jours, fait ses malles et va enfin, au grand soulagement de Récamier que Pasquier a déjà semoncé, s'installer au meilleur hôtel de Châlons, à l'auberge de la « Pomme d'or », avec la petite Amélie en attendant de pouvoir louer un modeste appartement rue du Cloître. Elle y recevra ses amis de Montmirail tout proche, les La Rochefoucauld-Doudeauville, et de Paris. Elle s'occupera de bonnes œuvres et de l'éducation d'Amélie à qui elle fait apprendre entre autres choses le latin et le piano. Elle dispose de cette rare faculté de savoir s'adapter à toutes les situations — fortune ou disgrâce — avec une parfaite aisance et une humeur égale.

Cependant quand Germaine apprend le 7 septembre que l'exquise Juliette doit subir elle aussi la peine « des quarante lieues », son cœur se déchire, son être se convulsionne et, convaincue d'être, comme pour Mathieu, seule responsable du malheur de son amie, elle trace un billet tout baigné de ses larmes qu'Auguste, aux cent coups, court à bride abattue porter à l'exilée, se renseignant de relais en relais sur le passage de la berline qu'il rejoint avant Paris.

« Je ne peux pas vous parler, je me jette à vos pieds. Je vous supplie de ne pas me haïr. Au nom de Dieu, mettez du zèle pour vous afin que je vive. Tirez-vous de là, que je vous sente heureuse, que votre admirable générosité ne vous ait pas perdue ! Ah ! mon Dieu ! Je n'ai pas ma tête à moi, mais je vous adore, croyez-le et prouvez-moi que vous le sentez en vous occupant de vous-même, car je n'aurai de repos que si vous êtes hors de cet exil. Adieu, adieu. Quand vous reverrai-je ? Pas dans ce monde. Adieu. »

La proscription de ses deux meilleurs amis, les plus désintéressés, les plus purs, accable Germaine : « ...Quelque innocent que soit mon cœur, je me crains moi-même comme le fléau de mes amis; enfin la vie m'est odieuse... » Benjamin est à Gœttingue; Prosper est fiancé. Ce ne sont pas les ardentes consolations que lui prodigue le jeune embrasé qui l'empêchent de songer, de temps à autre, au suicide, c'est le fond de religion qui est en elle

« ... car il me semble que mes enfants, écrit-elle à Juliette, se trouveraient aussi bien de ma fin que mes amis se seraient trouvés de mon départ, il y a un an. Mais dites-moi donc, qu'ai-je donc fait pour tant souffrir ? On craint d'avoir commis des crimes inconnus à sa conscience quand on est ainsi dévoré par le sort. »

Germaine est infiniment plus malheureuse que Juliette. Question de résistance nerveuse et d'équilibre. Le « grand départ » apparaît de plus en plus nécessaire. Mme de Staël n'a pas entièrement abandonné l'idée des États-Unis. Mais le « grand amour » d'Auguste achève de détourner Germaine du Nouveau-Monde. Le fougueux adolescent, appelé à devenir le plus sage des hommes, cède à la contagion romanesque de Coppet. La victoire de Rocca l'enhardit. Il veut épouser Juliette. Auguste déclare à sa mère que si elle exige qu'il la suive en Amérique, il obéira en fils respectueux, mais quinze jours plus tard, il se fera sauter la cervelle d'un coup de pistolet. Il est bien difficile à Germaine de raisonner une exaltation qui l'inquiète en même temps qu'elle l'attendrit et où elle reconnaît sa nature. Elle espère que Juliette réussira mieux qu'elle. Dès qu'elle a su Juliette installée à Châlons elle a chargé Auguste, qui ne tenait plus en place, de lui porter une lettre.

« ... Il part pour vous voir et pour revenir dès qu'il vous aura vue... Il vous parlera, il vous dira mes projets. Je n'aime pas à les écrire. Ne nommez jamais que Genève en m'écrivant. Chère Juliette, je me crois obligée à partir. Je m'y crois obligée pour vous, pour Mathieu, pour mes enfants et pour moi.

... Auguste vous aime passionnément. Il a changé d'humeur du moment où sa course à Châlons a été décidée. Il se faisait un bonheur de voyager avec moi. Il le redoute à présent de toute son âme. Enfin, pour notre bonheur à tous, il vaudrait mieux que cet élément d'amour ne fût pas entre vous. Mais, sans que nous nous soyons expliqués sur ce sujet, je le crois incapable d'abandonner sa famille et la route que son grand-père lui traçait; et je suis encore plus certaine que vous ne le souffririez pas, s'il le voulait.

... Chère Juliette, puisque le sort nous sépare tous, portez-le vous-même à ce qu'il doit faire, car il n'a cessé de parler de l'empire de votre présence sur son âme. Ah ! vous avez encore tous vos charmes, vous êtes encore toute puissante. Moi, je commence à mourir... »

Elle songe un moment à se retirer en Italie. Les passeports lui sont refusés. Elle n'a donc plus d'espoir que dans l'aventure, l'évasion, vers la Suède où elle retrouvera Bernadotte et l'Angleterre, par la traversée de l'Europe... Elle ne peut plus attendre. Une telle expédition doit être menée avant l'hiver. Il faut qu'elle soit à Stockholm ou à Londres en novembre.

Mais « sa vie est hors de sa puissance », elle en est parfaitement consciente. Les effets de sa tendre faiblesse à l'égard de John Rocca vont retarder de six mois le départ. Elle est enceinte à la fin d'août : « Petit-nous » est en route. Dès la fin de septembre 1811 Germaine réalise et construit l'incroyable comédie qu'il va lui falloir jouer jusqu'aux relevailles pour dissimuler son état, même à ses proches, surtout à ses proches. Si tout se passe bien, ce n'est qu'en mai 1812 qu'elle pourra quitter Coppet.

Elle va payer cher l'immense plaisir qu'elle procure

au « fiancé » clandestin. L'épreuve qui l'attend accentue son désarroi. « Ma cousine, écrit Mme Necker de Saussure le 28 septembre, est dans un tel état de tristesse que mon cœur me porte à faire tout ce qu'il est possible pour l'adoucir », et elle ne quittait pas Germaine... En dehors de Sismondi et de Bonstetten, les visiteurs qui se risquaient à Coppet étaient peu nombreux.

« Son isolement continue et va croissant, rendait compte le baron Capelle à Savary le 12 novembre... Les Genevois même les plus affidés, cherchent et trouvent mille prétextes pour ne point aller à Coppet, ne point la recevoir, enfin pour l'éviter. »

En décembre elle s'installe à Genève et avec la complicité de ses médecins Jurine et Butini, elle invente l'attaque d'« hydropisie » qui jusqu'en avril 1812 couvrira sa grossesse, trompant, si étrange que cela soit, à peu près tout le monde. Pour fixer son esprit, il lui faut un travail. Elle prépare un plan de poème en prose sur Richard Cœur de Lion et elle écrit les *Réflexions sur le suicide.*

Après avoir justifié le suicide dans l'*Influence des Passions* en 1796, elle voulait depuis longtemps revenir sur cette opinion de jeunesse. Le cours de ses pensées, au début de 1812, la conduit naturellement à entreprendre très chrétiennement cette révision et à montrer « combien la résignation à la destinée est d'un ordre plus élevé que la révolte contre elle ». Une cinquantaine de pages dont elle fera hommage à la fin de l'année au prince royal de Suède. On l'y voit portée à de hautes et sombres méditations. Les lettres à Juliette, toutes muettes sur Rocca, soulignent encore la tristesse anxieuse de cette mère coupable qui ne sait si elle est plus honteuse de sa maternité ou de sa dissimulation. La passion d'Auguste, le souvenir de Benjamin et de Prosper sont au centre de ses mouvantes préoccupations.

« ...Je suis mal de toutes les manières et la vie dans ses deux thèmes, le moral et le physique, m'est insupportable. Si je passais quelque temps avec vous, tout serait changé pour moi. »

« ...Il [*Auguste*] est bien occupé de vous. Il l'est avec une délicatesse qui vous toucherait. Il n'admet aucune distraction, de quelque genre qu'elle soit. Il dit souvent que tout bonheur est fini pour lui. Enfin, son âme est bien profondément atteinte... »

« ... Je ne puis vous comparer qu'à mon sentiment pour Benjamin, qui a été le plus vif de ma vie. S'il était vous, s'il était dans votre situation, je lui dirais : allons voir ailleurs. Mais s'il faut que vous viviez dans cette France, je dois m'éloigner de vous, car je vous perdrais, et voilà tout... Je vous aime comme une amie chérie, comme une jeune sœur de mon choix et partout où je pourrais être en sûreté avec vous, je m'y trouverais heureuse. Mais les malheurs de cette année, les menaces de prison m'ont donné une soif de sécurité que je n'avais pas auparavant. Je n'ai pas de courage contre l'idée d'être arrêtée. Je ne sais pas me porter moi-même et je ne sais pas mourir. Croyez-moi, j'étais bien disposée par caractère à ne prendre aucun parti décisif et, si je m'y résous cette fois, il faut me plaindre. »

« ... Prosper m'a aussi écrit une lettre douce et triste; mais je le crois plus heureux que, par ménagements, il ne me le dit... »

« ...Il [*Auguste*] était triste de votre silence. Il me semble mieux à présent. Au reste, sans rien me cacher, il ne me dit rien et, quoique nous nous aimions beaucoup, nous ne sommes pas à l'aise ensemble...

...Avez-vous lu dans la *Gazette de France* : « Madame de Staël, la première imagination de l'Europe. » Convenez qu'il est triste d'être cela, si cela est, pour un tel sort... »

Ce que le prince de Prusse n'a pas obtenu, arracher Juliette à Récamier, obtenir qu'elle divorce et l'épouse, c'est l'idée fixe d'Auguste. Et la mère qui sait mieux que personne d'où lui vient cette obsession du mariage, veut espérer que Juliette se montrera plus sérieuse qu'elle-même...

« ... Auguste ne peut, tant que nous sommes proscrits, suivre le cours de votre vie, et vous avez raison de ne pas vouloir ce qui ne peut durer toujours. Mais je n'ai pas su me diriger ainsi avec Prosper, et quoique je sentisse bien que cela finirait, je voulais jouir de ces courts moments qui, dans le fait, sont aussi une vie... »

« Si je passais deux mois avec vous, je serais tout à fait guérie. Mais c'est comme le mal du pays d'être aussi loin de vous et loin de Mathieu. J'ai reçu des lettres de Benjamin qui auraient fait le bonheur de ma vie dans un autre temps. Il a comme moi une imagination sur le passé. J'ai reçu aussi une lettre de Prosper; mais celle-là me prouve qu'on disait vrai sur son bonheur. On assure que, depuis qu'il vit seul dans la Vendée avec sa jeune femme, il en est très amoureux... »

Le printemps approche et avec lui la délivrance, le grand départ. Mais comment tout cela finira-t-il? Il semble que les dernières semaines de « l'hydropisie » soient angoissantes et douloureuses.

« Chère Juliette, je suis abîmée de tristesse. Au nom de Dieu, ne dites rien, n'écrivez rien sur moi, sinon que je suis malade et résignée. Je vous indiquerai par ces seuls mots : je pars, le moment de la grande décision. Tant que cela n'est pas dans ma lettre, je suis immobile... »

« ... Je puis me tromper, mais les pressentiments sont des aperçus trop fins pour être analysés. Je ne me tirerai de rien. Je n'arriverai point à cet avenir; et ma vie finira cruellement et bientôt... Je passe des heures entières à me faire à l'idée de la mort. Je regrette mon talent peut-être avec égoïsme, mais enfin, je sens tellement en moi des puissances supérieures qui n'ont point encore été développées que leur destruction m'afflige. Quant à mes amis, quant à mes enfants, je sais que leur destinée à tous deviendrait meilleure si je n'existais plus. Je sais qu'ils me regretteraient; mais tous leurs sorts, excepté celui d'Albertine, seraient ou plus assurés ou plus libres... Dites-vous que je n'ai pas un instant de distraction, que je suis incapable de travail, incapable d'intérêt à rien, que j'ai de la peur (ou de la peine) relativement à moi... et qu'enfin jusqu'à ce jour le bon Dieu n'est point encore venu à mon aide. »

A la fin du mois de mars, Germaine rentre à Coppet. Jurine — qui l'accouchera secrètement — vient surveiller sa malade, intelligemment assisté de Fanny Randall mais encombré de Rocca dont presque personne ne parle dans aucun livre et que j'imagine allant et venant, cachant ses inquiétudes et sa joie, enfermé dans le secret et rêvant à la dynastie des Rocca... Tout ce qu'on sait de lui, c'est qu'il a commencé durant l'hiver la rédaction de son Journal de guerre. Germaine qui a besoin que son futur époux soit homme de lettres, et de talent, l'a encouragé dans cette entreprise, inspirant, corrigeant et récrivant quelques pages ici et là.

Au début d'avril elle envoie Auguste à Châlons. Mais Albert, « l'hurluberlu » — qu'elle souhaite faire partir pour Stockholm où Bernadotte sera heureux, espère-t-elle, d'utiliser, de patronner le fils de M. de Staël (elle se souvient d'Éric à cette occasion) — est à Coppet avec sa sœur. Schlegel écrit à Gaudot qu'il espère le rétablissement « de Mme de Staël du retour de la belle saison... Comme on lui a conseillé le mouvement en voiture, cela l'a fait venir d'autant plus tôt à la campagne ».

C'est dans ce château plein de monde que Germaine donne le jour clandestinement, le 7 avril, à « petit-nous ». Quinze jours plus tard Mme de Staël est debout et dîne chez les Châteauvieux. Le 3 avril elle a écrit à Henri Meister : « Ma santé est dans un état misérable, et si vous me voyiez maigrie, enflée, pâle, vous ne concevriez pas comment une aussi forte personne que moi a pu être ainsi terrassée... » Le 28 avril, après le dîner Châteauvieux auquel il assiste, Charles de Constant note : « ...Son teint jaune, livide, ses yeux ternes, sa maigreur, son abattement prouvent assez qu'elle est sérieusement malade... » Cependant elle s'était bien capitonnée pour ne pas ruiner trop vite la version de l'hydropisie... « Son ventre est plus gros que jamais et sa poitrine n'est plus rien... » ajoutait Charles de Constant.

L'extraordinaire supercherie n'eût jamais réussi sans le dévouement, la vigilance et l'ingéniosité de Fanny Randall qui organise l'épisode, veillant à tout et cherchant quand la vérité se fait jour à travers les commérages, les épigrammes, les rapports de police, à prendre à son compte la maternité de Mme de Staël, ce que son singulier extérieur rend peu vraisemblable... Elle a la taille épaisse et les yeux bleus. Elle porte les cheveux courts coupés à la Titus et les fait teindre régulièrement. Elle a rencontré Germaine chez un banquier genevois, ami de Necker, mari d'une de ses sœurs, Elisabeth Randall, et elle a accepté d'enthousiasme d'enseigner l'anglais à Albertine. Son destin est de servir et de se sacrifier. Lady Granville dans *Letters of Harriett* parle de Fanny Randall comme d'une faussaire.

Mais Frédéric Norgate affirme qu'elle « s'était volontairement immolée d'une façon qui touche à l'héroïsme pour sauver une personne absolument indigne de son zèle, qu'elle avait été en effet, *bouc émissaire volontaire*, la dupe et la victime d'une créature artificielle et tortueuse et punie à sa place... »

C'est Fanny qui porte le nouveau-né à Longirod, non loin de Nyon; le pasteur Gleyre accepte de s'en charger. C'est Fanny qui vient chaque jour aux nouvelles. Elle enfin qui revient un mois plus tard avec John Rocca et le docteur Jurine pour le baptême de l'enfant, frauduleusement inscrit sur le registre de la paroisse en ces termes :

« Louis-Alphonse, fils de Théodore Giles, de Boston en Amérique [*c'est John Rocca...*] et de Henriette, née Preston [*c'est Fanny Randall...*] son épouse, né le 7 avril 1812, a été présenté au Saint Baptême le 11 mai suivant par Louis Jurine, professeur à l'Académie de Genève. »

La déclaration ne sera rectifiée qu'en 1817. Le baron Capelle et Savary n'attendent pas aussi longtemps pour en rire. Dès la fin du mois d'avril, au moment où Benjamin note : « Mme de St. malade. O mon Dieu, que ferai-je? » (20 *avril*) et « Mme de St. serait-elle grosse? » (7 *mai*), des épigrammes circulent à Genève sous le manteau, que le commissaire spécial, baron de Melun, a contribué à diffuser. Humoriste à ses heures il a dans son rapport annoncé que « l'hydropisie de Mme la baronne de Staël s'est heureusement dissipée et que le résultat de cette fâcheuse maladie est un garçon fort bien portant » et qu'on attribue « cette cure merveilleuse à un genevois nommé Rocca. »

...D'une cure aussi propice
Ah! bénissons le résultat heureux!
Il est près de Rolle, en nourrice.

dit la première épigramme.

Quelle femme étonnante et quel fécond génie!
Tout en elle produit, tout est célébrité,
Et jusqu'à son hydropisie
Rien n'est perdu pour la postérité.

dit la seconde.

***

Cette fois, il faut partir. Même les gens de Genève, choqués, blessés, ne défendent plus la trop célèbre. Dans les rues, on se détourne pour n'avoir pas à la saluer. Mais comment partir? Et par où? L'itinéraire vers l'Angleterre, par la Suède, qu'on étudiait calmement en 1811 est-il encore possible au printemps 1812, quand Napoléon, prêt à faire s'ébranler la Grande Armée, est à Dresde avec Louis de Narbonne, son nouvel aide de camp? Mme de Staël pourra-t-elle traverser la Russie avant que l'Empereur ne l'occupe? Si elle échappe aux brigands sur les routes, échappera-t-elle à la prison? Et qui emmener avec elle? Maintenant qu'il faut agir elle s'inquiète, elle hésite. Elle reporte la date du départ primitivement fixé au 15 mai, elle voudrait attendre ses passeports, passeports de complaisance, avec de faux noms, mais Auguste se fait fort de les obtenir du ministre d'Autriche. L'important est de quitter Coppet avant que Capelle qui ne se doute de rien et croit Mme de Staël encore incapable de voyager, ne rende tout départ impossible. Ces journées d'incertitude et de préparatifs accentuent l'anxiété naturelle de Germaine.

« ...Je ne pouvais me dissimuler que je n'étais pas une personne courageuse; j'ai de la hardiesse dans l'imagination, mais de la timidité dans le caractère, et tous les genres de périls se présentent à moi comme des fantômes... »

Pourtant « un mouvement intérieur de fierté » l'excite. Elle tremble « des dangers auxquels son courage va l'exposer ». C'est la fierté qui l'emportera.

Elle prend certaines dispositions de sécurité. Par crainte d'une confiscation elle fait effectuer le transfert de la propriété de Coppet à Auguste qui, ne pouvant briser ses chaînes, n'accompagnera sa mère que vingt-quatre heures. Il rentrera s'occuper des affaires et des biens de Germaine, et en attendant de pouvoir la rejoindre en Suède, il parlera d'elle avec Fanny Randall... et Juliette.

Le vendredi 22 mai, toujours « déchirée par l'incertitude » Mme de Staël parcourt le parc de Coppet.

« ...Je m'assis dans tous les lieux où mon père avait coutume de se reposer pour contempler la nature, je revis ces mêmes beautés des ondes et de la verdure que nous avions souvent admirés ensemble; je leur dis adieu en me recommandant à leur douce influence... »

Elle passe une heure en prière devant la porte de fer du monument qui...

« ...s'est refermé sur les restes du plus noble des humains, et là mon âme fut convaincue de la nécessité de partir...

...J'allai revoir le cabinet de mon père, où son fauteuil, sa table et ses papiers sont encore à la même place; j'embrassai chaque trace chérie, je pris son manteau que jusqu'alors j'avais ordonné de laisser sur sa chaise, et je l'emportai avec moi pour m'en envelopper si le messager de la mort s'approchait de moi. Ces adieux terminés, j'évitai le plus que je pus les autres adieux, qui me faisaient trop de mal, et j'écrivis aux amis que je quittais, en ayant pris soin que ma lettre ne leur fût remise que plusieurs jours après mon départ. »

Voici celle (23 *mai*), écrite sans doute quelques heures avant sa fuite, qu'elle envoie à Juliette. Étonnée et même froissée d'avoir été tenue dans l'ignorance des secrets de Germaine, Mme Récamier veut un moment courir à Coppet, dangereux dessein dont Germaine et Auguste, chacun invoquant ses raisons, réussirent à la détourner.

« Je vous écris, chère et noble amie, dans un moment de grand abattement. Je viens de voir une lettre de vous à mon fils qui m'a pénétré l'âme. Ah ! qu'il vous voie et qu'il vous voie souvent, c'est tout mon désir. Vous êtes incapable de me l'ôter; et il est bien juste qu'il ait quelque bonheur dans ce monde... Chère amie, quelle générosité dans un mot de votre lettre à A. qui suppute que si je retombais malade, vous viendriez près de moi. Ai-je mérité un tel bonheur? ou plutôt une telle possibilité d'être heureuse, dont je suis séparée? Cela, je vous le jure, si je vis et qu'il y ait un lieu du monde où je puisse vous voir sans vous nuire, rien ne pourra me retenir. Je vous recommande Auguste qui est entré dans mon âme par quelque chose de plus intime encore que nos liens. Vous sentez-vous d'ici embrassée par mon visage baigné de pleurs? Et daignerez-vous lever vos yeux vers le ciel en priant pour moi, lorsque vous recevrez cette lettre? »

Lettre à laquelle elle joint encore un billet de dernière

minute « Je suis fâchée, chère amie, de partir sans vous dire adieu... »

***

A deux heures de l'après-midi, faisant appel à toute son énergie, jouant l'insouciance, annonçant à ses gens qu'elle sera rentrée pour le dîner, Mme de Staël monte dans sa calèche, sans paquets, sans bagage, un éventail à la main. Albertine est dans la même tenue de promenade. Seuls Auguste, Rocca et Eugène, l'homme de confiance, ont bourré leurs poches du strict nécessaire de voyage. A peine les chevaux sont-ils engagés dans l'avenue de Coppet que Germaine se sent défaillir. Auguste lui prend la main : « Ma mère, songe que tu pars pour l'Angleterre ! » Le mot ranime ses esprits...

Quand à l'endroit convenu, le lendemain, près de Berne, Schlegel retrouve les voyageurs, Auguste et Rocca (ce dernier rejoindra plus tard) font demi-tour, et Germaine triomphe enfin de son désarroi.

« ...Une fois l'incertitude finie, je rassemblai mes forces dans mon âme, et j'en trouvai pour agir qui m'avaient manqué en délibérant.

...C'est ainsi que je fus obligée de quitter en fugitive deux patries, la Suisse et la France, par l'ordre d'un homme moins Français que moi; car je suis née sur les bords de cette Seine où sa tyrannie seule le naturalise. L'air de ce beau pays n'est pas pour lui l'air natal; peut-il comprendre la douleur d'en être exilé, lui qui ne considère cette fertile contrée que comme l'instrument de ses victoires? »

Capelle est joué. Il n'apprendra l'évasion que le 4 juin, en même temps que Benjamin, qui note à Gœttingue : « Mal travaillé. Mme de St. est partie. Mon Dieu ! Mon Dieu ! »

TROISIÈME PARTIE

La triste victoire de Mme de Staël
(1812-1817)

« *...J'aurais peut-être mieux fait de vous imiter, mais j'étais née sous les rayons de la gloire de mon père, et j'ai toujours trouvé qu'il faisait froid à l'ombre...* »

(Lettre à Pictet de Rochemont)

« *...Singulière femme... Si elle savait se gouverner, elle gouvernerait le monde.* »

(Benjamin Constant)

I

« *Dieu protège la voyageuse!* »

« Je ne sais encore ce que je ferai... » écrit Germaine à Rocca au moment de quitter la Suisse. C'est plus le sort de Rocca que le sien qui motive ses hésitations. John a encore plus besoin de sa présence qu'elle n'a besoin de sa tendresse. Elle veut l'emmener. Mais comment, atteint dans sa santé, supportera-t-il les fatigues de la traversée de l'Europe ? Et ne risque-t-il pas l'arrestation, l'internement? Il est toujours officier français, en congé... Elle charge et supplie Schlegel d'obtenir du ministre d'Autriche à Berne, M. de Schraut, un passeport pour Rocca. Elle a dit la vérité, toute la vérité à Guillaume « petit-nous » compris sur ses rapports avec John, et le malheureux Schlegel doit avaler cette pilule, plus difficile à passer que les autres. Mais la révélation stimule son zèle. Il ne se révolterait que si sa maîtresse ne l'aimait plus et lui signifiait son congé. Comme il sait, comme il voit que sa place, de choix malgré tout, dans le cœur innombrable n'est nullement menacée, il accepte de se prodiguer en faveur de Rocca.

M. de Schraut accorde le passeport. Germaine repart. Le sort en est jeté. Rocca sera du grand voyage. A Zürich, elle espère rencontrer son vieil ami Henri Meister. Elle le manque et dans le billet qu'elle lui laisse, elle lui souffle ce qu'il doit dire et ne pas dire aux enquêteurs éventuels :

« ... Je m'étais fait un triste plaisir, my dear sir, de vous dire adieu en allant aux eaux, et M. Schlegel est allé vous chercher pour vous confier, sous le sceau du plus grand secret, que j'étais là... Ma santé, vraiment abîmée, m'obligeait à changer d'air... Ne me nommez à personne; peut-être verrez-vous Albert, peut-être M. Rocca viendra-t-il vous parler de moi. Recevez avec obligeance ce qui se recommande de mon nom auprès de vous... »

A Salzbourg, on annonce à Mme de Staël qu'un courrier français est à sa recherche. Elle tremble. C'est l'arrestation ! Non, c'est l'amour... Rocca l'a rejointe précédant de quelques jours Albert de Staël et quatre domestiques dans une berline. A Vienne où elle entre le 6 juin avec tout son monde, l'arrivée de la trop célèbre crée quelques remous. Si elle est fort bien accueillie par le prince de Ligne, Balk, Golowkin et même Gentz, si les ministres étrangers, Stackelberg (Russie) Humboldt (Prusse), Bunge (Suède) lui rendent courtoisement ses visites, elle est traitée avec réserve par la haute société qui la fêtait en 1808. L'Autriche est devenue par mariage l'alliée de la France. La police surveille activement l'adversaire de l'impérial époux de Marie-Louise. Toutes les sorties de Mme de Staël font l'objet de rapports circonstanciés. Par prudence Germaine déclare et présente Rocca comme son secrétaire particulier. Elle loge à « l'hôtel de l'Empereur romain », lui « au Bœuf d'or ». Le 14 elle a un entretien avec Titine O'Donnell, la femme de Maurice qui, retenu par ses obligations militaires (il commande un régiment en Valachie) ne semble pas avoir pu se rendre à Vienne pendant le séjour de Mme de Staël. Désolée, Germaine tentera, sur la route de Cracovie, de faire remettre à Maurice une lettre à son quartier... par Rocca ! Elle voudrait que les deux hommes se connaissent, sympathisent, et se réserver ainsi la possibilité de revoir Maurice sans fâcher Rocca... Mais Rocca n'est pas Schlegel. Il refuse net.

A Vienne, Germaine se prodigue, va aux spectacles, donne des dîners, engage un célèbre danseur français en représentations, Duport, comme professeur pour Albertine; elle parle des événements et du titre « La Troisième Croisade » qu'elle donnera, si elle l'écrit, à la relation de son voyage; mais le cœur n'y est pas. Elle sent l'embarras sous la courtoisie qu'on lui marque; on a en effet hâte de la voir quitter Vienne. Elle-même ne prolonge son séjour que dans l'attente des sauf-conduits pour la Russie que lui a promis le comte de Stackelberg. Enfin, sans même les avoir, elle se met en route, laissant Schlegel et Eugène sur place. Rocca part seul le premier en chaise de poste. Germaine, Albert, Albertine et les domestiques suivent le 22 juin dans une lourde berline attelée de six chevaux qui cueille Rocca sur la route de Brünn où la compagnie arrive le 25 juin. Les passeports russes, concernant Mme de Staël, Albert, Albertine, Schlegel, le secrétaire particulier et quatre domestiques suisses sont entre les mains de Schlegel le 30 juin. Il en avise aussitôt Mme de Staël, en butte à Brünn aux difficultés que lui créent le gouverneur de Moravie et son insolente police. Elle subira mille vexations avant d'être autorisée, sur l'intervention de Vienne, à poursuivre sa route vers Lancut et Lemberg, où la rejoindront le 11 ou le 12 juillet Schlegel, Eugène et Rocca. Celui-ci ne figurant pas sur les passeports autrichiens, s'était vu interdire la berline et l'itinéraire de Mme de Staël.

La traversée de la Galicie n'est pas rendue moins aisée que celle de la Moravie aux voyageurs, soumis à de nouvelles tracasseries à chaque relais. De Wadovice, Germaine répond le 5 juillet à une lettre de Juliette, retransmise sans doute de Vienne ou de Brünn.

« ... C'est au fond de la Moravie, près de la forteresse d'Olmütz, que (vos) paroles célestes me sont arrivées... Mon Dieu, mon Dieu, si l'on ne m'avait pas séparée de vous, je ne serais pas ici. Schlegel est resté à Vienne pour m'apporter de là l'argent du nord qui m'est nécessaire. Je suis donc *seule* avec mon fils et ma fille dans le pays le plus triste de la terre et où l'allemand me semble ma langue maternelle tant le polonais m'est étranger... Déjà on commence à sentir que l'on a quitté l'Europe civilisée. Quelques chants mélancoliques murmurent de temps en temps les plaintes des êtres souffrants qui, lors même qu'ils chantent, soupirent encore. J'ai bien de la peine à défendre mon imagination de l'effet qu'elle reçoit par ce pays. Enfin, il faut aller puisque j'ai commencé. Faites que, de temps en temps, un mot de vous m'arrive qui soit pour le passé ce que la prière est pour l'avenir, un éclat pour l'autre monde. Dites au baron de Voght que je suis sûre que dans ce moment il s'intéresse à moi. Parlez de moi tendrement à Camille. Je vous recommande Auguste. Ah, chère amie, que de sentiments douloureux je réprime pour agir. Ne vous reverrai-je donc pas?... »

A Lancut, le 8 juillet, une soirée heureuse chez le prince Lubomirsky où elle dîne avec le comte Potocki permet à Germaine d'oublier quelques heures les pénibles péripéties de son expédition. A Lemberg, le comte Goess gouverneur de la ville est, par chance, un honnête homme; il s'emploie à corriger la très mauvaise impression que les sottises et les lourdes incorrections des policiers — qui seront tancés — vont donner de la Galicie à l'illustre voyageuse. Réconfortée, Germaine resterait volontiers quelques jours à Lemberg. Mais elle s'effraie d'apprendre que les premiers éléments de la Grande Armée sont entrés en Russie. Elle précipite son voyage; elle est à Brody le 13 juillet et se présente le 14 au poste frontière de Razdinilow.

« ... C'est le 14 juillet que j'entrai en Russie; cet anniversaire du premier jour de la Révolution me frappa singulièrement : ainsi se refermait pour moi le cycle de l'Histoire de France qui, le 14 juillet 1789, avait commencé. Quand la barrière qui sépare l'Autriche de la Russie s'ouvrit pour me laisser passer, je jurai de ne jamais remettre les pieds dans un pays soumis d'une manière quelconque à l'empereur Napoléon...

... l'armée française faisait des progrès rapides, et l'on est si accoutumé à voir les Français triompher de tout au-dehors, quoique chez eux ils ne sachent résister à aucun genre de joug, que je pouvais craindre avec raison de les rencontrer déjà sur la route même de Moscou. Bizarre sort pour moi que de fuir d'abord les Français au milieu desquels je suis née, qui ont porté mon père en triomphe, et de les fuir jusqu'aux confins de l'Asie ! Mais enfin quelle est la destinée, grande ou petite, que l'homme choisi pour humilier l'homme ne bouleverse pas ? »

Elle hésite encore un moment. Faut-il prendre le risque d'une course contre la montre de l'Empereur en gagnant Saint-Pétersbourg, via Moscou, ou faut-il descendre sur

Odessa, renoncer à la Suède et à l'Angleterre pour suivre en Turquie et en Syrie les traces de Richard Cœur de Lion, dont elle veut conter l'aventure dans le cadre des mœurs et de la nature de l'Orient, fière d'évoquer cette grande époque de l'histoire anglaise « où l'enthousiasme des croisades a fait place à l'enthousiasme de la liberté »?

Mais dans l'immense et généreuse Russie où les étrangers, même quand ils ne parlent que la langue de l'envahisseur, sont traités avec de gentils égards, Mme de Staël n'a plus peur. Toutes ses audaces se réveillent. Saint-Pétersbourg, c'est le tsar Alexandre. Stockholm, c'est le prince Bernadotte. Londres, citadelle imprenable de la liberté, c'est la possibilité de publier *De l'Allemagne*, dont elle a le manuscrit original dans ses bagages... Elle choisit la route du Nord. En avant vers l'espérance !

Après Kiew où la plupart des maisons ressemblent à des tentes, où les Russes dans leurs grandes robes bleues serrées autour du corps par des ceintures rouges, se signent en passant devant les églises; où elle est très aimablement accueillie par un aide de camp de Souvarov, le général Miloradowitsch qui voudrait la voir retarder son départ pour l'emmener à un bal chez une princesse moldave, Mme de Staël, quittant l'Ukraine, s'engage sur la route de Moscou. Le récit de son voyage dans *Dix années d'exil* (auquel sont empruntées les citations précédentes et suivantes) est d'un intérêt puissant.

« Quoiqu'on me conduisît avec une grande rapidité, il me semblait que je n'avançais pas, tant la contrée était monotone. Des plaines de sable, quelques forêts de bouleaux, et des villages à grande distance les uns des autres, composés de maisons de bois, toutes taillées sur le même modèle... J'éprouvais cette sorte de cauchemar qui saisit quelquefois la nuit, quand on croit marcher toujours et n'avancer jamais... A chaque instant, on voyait passer des courriers qui allaient avec une incroyable vitesse; ils étaient assis sur un banc de bois placé en travers d'une petite charrette traînée par deux chevaux, et rien ne les arrêtait un instant. Les cahots les faisaient quelquefois sauter à deux pieds au-dessus de leur voiture; ils retombaient avec une adresse étonnante...

... L'on voyait passer des corps de réserve qui se rapprochaient à la hâte du théâtre de la guerre; des Cosaques se rendaient un à un à l'armée, sans ordre et sans uniforme, avec une grande lance à la main, et une espèce de vêtement grisâtre dont ils mettaient l'ample capuchon sur leur tête...

... A moitié chemin, entre Kiew et Moscou, comme nous étions déjà près des armées, les chevaux devinrent plus rares. Je commençais à craindre d'être arrêtée dans mon voyage, au moment même où la nécessité de se hâter était la plus puissante, et lorsque je passais cinq ou six heures devant un poste, puisqu'il y avait rarement une chambre dans laquelle on pût entrer, je pensais, en frémissant, à cette armée qui pourrait m'atteindre à l'extrémité de l'Europe, et rendre ma position tout à la fois tragique et ridicule; car il en est ainsi du non-succès dans une entreprise de ce genre; les circonstances qui m'y forçaient n'étant pas généralement connues, on aurait demandé pourquoi j'avais quitté ma demeure, bien qu'on m'en eût fait une prison, et d'assez bonnes gens n'auraient pas manqué de dire, avec un air de componction, que c'était bien malheureux, mais que j'aurais mieux fait de ne pas partir. Si la tyrannie n'avait pour elle que ses partisans directs, elle ne se maintiendrait jamais; la chose étonnante, et qui manifeste plus que tout la misère humaine, c'est que la plupart des hommes médiocres sont au service de l'événement; ils n'ont pas la force de penser plus haut qu'un fait, et quand un oppresseur a triomphé et qu'une victime est perdue, ils se hâtent de justifier, non pas précisément le tyran, mais la destinée dont il est l'instrument. La faiblesse d'esprit et de caractère est sans doute la cause de cette servilité; mais il y a dans l'homme aussi un certain besoin de donner raison au sort, quel qu'il soit, comme si c'était une manière de vivre en paix avec lui. »

Évoquant son aïeule et ses compagnons durant les haltes de leur course, Mme de Pange, dans *Le dernier amour de Mme de Staël* brosse ce tableau d'un pittoresque réalisme :

« ... Des hommes et des femmes en costumes orientaux regardent avec curiosité ces voyageurs étranges, ce professeur à lunettes d'or, ce fier jeune homme à l'allure militaire, cette jeune fille si belle dont l'aspect angélique et virginal inspire le respect au plus grossier, cette femme d'âge déjà mûr qu'on ne peut se représenter sans un turban, mais qui ne le portait sûrement pas en voyage ! Drôles de gens ! Ils discutent sans arrêt, palabrent à tout moment, mangent à peine. Nous ne parlerons pas de l'hygiène et de la propreté dans une pareille aventure. Plus que jamais Rocca est le « Caliban » [*surnom donné par les Staël à John, pour moquer gentiment son sens pratique, ses précieuses qualités de fourrier*]. Il se surpasse, s'occupe de tout, trouve des chevaux, des vivres, des postillons; sans lui, le voyage serait impossible... »

C'est le 1er août que les fugitifs font leur entrée à Moscou, six semaines avant Napoléon... L'état du peuple, l'absence de « tiers état » en Russie taquinent naturellement Mme de Staël, mais elle se défend d'en tirer des conclusions trop sévères, « à l'occidentale ».

« ... L'immense étendue de l'empire russe fait aussi que le despotisme des grands n'y pèse pas en détail sur le peuple; enfin, surtout, l'esprit religieux et militaire domine tellement dans la nation qu'on peut faire grâce à bien des travers, en faveur de ces deux grandes sources de belles actions...

... dans la grande crise où se trouvait la Russie quand je l'ai traversée, l'on ne pouvait qu'admirer l'énergie de résistance et la résignation aux sacrifices que manifestait cette nation; et l'on n'osait presque pas, en voyant de telles vertus, se permettre de remarquer ce qu'on aurait blâmé dans d'autres temps. »

Elle aime les moujiks simples et religieux et elle regrette qu'on coupe leurs longues barbes — qui donnent « force et dignité à la physionomie » — quand ils deviennent des soldats; elle aime les jeunes paysannes gracieuses qui dansent et chantent des airs célébrant l'amour et la liberté... Elle visite le Kremlin, elle dîne chez la comtesse et le comte Rostopchine dans la maison de campagne que le père de la comtesse de Ségur incendia lui-même, avant l'incendie de Moscou, à l'arrivée des Français. Germaine monte au clocher d'Yvan-Veliki et du haut de la cathédrale pense avec effroi que l'Empereur pourrait se promener sur cette même tour d'où elle admire la ville « qu'allait anéantir sa présence ». Schlegel n'est pas moins enthousiaste. « J'ai vu l'immense ville de Moscou, écrira-t-il à Metternich, rayonner de toutes les coupoles d'or de ses temples, cinq semaines avant qu'elle devînt la proie des flammes. » Germaine se déclare ravie de l'accueil qu'elle reçoit à Moscou où elle voit « les hommes les plus éclairés dans la carrière des sciences et des lettres »; elle déplore toutefois que la plupart des professeurs soient des

Allemands et que les écrivains russes n'aspirent qu'à imiter les écrivains français.

Si l'on veut un aperçu moins général et peut-être plus véridique du bref séjour de Mme de Staël, il faut lire le récit d'une grande dame moscovite, présenté par Pouchkine en 1831 :

« ... Les Russes se mirent en quatre; hommes et femmes accoururent de tous côtés. Ils ne furent pas satisfaits; ils virent une grosse femme de cinquante ans, vêtue d'une manière peu conforme à son âge. Son ton ne plut pas; ses propos parurent trop longs et ses manches trop courtes... »

Au dîner qu'on lui offrit « ... elle était assise à la table d'honneur, accoudée sur la table, roulant et déroulant un petit tube en papier. Elle semblait de mauvaise humeur. Plusieurs fois elle voulut parler et ne put dire ce qu'elle avait à dire. Nos beaux esprits mangeaient et buvaient tout à leur ordinaire; ils avaient l'air beaucoup plus satisfaits de l'*oukha* (soupe de poisson) que de la conversation de Mme de Staël. Les uns comme les autres rompaient rarement le silence, intimement convaincus du néant de leurs propres pensées et tout intimidés de se trouver en présence de cette illustration européenne.

... L'attention des convives était partagée entre le sterlet et Mme de Staël. On était toujours dans l'attente d'un bon mot. Enfin il lui échappa un mot à double entente et même assez vif. Tous saisirent la chose, éclatèrent de rire et un murmure d'admiration se fit entendre. Les invités quittèrent la table, tout à fait réconciliés avec Mme de Staël : elle avait fait un calembour ! Et ils se précipitèrent pour le répandre par toute la ville.

... Comme elle s'est ennuyée ! Comme elle paraissait fatiguée ! Elle a vu ce qu'ils pouvaient comprendre, ces singes de la civilisation. Elle leur a jeté un calembour, et eux se sont jetés dessus ! »

Germaine prend sa revanche à Saint-Pétersbourg où elle arrive le 10 août. Benjamin qui ne cesse de la suivre en pensée et souffre de l'irrégularité des nouvelles, a noté le 6 : « Travaillé. Dieu protège la voyageuse ! » C'est à Saint-Pétersbourg, où elle voit en arrivant flotter au haut d'un mât sur la Néva le pavillon anglais « signal de la liberté » que Germaine retrouve enfin l'Europe, la culture, le luxe, l'atmosphère des grands salons princiers où elle peut s'épanouir et briller. Le cercle des ennemis de Napoléon s'ouvre pour faire fête à l'auteur de *Corinne* « conscience » de l'Europe outragée. De ses fenêtres, Germaine voit la statue monumentale de Pierre le Grand qui porte, gravé sur le socle « A Pierre premier, Catherine seconde ». La ville aux rues « modernes » l'éblouit avec ses maisons neuves toutes blanches, et les quais de granit de là Néva l'enchantent. Elle ne quittera Pétersbourg que le 8 septembre, après avoir souhaité bonne chance au vieux prince maréchal Koutouzof qui part prendre le commandement des armées russes en retraite. Elle s'est liée avec les Allemands Arndt et le baron von Stein; les Anglais lord Tirconnel, l'amiral Bentinck, Sir Robert Wilson; l'Autrichien Franz Fidelis Jubele, héros de la guerre du Tyrol; Alexis de Noailles, le seul français présent en Russie; enfin avec tous les Russes, Varischkine le grand chambellan, Gallitzin, Dolgorouki, Romanzoff et le fastueux comte Orloff chez qui elle lira dans son île, après dîner, en petit comité, le dernier chapitre de *l'Allemagne* sur l'enthousiasme... Stein écrit le lendemain (31 août) à sa femme : « ...Cette lecture m'a fortement ému... Peut-être pourrais-je en copier quelques passages pour les joindre à ma lettre...»

Mais ces succès littéraires et mondains, dont sa vanité s'amuse, ne sont rien... Germaine va éprouver à Pétersbourg des satisfactions autrement stimulantes. L'amitié intéressée du tsar Alexandre qui fait, en la flattant, entrer Mme de Staël dans le jeu russo-suédois, rend à la fille de Necker ses énergies et ranime en elle la flamme de l'ambition politique qu'a étouffée Bonaparte quinze ans plus tôt, la flamme qui la brûlait si fort quand elle rêvait, poussant Narbonne, de sauver Louis XVI, la révolution et la paix...

Mme de Staël n'est plus la fugitive à demi traquée, la proscrite dont on s'écarte, l'amoureuse ridicule qui défraie la chronique scandaleuse et que condamne à voix haute le tout Genève. Par la faveur que lui témoigne le tsar, les entretiens dont il l'honore, le cas qu'il fait de ses avis, la discrète façon dont il l'enrôle, elle peut enfin passer de l'ombre glacée de l'exil dans l'ombre glorieuse du pouvoir. Tel est donc, pense-t-elle, le sens profond de cette folle traversée de l'Europe ! Elle est donc venue se relier à sa jeunesse, à son destin ! La voici donc en mesure de prendre sa revanche, sans mesquinerie ni basse colère, sur le plan le plus élevé !

En entrant à Pétersbourg dans les coulisses de ce qui va devenir la grande Coalition de 1813, Mme de Staël a la conviction profonde de travailler non seulement à la chute du tyran, mais à la résurrection de l'Europe, à la protection de la France. Le langage habile d'Alexandre l'entretient dans cette espérance.

« Monarque absolu par les lois comme par les mœurs, et si modéré par son propre penchant », le tsar apparaît à Germaine un homme séduisant, instruit, spirituel, qui parle un français modulé et montre en pleine force, à trente-cinq ans, une tranquille confiance dans le sort de la guerre. On le voit d'autant moins inquiet des premiers revers de ses armées qu'il les dissimule. Il annonce à Bernadotte comme une victoire, la bataille de la Moskova, que Koutousof, expliquera-t-il par la suite, n'a pas su exploiter. Alexandre a d'ailleurs adopté le principe russe d'une guerre lente, de dérobade aux grands combats, destinée à affaiblir et à démoraliser l'ennemi éloigné de ses bases .« ... Que Votre Altesse se persuade, écrit-il à Bernadotte dès le 1er juillet, que puisqu'une fois elle (la guerre) est commencée, ma ferme volonté est de la faire durer des années, dussé-je combattre sur les rives de la Volga... »

Touchée au plus haut point par l'intérêt qu'il lui porte et « la noble simplicité » avec laquelle « comme l'auraient fait les hommes d'État de l'Angleterre » il l'entretient des plus hauts problèmes. Germaine se laisse exalter par le libéralisme du généreux despote qui entend améliorer la misérable condition de son peuple et l'arracher à l'esclavage. « Sire, votre caractère est une constitution pour votre empire, et votre conscience en est la garantie... »

Que cherche Alexandre? Il s'est allié à la Suède le 5 avril. Par l'entrevue d'Abo du 24 août, il veut assurer à la Suède, pour compenser la perte de la Finlande qu'il a conquise, la possession de la Norvège. Il promet un corps d'armée de 35.000 hommes à Bernadotte. Alexandre tient en très haute estime la science stratégique de l'ex-maréchal de France. Il lui donne régulièrement des nouvelles des opérations et le remercie avec chaleur de ses encouragements comme de ses critiques. Mais la fidélité d'un allié a toujours besoin d'être contrôlée et chauffée. Surtout pendant les périodes critiques... L'avance foudroyante de Napoléon, la prise de Smolensk, l'arrivée à Moscou, si elles n'ébranlent pas la confiance d'Alexandre, ont un fâcheux effet sur l'opinion. Il n'en faut souvent pas davantage pour altérer le métal des meilleures alliances... De Moscou Napoléon peut à nouveau faire miroiter aux yeux de Bernadotte, comme il le fit vainement en mars, de séduisantes perspectives au sujet de la Finlande et de cette Norvège que la Russie n'est pas actuellement en mesure d'aider la Suède à conquérir. Sans doute Bernadotte hait l'Empereur et souhaite sa chute, mais l'intérêt de la Suède est maintenant la seule loi du prince Charles-Jean, futur Charles XIV. « Je ne puis dire qu'il m'ait trahi, dira Napoléon à Sainte-Hélène, son devoir était d'être Suédois... Je puis l'accuser d'ingratitude, non de trahison... »

Sans doute le remarquable homme de guerre qui dressera les plans de la bataille de Leipzig ne se laisse pas troubler, comme beaucoup (Metternich, ne comptant « ni sur la fermeté d'Alexandre, ni sur la valeur de ses plans, ni sur l'influence du climat et les approches de l'hiver » joue en septembre la Russie perdante); sans doute Bernadotte dans un mouvement généreux rend à Alexandre la libre disposition du corps de 35.000 hommes dont il attendait toujours l'arrivée; sans doute écrit-il au tsar, après avoir exprimé « tout le chagrin » que lui cause la prise de Moscou et l'effet de stupeur qui en résulte à travers l'Europe,

> « ... Napoléon peut gagner la première, la seconde, la troisième bataille... la quatrième sera indécise, et si Votre Majesté persévère, elle gagnera la cinquième...,

mais la situation est mouvante, difficile, empêchant effectivement la Russie de tenir ses engagements à l'égard de la Suède... L'Angleterre qui espère détacher le Danemark de l'alliance française demande de son côté à Charles-Jean d'ajourner l'expédition norvégienne... Or si le prince héritier que ces délais irritent et gênent change de camp avant que la Grande Armée soit contrainte à la retraite, la Russie est perdue (« ... La moindre patrouille suédoise, déclarera Napoléon amer, à Paris, aurait pu s'emparer de Pétersbourg ! ») Enfin Napoléon est un adversaire trop coriace, trop puissant, trop prompt à se ressaisir pour qu'on puisse espérer l'abattre sans à-coups. Pour toutes ces raisons et d'autres qui en découlent Alexandre a besoin de ménager Charles-Jean et de s'assurer en même temps la plénitude de son concours.

Or le jeu du hasard et des circonstances qui, en expédiant sur les marches du trône suédois un vaillant capitaine béarnais, ennemi de Bonaparte et deux fois son rival (sur les champs de bataille et sur le cœur de Désirée Clary...) servit le tsar une première fois, le sert à nouveau en plaçant au service de sa diplomatie une ardente ambassadrice bénévole, la plus illustre des ennemis de l'Empereur, amie de Bernadotte par surcroît...

Il n'est naturellement pas question qu'Alexandre charge Mme de Staël de quelque mission que ce soit. Le tsar se contente d'exposer librement devant elle ses projets, ses espoirs, ses vues politiques; et de louer les hautes qualités, militaires, politiques, humaines, du plus intelligent des lieutenants de l'Empereur. Enfin, il marque le très haut prix qu'il attache à l'alliance du prince héritier suédois en indiquant qu'il serait prêt à lui offrir la main de sa sœur, la grande duchesse Catherine (refusée à Napoléon en 1810) si Charles-Jean se décidait un jour à répudier Désirée qui n'a pas voulu rester à Stockholm où elle s'ennuie...

Quand Germaine quitte Pétersbourg le 8 septembre, la situation de la Russie qui est loin d'être encourageante ne va cesser de s'aggraver jusqu'à la retraite de Moscou. Certes Alexandre a confiance — confiance en la Russie — comme Pierre Ier, quatre-vingt-quinze ans plus tôt, eut confiance à Poltava, comme Staline, cent trente ans plus tard, aura confiance à Stalingrad, mais le tsar ne souhaite pas seulement la défaite de Napoléon sur le sol russe, il veut une revanche complète, la déposition de l'Empereur et l'entrée des troupes russes à Paris effaçant l'entrée des françaises à Moscou. Pour qu'une telle victoire soit possible, et surtout durable dans ses effets, Alexandre qui ne croit pas à ce moment au retour des Bourbons,

« race usée », a besoin, voyant loin, de se ménager la reconnaissance, voire l'amitié du futur maître de la France. Aussi veut-il saluer en Charles-Jean, prince de Suède, ex-maréchal de France, né Béarnais comme Henri IV, un candidat très recommandable à la succession de Bonaparte. Ce qu'il en laisse entendre à Mme de Staël ne tombe pas dans une oreille sourde.

Cet avancement royal aurait, on le sait, comblé de joie Bernadotte dont l'action auprès des coalisés après Leipzig sera tout entière commandée par son souci de protéger la France, de lui épargner les horreurs de l'invasion et de l'occupation. Il ne veut que la chute de l'Empereur. Il entend justifier ainsi aux yeux des Français son alliance avec les ennemis de Napoléon et gagner la sympathie de ses anciens compatriotes et, espère-t-il, futurs sujets... Il sait qu'Alexandre, qui veut être le généreux libérateur de l'Europe, rejoint ses vues, mais il est très heureux d'en recevoir une amicale confirmation de la bouche de Mme de Staël. Avec l'appui du souverain russe et de la reine de l'opposition française à Bonaparte, Bernadotte peut caresser de près sa chimère et, oubliant Talleyrand, se croire déjà roi de France... Sa déconvenue, en 1814, sera profonde.

II

C'est un bel homme, ce Béarnais...

Après une traversée dramatique de la Baltique, comportant une escale forcée sur un îlot du golfe de Bothnie, Germaine arrive à Stockholm le 24 septembre 1812 avec Rocca, Schlegel, Albert et Albertine. La voici à l'abri des entreprises de Napoléon sur ce sol suédois, patrie d'Eric si longtemps dédaignée...

Une des conditions de son contrat de mariage stipulait qu'elle ne serait jamais contrainte de toucher la Suède. Aujourd'hui, elle revendique la nationalité suédoise pour ses deux fils qu'elle place sous la protection de Bernadotte, encore moins Suédois qu'elle... Charles-Jean qui réserve à l'illustre proscrite, son ancienne alliée — il complotaillait déjà avec Mme de Staël en 1802 — le plus chaleureux accueil, se réjouit comme elle l'espérait d'avoir à s'occuper des fils d'un ancien ambassadeur de Suède. Il nomme le turbulent Albert officier au régiment des hussards de la Garde. Auguste — toujours prisonnier, non de Juliette qu'il ne voit hélas qu'irrégulièrement (elle refuse de venir à Coppet) mais de sa passion — se verra offrir à son arrivée à Stockholm, retardée de mois en mois, un poste diplomatique. Il n'est pas jusqu'aux services de l'érudit « précepteur » Guillaume Schlegel que Charles-Jean ne veuille utiliser. A la vive satisfaction de Rocca qui restera seul avec Germaine, Bernadotte emmènera à son quartier général comme secrétaire particulier et conseiller allemand « l'esclave » soudain affranchi. Le premier rapport de Schlegel, ravi de travailler aussi directement au réveil de l'Allemagne, expose « le moyen de former une insurrection nationale » dans les pays germaniques... Germaine souffre de l'absence de Schlegel à un moment où sa cour se trouve si réduite, mais elle y gagne de garder le contact avec Charles-Jean... Schlegel la tient régulièrement au courant des événements et de la diplomatie. Elle peut, par son intermédiaire, donner au prince, trop occupé pour lui écrire régulièrement, les suggestions et les conseils qu'il l'a priée de lui adresser.

C'est un bel homme ce Béarnais avec ses yeux de feu, son grand nez, ses cheveux noirs, son affabilité, son charmant sourire... L'âge et les épreuves aidant, le bon sens fait de réels progrès dans le sang de Germaine mais l'imagination est toujours aussi vive, aussi folle. Il arrive ainsi à Mme de Staël de rêver que si le prince héritier répudiait, comme l'envisage Alexandre, la capricieuse Désirée, cela pourrait ne pas être au profit de la grande duchesse Catherine. Germaine pourrait aussi de son côté se rendre libre... John, bien sûr, serait très malheureux, mais comment oserait-il empêcher la femme qu'il adore de devenir peut-être... reine de France? Hélas, ce n'est qu'un rêve. Bernadotte a cela de commun avec Bonaparte que l'ambition l'occupe tout entier et qu'il s'estime lié par le mariage. Désirée a beau se montrer aussi frivole que Joséphine, il lui restera fidèle et c'est elle qui sera reine... de Suède.

Charles-Jean, quoique Béarnais, ne semble pas d'ailleurs manifester l'ardeur extrême qui brûlait le roi de Navarre. En 1800, après avoir rendu un grand service à Juliette Récamier, c'est à peine s'il cherche à bénéficier auprès d'elle d'un tour de faveurs. Il se trouvait à l'Opéra dans la loge d'Élisa Bacciochi quand il vit entrer en larmes la belle Juliette venue implorer la protection de la sœur du Premier Consul. Fouché avait fait arrêter M. Bernard. Ennuyée d'avoir à quitter le spectacle, Élisa laissa volontiers Bernadotte s'occuper de Mme Récamier. Le général la reconduisit chez elle et fut assez heureux pour obtenir dès le lendemain la libération de son père. Juliette n'eût certainement pas demandé mieux que d'enchaîner Bernadotte de sa reconnaissance. Mais il était déjà le mari de Désirée Clary et il sut placer entre Juliette et lui un gentil fossé d'amitié.

L'amitié ! Germaine sait en cet automne 1812 qu'à moins d'une surprise, elle ne doit plus compter que sur l'amitié. Elle a vu s'éloigner l'homme qu'elle a le plus aimé. Il s'est marié, comme les autres, comme Maurice, comme Pedro, comme Prosper, pour avoir une raison légale de la fuir. Le temps des idylles est passé. Schlegel lui-même se laisse distraire par la politique. La joie d'être le conseiller d'un prince au profit de sa chère Allemagne lui donne le sentiment de son importance et l'émancipe pour la première fois depuis huit ans. Il ne reste plus à Germaine qu'une certitude, l'amour de John, seul homme à ne pas voir ce qu'elle est devenue, une femme qu'on admire et chaque jour davantage mais dont le public se moque cruellement.

Au grand bal de l'Amaranthe, à Stockholm, dont on lui fait les honneurs, son arrivée provoque une vive déception. « Hélas ! une illusion s'écroule », écrit la baronne Sophie von Knorring, évoquant quelque vingt ans plus tard ses souvenirs de la soirée.

« ... Chez elle, pas un trait de Corinne ou de Delphine. C'était une femme corpulente, très ramassée, sans trace de grâce dans ses mouvements; elle portait toujours la tête rejetée en arrière et semblait sans cesse regarder au plafond de ses yeux vifs et mobiles; par suite de cette attitude, elle avait toujours la bouche entr'ouverte, même quand elle ne parlait pas, ce qui n'était pas souvent le cas. De sa toilette, on ne remarquait guère que le turban lourd, volumineux, bigarré, enroulé autour de la tête et qui semblait presque pendre sur la nuque... Sa fille Albertine était la jeune personne la plus vive, la plus naturelle, la plus libre que j'aie jamais vue... elle était à mes yeux vraiment belle, malgré ses cheveux carotte et de nombreuses taches de rousseur; mais sa taille et tous ses mouvements étaient extrêmement agréables... Elle était plus drapée qu'habillée et chaque fois que ces draperies tombaient de ses épaules, M. Rocca était prêt à les relever, ou, quand la chevelure croulait, à la remonter...

« ... Je dansai avec mon cavalier... à côté de nous se trouvait le baron de Staël junior [*Albert*] et je pus voir sa longue personne, non pas désagréable, certes, mais combien gauche !...

Il dansait dans tout son équipement de guerre, acheté une demi-heure avant le bal, disait-on... Je voudrais pouvoir décrire d'une manière vivante cette soirée, peindre ce mélange de curiosité, d'étonnement, d'admiration, de ravissement, de moqueries et de rires que cette famille étrangère éveilla chez plusieurs, au point qu'on oubliait tout le reste ! Mais comme devant tout phénomène, on se lassa de les regarder après quelques moments... »

Germaine n'en est pas moins hautement satisfaite. Elle se sent enfin saluée selon ses mérites. De Genève, Sismondi écrit à Mme d'Albany :

« J'ai trouvé ici des lettres de Stockholm et de la mère et de la fille, pleines de tendresse et d'expression de regret pour leurs amis, mais en même temps du sentiment qu'elles sont désormais à leur place, qu'elles sont rentrées dans leur dignité, dans leur liberté, que l'accueil flatteur qu'on leur fait, que l'intérêt vif qu'on leur témoigne doit remplacer pour elles ce qu'elles ont perdu. Ici, [*à Genève*] j'ai trouvé le fils [*Auguste*] abattu et découragé... Il a passé de ce mouvement continuel, de ce festin somptueux de l'esprit à la plus triste solitude... » (15 *décembre* 1812).

Quand elle apprend au début d'octobre la prise de Moscou, Mme de Staël court au palais royal, très effrayée. Elle voit déjà le tyran vainqueur d'Alexandre, prêt à la chercher en Suède pour la ramener sur son char de triomphe... Bernadotte la rassure. Il reçoit devant elle le ministre d'Autriche et d'autres envoyés inquiets. Il leur impose sa confiance : — Napoléon est dans la seconde capitale de l'empire russe, et il est perdu. Vous pouvez annoncer à votre cour que tel est mon avis sur cet événement.

L'absence d'Auguste et surtout les raisons de cette absence, dont les lettres du chevalier de Juliette, si peu pressé de traverser l'Europe à son tour, révèlent qu'elles ne sont combattues que mollement par l'incorrigible coquette, a commencé de ralentir le courant de tendresse qui unit les deux souveraines. Depuis Pétersbourg, Germaine a dans ses papiers une lettre de Juliette qui, se sentant coupable, reproche à son amie de l'aimer moins. Germaine ne répond de Stockholm que le 29 septembre.

« Chère amie... je ne puis vous dire le mal que ce doute m'a fait... C'est me mépriser que de ne pas croire que je vous aime... ce n'est point une simple relation que la mienne avec vous. Il y a du sang et des larmes entre nous... Ne m'offensez plus en ne me comprenant pas dans mes rapports avec vous, vous qui me comprenez si bien dans tout le reste...

« ... La personne que je recherche ici [*Bernadotte*] me dit tout ce qu'il y a de plus tendre. J'ai bien à me louer d'elle et je dois désirer qu'Auguste profite de ses bonnes dispositions. Renvoyez-le vers le mois de mars. C'est à vous que je le demande... Je n'ai d'autre projet que de rester ici... j'y attendrai Auguste. C'est un parti, celui-là, qui tient à la raison et à la faiblesse tout ensemble. Car ce séjour m'offre bien peu de ressources et j'y gèle déjà quoiqu'on soit très bien pour moi. Mais mon hôte me plaît et je lui dois beaucoup jusqu'à présent... »

Le 18 octobre, quelques jours avant le coup de force à Paris du général Malet qui sera fusillé le 23, Germaine reparle d'Auguste un peu plus longuement et, espère-t-elle, plus habilement, à Juliette.

« ... notre ami commun [*Bernadotte*] m'offre pour Auguste une existence qui me paraît réunir tous les avantages. Il commencera sa carrière diplomatique en Amérique et, de là, il ira où les circonstances me placeront. C'est très heureux qu'il puisse tout à la fois faire mes affaires de fortune et commencer sa carrière. Je reste donc ici pour l'attendre et je demande à votre générosité de me l'envoyer le plus tôt possible. Le voyage est encore faisable. Il peut cesser de l'être d'un moment à l'autre...

« ... C'est un pays très triste que celui que j'habite. Notre ami commun m'y intéresse; mais le ciel et la terre y sont bien près. Le grand procès [*la guerre*] néanmoins est mieux suivi là que partout ailleurs. Et je me partage entre cette pensée et le travail [*elle écrit « Dix années d'exil »*]. Ma santé néanmoins est fort éprouvée par ce climat. Je m'étais remise par le voyage. Mais je reviens à souffrir.

« ... Écrivez-moi quelque chose que je puisse montrer à notre ami commun. Rappelez-moi aussi si vous le pouvez à l'ami marié que j'ai vu à Saumur [*Prosper*]. Hélas ! que ce temps est éloigné. Y pense-t-il encore ?... »

Deux mois plus tard, dans une lettre où, par prudence sans doute, Germaine ne fait encore aucune allusion à la déroute de la Grande Armée, nouvelle imploration : « Soyez assez généreuse pour donner du courage et de la promptitude à mon fils. » Sans doute le fait que nous ne disposions d'aucun texte de Mme Récamier peut rendre injuste à son égard, mais une lettre de Germaine (26 janvier 1813) marque en tout cas que Juliette se refuse à prendre au sérieux les alarmes de son amie. Angoissée, Germaine ira jusqu'à suggérer à Juliette, si elle ne veut pas lâcher Auguste, de venir avec lui à Stockholm !

« J'ai été bien touchée de votre petite lettre, ma chère Juliette. Je sens ce qu'il doit vous en coûter de vous séparer de votre jeune ami, mais si vous saviez mes motifs, vous décideriez comme moi. Il ne pourrait plus aller où vous êtes, ainsi la séparation existerait toujours, et de plus il serait dans une position très alarmante pour sa santé. Enfin, quel que soit votre empire sur son âme, il se perd par l'oisiveté, il écrit des phrases à la Benjamin sur la vie, il n'a point d'activité ni de développement, et il est fait pour l'un et l'autre...

« ... Je sais que vous me répondrez que vous ne le retenez pas, mais vous savez mieux que moi que sa disposition dépend de vous. Donnez-lui, chère amie, la force de ce qu'il doit faire. La nécessité l'exige; pourquoi rendre cette nécessité pénible? Le dirai-je? pourquoi gâter mes relations avec lui en m'obligeant à lui déclarer une volonté positive, quand il m'eût été doux de n'en avoir pas besoin? Enfin, je conçois ce qu'il souffre et je l'ai senti en vous quittant; mais pourquoi ne ferions-nous pas, s'il le faut, de ces lieux, un lieu de rendez-vous? Vous y êtes si désirée !... Enfin, tout ce qui se pourra pour se réunir à vous, je le ferai. Espérons dans les événements qui sont maintenant si imprévus qu'on ne peut se décourager de l'espérance... »

Ce sont en effet maintenant « les événements » qui passent au premier plan de toutes les préoccupations. En janvier, au cours de la seconde entrevue d'Abo, Alexandre a formellement promis à Charles-Jean, si la victoire finale le permet, de le pousser « de toute sa force » sur le trône de France.

Dans le clan des Staël chacun brûle de servir, à sa façon, de sa meilleure plume, la cause commune. Cela débute en février 1813 par la publication anonyme à Hambourg d'un pamphlet contre la politique napoléonienne, inspiré par Germaine, rédigé par Schlegel *Sur le système continental et sur ses rapports avec la Suède.* C'est aussi une sorte de manifeste, un « appel à l'esprit public européen », excellent instrument de propagande. En avril paraît à Stockholm sous la signature de Mme de Staël les *Réflexions sur le Suicide*, revues et complétées par une épître dédicatoire au prince royal de Suède qui donne à l'essai, au départ moral et religieux, une orientation nettement politique.

« J'ai écrit ces réflexions sur le suicide dans un moment où le malheur me faisait éprouver le besoin de me fortifier par le secours de la méditation. C'est près de vous, Monseigneur, que mes peines se sont adoucies; mes enfants et moi nous avons fait comme ces bergers d'Arabie qui, lorsqu'ils voient venir l'orage se retirent à l'abri du laurier...

« ... Un Français disait de vous Monseigneur, que vous réunissiez la *chevalerie du républicanisme* à la *chevalerie de la royauté*... Vous respectez les droits de cette nation [*la Suède*], par penchant et par conscience, et l'on vous a vu, dans plusieurs circonstances difficiles, aussi fier des barrières constitutionnelles, que d'autres en seraient impatients...

« Poursuivez, Monseigneur, la carrière dans laquelle un si bel avenir vous est offert, et vous montrerez au monde... que les héros vraiment magnanimes ne se croient supérieurs aux autres hommes que par les sacrifices même qu'ils leur font. »

La dernière page de l'essai-carquois montre l'auteur lançant sa dernière flèche.

« ... Ce qui coûte le plus aux Français, c'est d'être éloignés de leur patrie : en effet, quelle patrie ne possédaient-ils pas avant que les factions l'eussent déchirée, avant que le despotisme l'eût avilie? Quelle patrie ne verrons-nous pas renaître, si c'était la nation qui disposât d'elle?

« L'imagination se représente cette belle France qui nous accueillerait sous son ciel d'azur, ces amis qui s'attendriraient en nous revoyant, ces souvenirs de l'enfance, ces traces de nos parents que nous retrouverions à chaque pas; et ce retour nous apparaît comme une sorte de résurrection terrestre, comme une autre vie accordée ici-bas; mais si la bonté céleste ne nous a pas réservé un tel bonheur, dans quelques lieux que nous soyons nous prierons pour ce pays qui sera si glorieux, si jamais il apprend à convoiter la liberté, c'est-à-dire la garantie politique de la justice. »

Rocca lui-même tient sa place dans l'orchestre offensif. Il achève et met au point sous l'actif contrôle de Germaine ses *Mémoires sur la guerre d'Espagne*, condamnation froide et précise des méthodes de guerre napoléoniennes. Mais quand le livre paraîtra, l'année suivante, à Londres, Germaine fera sauter la préface dont elle l'a orné, l'abdication de l'empereur l'ayant rendue inutile...

***

A la fin de février 1813 Mme Récamier, sur les instances de Mathieu, se décide à quitter Lyon où elle séjourne depuis sept mois et où Camille Jordan vient de lui présenter le philosophe Ballanche. Elle part pour Rome avec sa petite nièce Amélie et une femme de chambre, ne laissant à Auguste, raisonné aussi par Mathieu, que la ressource de traverser tristement l'Europe pour aller se faire consoler par sa mère. Auguste ne s'y résigne qu'en avril. A cette date la situation en Europe est redevenue incertaine et le désastre de l'hiver est presque oublié, même par Napoléon qui a déjà levé une autre Grande Armée.

— Après tout, qu'est-ce que tout ceci me coûte? dit l'empereur à Narbonne en parlant de la retraite de Russie, ... 300.000 hommes, et encore il y avait beaucoup d'Allemands là-dedans... Il ne doute pas un instant d'écraser la Coalition avant qu'elle ait pris de la consistance. Il croit aussi que la couronne de Marie-Louise impressionne Metternich et que l'Autriche n'osera pas porter les armes contre la France. Il espère même encore détacher la Suède de la Russie, et il fait proposer à Charles-Jean un morceau de la Norvège et le retour de la Finlande en échange d'un bon accord militaire franco-suédois.

Bernadotte s'offre alors la satisfaction d'envoyer à son ancien chef la fameuse lettre du 23 mars 1813 que Napoléon feindra ne pas avoir reçue.

« ... Du moment que Votre Majesté s'enfonça dans cet immense empire, l'issue ne fut plus douteuse. Votre armée — l'élite de la France, de l'Allemagne, de l'Italie — n'existe plus. Là-bas sont restés sans sépulture les braves qui sauvèrent la France à Fleurus, les Français qui vainquirent à Marengo, à Austerlitz, à Iéna, à la Halle, à Lübeck, à Friedland.

« Qu'à ce tableau déchirant, Sire, votre âme s'attendrisse, et, s'il le faut, pour achever de l'émouvoir, qu'elle se rappelle la mort de plus d'un million de Français restés sur le champ d'honneur, victimes des guerres que Votre Majesté a entreprises...

« Pour ce qui concerne mon ambition personnelle, j'en ai une très grande, je l'avoue. C'est celle de servir la cause de l'humanité et d'assurer l'indépendance de la péninsule scandinave ».

La riposte de Napoléon ne se fait guère attendre. Il quitte Paris le 15 avril pour l'armée du Mein. Il prend le commandement le 26, à Erfurt et le 2 mai, c'est Lützen où il enfonce les Russes et les Prussiens. Moins de trois semaines plus tard, il les défait à nouveau à Bautzen. Le génie du petit Caporal paraît intact. La Coalition inquiète s'interroge. Faut-il poursuivre? Faut-il traiter? Mais Metternich, tout en félicitant Napoléon de ses victoires, pousse Alexandre et Frédéric-Guillaume à la résistance, cependant que l'Angleterre offre 33 millions à la Russie et 17 à la Prusse pour sa participation à la poursuite des hostilités. Agréé comme médiateur, Metternich fait habilement signer le 4 juin un armistice qui restera en vigueur jusqu'au 28 juillet et que Napoléon, trop confiant, a grand tort d'accepter. Entre temps, sachant bien que l'Empereur refusera, Metternich vient lui donner connaissance à Dresde des conditions de paix des coalisés. Elles sont simples : évacuation de toute l'Europe jusqu'au Rhin, Espagne et Italie comprises, la France gardant ses frontières naturelles. — On veut que je me déshonore? Jamais! répond Napoléon. Je ne céderai pas un pouce des territoires conquis. Vous n'êtes pas un soldat, vous ne savez pas ce qui se passe dans l'âme d'un soldat...

L'heure de Bernadotte va sonner, car ce sont ses excellents plans stratégiques d'encerclement progressif qui seront adoptés par la Coalition. Quand Auguste débarque à Stockholm au début de mai après avoir été saluer le prince héritier à son Q.G. d'Helsingborg, Germaine ignore encore le résultat de la bataille de Lützen, mais Bernadotte et Schlegel, celui-là plein de confiance, celui-ci, d'exaltation, la protègent contre les dépressions. « Voilà Auguste arrivé, écrit-elle gentiment le 10 mai à « l'esclave », mais rien ne peut guérir la blessure de votre absence... »

Sa correspondance avec Schlegel est une suite d'affectueux bulletins d'information et de questions sur la situation diplomatique et militaire; et tous chargés d'admiration et d'éloges à transmettre à Charles-Jean, en qui elle place alors tous ses espoirs.

« ... J'ai trouvé Auguste tout désorganisé, mais j'espère le remettre. Ah ! si vous étiez ici ! Mais vous êtes mieux là-bas. Remerciez le Prince pour moi de son aimable accueil à mon fils. Dites-lui bien, au Prince, que je suis à lui, à la vie, à la mort... Dites à Albert que je lui ai écrit le dernier courrier, que son frère se désole de ne pas l'avoir vu, et vous, songez que vous êtes de la famille; et revenez au nid, quand vous aurez fini votre noble entreprise... »

Elle écrit aussi à Juliette. Dans cette lettre blessée (19 mai) apparaît une fois de plus l'élégance dont elle sait parer ses déceptions.

« Mon fils ne m'a rien apporté de vous, ma chère amie; j'ai cru voir dans ce silence un reproche tacite du parti que je le forçais de prendre, et dont votre générosité lui a donné la force. Ce serait une grande douleur pour moi que d'avoir perdu votre affection par l'accomplissement d'un devoir qu'il m'est impossible de ne pas regarder comme impérieux. Si vous saviez comme il perdait son temps. Quelle indolence ! Quel trouble dans ses facultés ! Enfin dans quel état il a passé cette année...

« ... Si, ce qu'à Dieu ne plaise, tout est de même dans deux ans, venez ici, Auguste et moi nous reviendrons de nos deux Amériques pour vous y recevoir. Il me paraît vraisemblable qu'à cette époque la destinée de ma fille sera fixée, et je serai toute à vous si vous voulez encore de moi. Quant à lui, mon fils, je voudrais, ce qui est loin de ma pensée, lui faire prendre des liens, qu'il n'y consentirait pas. Je ne l'ai jamais vu plus préoccupé de vous. J'ai même été blessée, je vous l'avoue, de la douleur qu'il m'a montrée dans un moment où je l'attendais avec une bien vive anxiété depuis deux mois. Son retard lui a beaucoup nui. Il n'a vu qu'un instant sous sa tente votre ancien ami [*Bernadotte*] qui serait très heureux de vous revoir... Il a besoin d'émulation. Il a des moyens, mais le ressort de l'action lui manque et il sera plus heureux et meilleur quand il aura une carrière... »

Maintenant que la voici à demi rassurée sur l'avenir de ce grand enfant de vingt-trois ans qui a été tout de suite nommé « gentilhomme de la chambre », et sera bientôt chambellan à la Cour avant d'être désigné pour les États-Unis ou le Brésil comme agent diplomatique, Germaine est impatiente de passer en Angleterre, son « semi-paradise »... Elle espère y trouver un parti digne d'Albertine qui vient d'avoir seize ans et elle veut y publier *L'Allemagne.* Elle n'a qu'une appréhension : la traversée. « Priez pour notre passage, écrit-elle à Schlegel, vous savez quelle peur la mer me fait... » Elle évoque non seulement ses terreurs de l'été passé dans la Baltique, mais plus encore peut-être ses souvenirs d'enfant, lorsqu'avec son père et sa mère épouvantée, elle franchit, en 1776, pour la première fois le Pas-de-Calais... qu'elle devait affronter à nouveau en 1793.

Elle s'embarque au début de juin, laissant Schlegel au quartier général du prince, Auguste à la Cour, Albert à l'armée. Elle n'emmène qu'Albertine et Rocca. Mais elle doit très vite dans la prude et rigoriste Angleterre écarter « Caliban », secrétaire privé qui risquerait de paraître « intime » et compromettrait même Albertine qui lui marque ingénument un peu trop d'amitié. Germaine qui a été reçue à Londres « au-delà de toute expression, c'est une bonté et un empressement dont vous ne pouvez vous faire l'idée... » n'est plus en âge ni en situation de défier l'opinion, comme au temps de Juniper Hall où elle affichait sa liaison avec Narbonne. Le cher Narbonne, le léger, l'oublieux, est passé aujourd'hui au service du tyran qu'il encense, depuis le 5 mars... Narbonne est ambassadeur à Vienne de l'Empereur. Il viendra lui transmettre à Dresde le 14 juillet la déclaration de guerre de l'Autriche...

Mme de Staël se voit donc obligée d'éloigner Rocca qui ne saurait l'accompagner dans les fastueuses réceptions organisées à Londres en l'honneur de la plus illustre ennemie de Napoléon. Germaine envoie John un mois à Bath dont les eaux sont excellentes, paraît-il, pour ce qu'il a... Le manuscrit de *l'Allemagne*, d'une actualité brûlante, mais dépassée et presque gênante, est déjà placé. L'éditeur Murray l'a payé 1.500 guinées. Tout en corrigeant les premiers jeux d'épreuves composées sans retard, Germaine s'efforce par des billets d'une tendresse hâtive, de consoler John son « pigeon boiteux », qui s'accommode mal de la solitude.

« Vous croyez peut-être que le tourbillon dans lequel je vis peut me distraire de votre absence. Il n'en est rien. Je souffre cruellement de ce départ. Hier soir je ne pouvais fermer l'œil... » (27 *juin*).

« Petit Pauvre monde » (c'est le surnom que s'est donné Albertine) agrémente souvent de caressantes malices les billets de sa mère. Le virus staëlien semble avoir atteint la jeune fille à son tour et durant quelques semaines elle revêtira « Caliban », à qui elle donne des leçons d'anglais, d'un romantique prestige. « C'est une âme complexe où s'affrontent d'étranges contrastes, dit Mme de Pange. Elle est à la fois douce et violente, timide et tenace... un mélange incomparable de grâce enfantine et de solennelle beauté, de fantaisie et de sérieux, de séduction et de sainteté... »

« Cher Caliban, il faut absolument que je vous écrive, il y a trop longtemps que nous n'avons bavardé ensemble. Nous avons été au bal du prince régent [*le futur George IV*]. On a fait mettre au Petit Pauvre monde une très belle robe et j'avais l'air très digne. Ils ont tous un grand enthousiasme pour ma mère, on l'admire même en anglais et ceux qui l'ont vue autrefois, disent qu'elle est mieux que jamais. Au milieu de tout cela, vous nous manquez beaucoup, la maison ne va pas... Je suis sûre que vous parlez déjà très bien l'anglais. Vous n'aurez plus besoin de mes cours. Je me réjouis d'avance du beau succès du livre... [*les Mémoires sur la guerre d'Espagne*]. C'était superbe l'autre jour d'entendre chanter *God save the King* à l'Opéra et de penser que tous ces gens-là sont libres... C'est une belle destinée que d'être la fille de ma mère et la femme d'un grand général, mais la moitié doit suffire. »

Ces gentillesses ne trompent pas John qui n'est plus dupe des bontés et des cajoleries de Germaine. Qu'il soit contraint de s'effacer, de sacrifier sa fierté à la réputation de Mme de Staël, il l'accepte, il le comprend. Ce qu'il ne peut supporter, ce qui le brûle et le révolte dans sa station thermale, c'est de comprendre que l'homme dont il se croyait à jamais débarrassé, le rival dont il voulait couper la gorge à Genève est toujours aussi vivant dans le cœur de Germaine où il reprend toute la place, où il le relègue dans le coin des éclopés, des figurants, où il l'étouffe ! Qu'importe que la mer du Nord les sépare si l'esprit, au-dessus de la mer et de la guerre, les tient unis ! Et Rocca, à qui Germaine ose écrire de Londres en riant qu'*il ne lui est pas permis de penser à Benjamin*, n'aurait même pas le droit de laisser éclater sa colère et sa jalousie !

***

Cela a commencé à Stockholm. Après la débâcle de la Grande Armée, Germaine s'irrite de ne pouvoir parler librement, comme jadis, des événements, des idées, de l'Europe... Elle a besoin d'un correspondant, d'un contradicteur de sa classe. Mais le prisonnier de Gœttingue, attelé à l'histoire des Religions, ne donne qu'irrégulièrement de ses nouvelles. Germaine décide au printemps 1813 de le réveiller, de le secouer, de le fouetter. Et pour y parvenir, elle le frappe au point vulnérable, son talent d'écrivain, sa situation dans le monde. Elle lui envoie la brochure de Schlegel, *Le Système continental.* Elle ne parle pas de Charlotte, mais elle reproche au traître de s'endormir, de s'encroûter dans la vie conjugale... Elle le connaît assez pour être sûre de toucher juste, d'aviver une plaie toujours ouverte. Si elle savait qu'il tient un Journal, elle imaginerait très bien ce qu'il y consigne. Par exemple :

« Oh ! le mariage ! (24 *octobre* 1812).

« Ma femme est triste et mécontente. Je voudrais bien qu'elle fût heureuse... sans que ses goûts troublassent les miens (25 *octobre*).

« Mon ouvrage languit. Que je regrette Mme de St. ! (2 *novembre*).

« Charlotte ressemble à toutes les femmes. J'ai accusé les individus. C'était l'espèce (21 *novembre*).

« Je regrette Mme de St. plus que jamais. (9 *décembre*).

« Mme de St. est bien perdue pour moi. Je ne m'en relèverai jamais... (11 *janvier*).

***

« Enfin, que faites-vous de votre rare génie? lui écrit Germaine en avril. Ce qui vous manque, c'est de la décision, et moi, depuis que j'en ai, je m'en trouve très bien...

« Ah! quand une fois j'allais de Coppet à Lausanne vous rechercher chez Rosalie, avais-je attendu que vous m'en priassiez? »

« Depuis deux mois, je n'ai rien eu de vous, écrit-elle en mai, depuis deux ans je ne vous ai pas vu. Vous souvenez-vous de votre affirmation que nous ne serions pas séparés l'un de l'autre? Je puis bien vous le dire, vous avez laissé échapper une belle carrière, sans parler de tout le reste, et moi que m'adviendra-t-il dans l'isolement de mon esprit? A qui puis-je parler et comment me soutiendrai-je moi-même!

« ... J'irai chez les Doxat [*cela veut dire j'irai à Londres — les Doxat sont des banquiers anglais* —] et j'y resterai, et attendrai, ou j'y mourrai peut-être. Qui sait ce que Dieu exigera de nous. J'ai toujours des lettres de vous auprès de moi, je n'ouvre jamais mon secrétaire sans les prendre à la main, je contemple l'adresse. Tout ce que j'ai souffert par ces lignes me fait frissonner et pourtant je voudrais en recevoir de nouvelles. Mon père, vous et Mathieu demeurez dans une partie de mon cœur qui est fermée à jamais — j'y suis morte et j'y vis — et si je périssais dans les flots [*la prochaine traversée!*] ma voix appellerait ces trois noms dont un seul m'a été funeste. Est-il possible que vous ayez tout brisé? Est-il possible qu'un désespoir comme le mien ne vous ait pas retenu? Non, vous êtes coupable, et votre admirable esprit me fait encore illusion. »

En Angleterre où la publication de l'*Allemagne* la place au plus haut rang des écrivains de son temps, Germaine pense de plus en plus à Benjamin. Quels regrets de ne pas l'avoir auprès d'elle comme jadis à Weimar, au spectacle et dans les salons, pendant et après les passionnants entretiens qu'elle engage chaque jour, chaque soir, avec la fleur de l'aristocratie et de la littérature britanniques! Elle voit les York, les Glocester, les Lansdowne, les Grey, les Harrowby..., mais la duchesse de Wellington qui la craint ne veut pas la recevoir. Beaucoup ont en effet peur d'elle, de sa vitalité, de son éloquence, de ses idées. Walter Scott « soupire d'aise » en apprenant qu'elle ne viendra décidément pas lui rendre visite à Édimbourg.

« Tous la fuyaient comme la peste, déclare méchamment Philip Francis dans ses *Mémoires*, sauf quelques-uns qui allaient la regarder en passant comme on regarde un boa constrictor ou un orang-outang, observant ses singeries pour en faire rire les amis qu'ils rencontreraient en sortant. C'était, je crois, la femme la plus malheureuse du monde. »

Il n'empêche qu'elle est reçue avec empressement et solennité dans les cercles les plus divers. Chez l'impérieuse Lady Holland, elle rencontre Thomas Erskin, Wellesley, l'amiral Sidney Smith, Coleridge, Sheridan qui a jadis éreinté *Delphine*, John Campbell, Wilberforce, Mackintosh dont elle raffole, et Byron qui songe un moment — il a vingt-cinq ans — à demander la main d'Albertine.

« Sa fille me plaisait beaucoup, a-t-il dit à Lady Blessington. Je me demande si elle sera femme de lettres; en tous cas, quand même elle n'écrirait pas, elle a le talent de juger les écrits d'autrui; elle est très instruite et très intelligente... »

Albertine à Londres a beaucoup de succès. John Campbell la préférait à sa mère, moins fatigante. Hobhouse la trouvait « tapageuse, mais jolie, sauf un teint sale ».

Au début, Byron qui sera, en 1816, après sa séparation d'avec Annabella, très touché de la compréhension et de l'amitié de Mme de Staël (« Mrs Stale » comme il la nomme) est à Londres nettement rebuté par sa prolixité. « Je n'aime pas à parler, je ne puis flatter et je ne veux pas écouter, sauf quand il s'agit d'une femme jolie et bête. »

Il lui en veut de refuser de se plier à la coutume anglaise (Suzanne Necker en 1776 s'en était déjà indignée) qui exige que les dames, après les repas, laissent les hommes boire, fumer, jouer et discuter entre eux. « Mrs Corinne reste si longtemps après le dîner, disait-il, que nous l'envoyons tous en imagination... au salon ! »

« J'admire ce pays à quelques égards, écrivait Germaine de son côté à Schlegel, je m'y plais, mais il faut en être pour le préférer à tous les autres. »

Mackintosh, qui voit chaque jour Mme de Staël, précise : « Elle admirait les Anglais au milieu desquels elle ne pouvait supporter de vivre. »

Après la lecture de l'*Allemagne*, Byron rectifie son jugement :

« Je n'aime pas Mme de Staël [*à l'éditeur Murray*]. Mais, croyez-moi, elle bat à plate couture tous nos indigènes... Je la lis et je la relis et ce ne peut être de la pose. Je ne puis me tromper... quand je prends l'ouvrage, le ferme et le reprends toujours. »

A la vérité, comme le souligne M. Robert Escarpit (*L'Angleterre dans l'œuvre de Mme de Staël*, 1954), Mme de Staël se trouve à Londres en 1813 dans une situation singulière. Elle applaudit le gouvernement parce qu'il combat Napoléon; mais l'opposition, libérale, veut voir, elle, en Napoléon, le continuateur de la Révolution, le « chef populaire appelé à faire crouler l'édifice vermoulu des vieilles monarchies ». « Elle se trouvait donc amenée, écrit Escarpit, à manifester sa sympathie aux partisans de la lutte à outrance contre le tyran, c'est-à-dire aux adversaires déclarés de ses propres idées libérales. »

***

Le 3 août, Germaine, se méfiant toujours de la Censure, avertit Benjamin en ces termes de l'heureuse vente de son manuscrit ;

« *Doxaville*... Ce que je puis dire, c'est que, dans la maison que j'habite, le talent est très apprécié... J'ai vendu ma robe 1.500 livres, c'est assez bien pour une qui n'est pas dans la coupe du pays... »

Une rencontre à deux à Berlin est-elle possible avant la fin de l'année? Elle lance la question à tout hasard, comme un appât et conclut :

« ... Ma fille est bien. Je doute qu'elle puisse s'établir ici, il y a tant de femmes et tant d'argent. Dans tous les cas, j'y reste deux ans. Écrivez-moi. »

III

« Ce n'est plus là que j'ai mis ma vie. »

Le même jour — dans une très longue lettre, chargée comme d'habitude d'informations militaires et de considérations diplomatiques — Schlegel expose à Germaine les circonstances et les détails de la mort tragique d'Albert, à demi décapité d'un coup de sabre par un officier russe qu'il avait provoqué en duel à la suite d'une querelle de jeu, ou de filles. « L'hurluberlu » eut à peine le temps de se mettre en garde. Cela s'est passé dans la petite ville d'eaux allemande de Doberan, accueillante aux militaires en permission.

« Il avait une confiance illimitée dans ses forces et son agilité, explique Schlegel. S'il avait été le moins du monde en garde contre son adversaire, il n'aurait pas pu être frappé comme cela — il s'est laissé tuer pour ainsi dire sans défense.

« ... D'après les rapports des témoins oculaires, il vous a appelée par les derniers efforts de sa voix mourante — c'était la prière des agonisants.

« On peut dire qu'il est mort debout, la terre ne servit de lit de repos qu'à sa froide dépouille... il paraît qu'après avoir été atteint, il fit encore un essai de porter un coup avant que le sabre tombât de sa main.

« ...Que de données de bonheur prodiguées ! Une mère comme vous ! une sœur comme Albertine ! un frère comme Auguste ! toutes les facilités de la naissance et de la fortune. Le Prince royal pour chef et guide dans la carrière de la gloire, et la plus noble guerre devant soi ! S'il fût tombé devant l'ennemi, sans doute son nom aurait marché à l'immortalité à la suite du vôtre.

« ... Son enterrement a eu lieu avec une solennité et des honneurs vraiment recherchés. »

Avec cette facilité que l'on montre de tout temps à décider de la douleur des autres, ses amis sont enclins à reprocher à Germaine de ne pas être suffisamment ébranlée par un deuil aussi brutal.

« Vous avez vu par les gazettes [*Sismondi à Mme d'Albany*], la mort du fils de mon amie; c'était le second et de beaucoup le moins intéressant. On a des nouvelles d'elle jusqu'au 18 août, et l'on sait qu'elle a bien supporté cette perte, même trop bien... »

Mathieu de Montmorency, que la faiblesse de Germaine à l'égard de Rocca n'a cessé de choquer et d'aigrir, écrit de Paris à Mme Necker de Saussure à Genève :

« ... Je serais tenté d'en craindre mille effets différents et j'en voudrais un seul que le malheur opère rarement sur elle, qui serait d'élever et d'épurer ses idées, de la faire planer tout à fait au-dessus de ce qui est indigne de l'occuper et l'occupe encore beaucoup trop. »

Il regrette surtout que Germaine ne lui ait pas écrit et qu'il ne puisse ainsi comprendre « la nature de sa douleur... C'est là le grand supplice de l'absence que l'amitié la plus sympathique doit toujours être réduite à deviner... »

Sans doute la mort d'Albert n'arrache pas à sa mère ces grands cris de déchirement qu'on l'a vue pousser dans ses heures de détresse passionnelle. Le choc l'étourdit plus qu'il ne l'abat. Il y a aussi qu'elle est lâche, qu'elle se détourne instinctivement de l'horrible image de cet enfant de vingt ans décapité, et que les arrêts de Dieu la tiennent en respect. Mais le coup l'atteint profondément; toutefois moins pour lui que pour elle. Le sort d'Albert lui fait tardivement reconnaître que par ses extravagances qu'elle condamnait, qui l'effrayaient, cette « tête brûlée » en qui elle ne se retrouvait pas était bien de son sang et peut-être le plus près d'elle. Un passage d'une lettre à Schlegel

(8 octobre) est à cet égard révélateur. Après avoir noté qu'Auguste et qu'Albertine s'ennuient à Londres, mais d'un ennui très différent du sien, elle ajoute :

« ... Il n'y a point de ressources du tout dans l'esprit de mes enfants : ils sont éteints. Singulier effet de ma flamme ! Le pauvre Albert avait pris le mouvement de travers, mais il en avait ! »

***

Les derniers mois de 1813 vont tenir l'Europe entière dans l'angoisse. La campagne débute mal pour les Coalisés; mais la victoire de Napoléon à Dresde où Moreau, rappelé d'Amérique par Alexandre à l'instigation de Mme de Staël, a les deux jambes emportées par un boulet français, n'inquiète pas Charles-Jean qui a battu Ney et Oudinot. L'encerclement des armées françaises s'organise. Le 9 septembre la Prusse et l'Autriche resserrent leur alliance à Teplitz. Le 11, Schlegel écrit à Germaine : « Chère amie, les choses marchent grandement... Les Autrichiens ont éprouvé un grand échec, mais ils l'ont réparé par la destruction du corps de Vandamme... »

Encore six semaines et ce sera la bataille des Nations, Leipzig !... Le 9 novembre, Napoléon rentre à Paris, sans armée... Le 17, son ancien aide de camp, Louis de Narbonne, en demi-disgrâce à Torgau après son ambassade à Vienne meurt du typhus et des suites d'une chute de cheval...

Pour les raisons que l'on devine, Mme de Staël ne trahit pas les sentiments que lui inspire ce nouveau deuil... Elle ne marque dans ses lettres qu'une tristesse de circonstance. Mais comment ne penserait-elle pas qu'après avoir mis Albert au monde vingt ans plus tôt en Suisse, elle courait rejoindre Narbonne dans cette même Angleterre où elle apprend sa mort aujourd'hui?

Par une coïncidence bien curieuse le jeune diplomate rappelé de Cracovie qui servit de secrétaire au printemps 1813 à l'ambassadeur de France en Autriche, Louis de Narbonne, c'est Victor de Broglie qui sera en 1815 le secrétaire à Paris de Benjamin Constant et en 1816, le mari d'Albertine...

***

Le 31 décembre 1813, il n'y a plus de soldats français en Allemagne. Il n'y a plus de drapeaux français hors de France. Une fois de plus, toujours sûr de gagner la dernière bataille, l'Empereur pressure le pays pour en faire sortir de l'or et des hommes. On fait flèche de tout bois. On rapièce, on rameute, et on lui rassemble une nouvelle armée tandis que les Alliés franchissent le Rhin.

Pour imaginer ce que ressentent les civils dans les deux camps, à la fin d'octobre, d'un bout de l'Europe à l'autre bout, à l'heure où, après Leipzig, la partie paraît gagnée ici et perdue là, il n'est que d'évoquer nos souvenirs de 1943, de penser à tout ce que les développements de la défense élastique hitlérienne, les combats de Kharkov et la lente remontée de la botte italienne, dégageaient d'espérances ici et de terreur là.

Germaine suit le cours des événements avec une émotion extrême. Elle souhaite toujours passionnément la chute de Napoléon, mais elle redoute toujours l'écrasement de la France. Elle sait que cette distinction entre le tyran et la nation fait partie de la politique d'Alexandre. Mais une trop grande victoire ne risque-t-elle pas de griser les vainqueurs? La Prusse, l'Autriche et l'Angleterre n'ont-elles pas le moyen de peser sur le tsar, de l'entraîner à imposer une paix de vengeance? Heureusement il y a Bernadotte qui rêve de rendre la liberté aux Français et de fonder la monarchie constitutionnelle de type anglais que Necker voulait établir. Il faut donc aider et pousser Bernadotte. Alors, tout en animant ses brillantes réceptions d'Argyle Street; tout en se prodiguant dans les salons de la haute société avec Albertine; tout en chapitrant Auguste qui l'a rejointe après la mort de son frère; tout en sermonnant Rocca, revenu à Londres, jaloux des absents et des présents et qu'elle tient à distance; tout en corrigeant ses épreuves — en dehors de l'*Allemagne* qui paraît en français en novembre, en anglais en décembre, des *Réflexions sur le Suicide*, publiées en juillet, on édite encore pendant son séjour *Zulma*, son recueil de nouvelles, et l'*Influence des passions* — ; tout en prenant des notes pour le gros livre qu'elle envisage à ce moment de composer sur l'Angleterre; tout en travaillant au récit de son évasion et à ses « Considérations sur la Révolution française » (« elle écrit des in-octavo et parle des in-folio... » dit Byron); tout en guettant les courriers et en répondant à ses amis, Mme de Staël encourage Charles-Jean, directement et par le truchement de Schlegel, à définir sa politique, son programme, sa Constitution. Et elle charge Guillaume de souffler à son maître que personne n'est mieux qualifié pour l'inspirer et le seconder dans cette tâche essentielle et délicate... que le grand polémiste, juriste, dialecticien qui, ayant fui Gœttingue envahi par les militaires, s'est installé à Hanovre où il travaille à son Histoire des Religions... Que Bernadotte sache séduire Constant, qu'il l'attelle à son char et l'avenir de la France est assuré... Et Germaine retrouverait ainsi, sinon l'amour de Benjamin — elle n'y croit plus, elle n'y compte plus — mais peut-être sa présence, ses visites, sa conversation, leurs querelles...

Les étonnantes lettres de Germaine à Benjamin, de novembre 1813 à avril 1814 — de Leipzig à l'abdication — publiées en 1928 par la baronne de Nolde, ouvrent l'avant-dernier chapitre, le plus pathétique, de l'extraordinaire liaison de l'auteur de *Corinne* et de l'auteur d'*Adolphe*. Dans l'atmosphère du drame de la France qui les opposera l'un à l'autre, leurs caractères, leurs ambitions, leurs âmes se trouvent curieusement mis à nu. Ce qui les rapproche disparaît, l'on ne voit plus que ce qui les sépare.

La rencontre Bernadotte-Constant n'a pas donné les résultats attendus. Benjamin est très flatté de recevoir la visite du Béarnais et de dîner avec lui en tête-à-tête le 6 novembre. Il dîne à nouveau chez lui le 13, et à nouveau en tête-à-tête. « Grand honneur ! » Mais Benjamin se dérobe. « Je vis un homme qui brûlait d'être roi de France et qui ne voulait pas risquer de n'être pas roi de Suède... mais comme il était Béarnais et Gascon, il nous fut impossible de nous entendre... »

En politique pas plus qu'en amour, Benjamin ne parvient à se décider. D'autre part, il n'a pas confiance; les espoirs de Charles-Jean lui apparaissent, ce qu'ils sont, bien fragiles. Le prince héritier a beau refuser de prendre part à la campagne de France, il n'en aura pas moins combattu et battu les Français... Mauvaise note pour gagner les cœurs et succéder à Napoléon ! Et puis le tsar soutiendra-t-il vraiment sa candidature jusqu'au bout ? Et convaincra-t-il les Alliés ? Benjamin a d'autant plus de raisons d'en douter que Bernadotte le prie naïvement d'agir auprès de Mme de Staël... pour qu'elle démontre avec force au tsar que le prince de Suède est le seul homme capable de rétablir et de maintenir la paix en France. Non, tous comptes faits, pense Benjamin, les cartes de Bernadotte ne sont pas sûres et Mme de Staël prend une fois de plus ses désirs pour des réalités. Attendons, attendons ! Constant demande à réfléchir. Les pourparlers ne sont pas rompus, mais Charles-Jean n'a plus le loisir de les poursuivre. Il veut que les Suédois, s'il doit les abandonner, soient contents de lui, et se prépare à envahir le Holstein danois, prélude à l'occupation de la Norvège. Benjamin évite une nouvelle rencontre. Germaine s'en irrite dès qu'elle l'apprend.

« Se peut-il que vous n'ayez pas été rejoindre le Prince royal ? Il vous estime tant, il a une si belle perspective et si conforme à nos sentiments ! Ne ferez-vous donc rien de vous, de ce vous si supérieur que vous m'avez ôté ? La seule action de votre vie aura été contre moi... »

Elle lui propose encore une rencontre à Berlin. Mais sa dame le laissera-t-elle partir ? « Il faut pourtant se revoir avant de mourir ! » Elle poursuit : « Moi et mon livre, nous avons un grand succès ici, mais j'ai le cœur toujours oppressé. Ce pauvre Albert, ne l'avez-vous pas pleuré ?... » (30 *novembre*).

Benjamin lui expose son point de vue sur l'affaire Charles-Jean et justifie l'expectative. Elle n'est pas persuadée et garde ses illusions. Cependant elle n'insiste pas. N'a-t-elle pas déjà obtenu une partie de ce qu'elle voulait ? Le contact est rétabli entre elle et Benjamin. Ils s'écrivent à nouveau régulièrement, fréquemment.

« Je voudrais bien causer avec vous et il me semble que de Hollande vous pourriez aisément faire une course ici. Enfin faites ce qui vous convient et ne perdez plus vos rares talents, c'est tout ce que je désire... Quoique le pays soit admirable, il me semble qu'Albertine ne s'y plaît pas, et tous les maris sont absents... Mackintosh se rappelle à vous... Mon ouvrage a un succès inouï ici. Qu'en dit-on en Allemagne? » (12 *décembre*).

Au début de janvier, Benjamin fait parvenir à Germaine la première partie de l'*Esprit de conquête* qu'il compose en grande hâte. S'il parvient à l'achever « avant l'hallali » sa carrière politique peut se trouver rouverte. Quel talent ! pense Germaine.

« J'ai remis un mémoire, qui m'a été envoyé par Schlegel, au ministre ici. Il était écrit comme tout ce qui vient de vous. Je ne crois pas que ce style, cette fermeté, cette clarté de langage se retrouvent nulle part ailleurs. Vous étiez né pour le plus haut rang si vous aviez connu la fidélité envers vous-même et envers les autres.

... Ah, Benjamin, vous avez dévasté ma vie ! Pas un seul jour ne s'est écoulé depuis dix ans sans que mon cœur n'ait souffert par vous — et pourtant, je vous ai tant aimé ! C'est cruel, laissons cela, mais jamais je ne pourrai vous pardonner, car jamais je ne pourrai cesser de souffrir ! Le pauvre M. de Narbonne, il n'était que léger, mais il s'est aussi précipité dans la ruine.

... Ah, le terrain mouvant de cette vie est une chose pénible, et rien n'a de durée que la douleur ! » (8 *janvier* 1814).

Deux jours plus tard, Germaine fait écrire Albertine qui envoie à Benjamin une lettre douce et simple.

« ...Vous êtes pour moi bien plus qu'une personne... J'aurai cependant peur de vous lorsque je vous verrai... je crains que vous ne me trouviez pas ce que vous espérez de moi... Nous avons des espérances superbes, on ne parle ici que de la contre-révolution. Notre situation n'est plus si simple qu'elle était, car ma mère souffre de voir les Alliés en France et les Autrichiens à Coppet... Elle est fixe dans les mêmes opinions et tout le monde tourne autour d'elle, ce qui fait qu'elle a l'air de changer lorsqu'elle est la seule personne invariable...

« ... Schlegel est ébloui de sa place, il n'est pas en faveur, mais il est auprès d'un Prince et c'est tout ce qu'il lui faut. »

Germaine ne peut se retenir d'ajouter une page de reproches et de regrets à la lettre de sa fille. Elle conclut :

« Mon projet était d'aller en Écosse cet été, de faire imprimer ma Vie politique de mon père l'autre hiver et de partir au printemps de 1815 pour Berlin, et de là pour le Midi par la Suisse s'il n'y a pas de France. Mais... mais... mais... Enfin, que faites-vous? Tâchez donc de le savoir! » (10 *janvier*).

En France, le dénouement semble proche. En dépit des avertissements et des prières de Charles-Jean qui voudrait qu'on épargne la France, les Alliés ont passé le Rhin et gagné la Marne. Les Bourbons s'agitent, le duc de Berry est à Jersey. Le comte d'Artois entre en Franche-Comté par la Suisse. Le duc d'Angoulême est à la frontière espagnole, avec Wellington. De sa résidence d'Hartwell, celui qui va devenir Louis XVIII lance une première proclamation aux Français. Le prince de Suède veut encore espérer que le dernier mot n'est pas dit et que le tsar, qui lui reste fidèle, parera la menace du retour des Bourbons en le faisant nommer roi.

« On croit ici à la Restauration » écrit à Benjamin, Germaine, toujours en quête d'un mari pour sa fille.

« ... Elle [*Albertine*] n'est pas taciturne, mais elle est désappointée, les héros de roman manquent ici et l'excès de fortune du pays fait que nous sommes à la lettre pauvres, ce qui ne laisse pas d'être désagréable quand on n'y est pas accoutumé. » (18 *janvier*).

Le 23 janvier, Germaine reçoit les épreuves complètes de l'*Esprit de conquête et d'usurpation* qui va paraître incessamment à Hanovre. C'est le moment où Napoléon, sûr de vaincre, fait ses adieux aux Tuileries à Marie-Louise et au roi de Rome qu'il ne reverra plus. Les Coalisés attendent le choc entre la Marne et la Seine et après la victoire de Blücher le 1er février près de Troyes, à la Rothière, ils se voient déjà à Paris...

« J'ai reçu vos feuilles et je suis toute admiration » écrit Germaine. Elle est prête à faire éditer l'opuscule à Londres. Il hésite encore à signer. Elle le presse. Si le pamphlet est anonyme, on lui donne cent louis, et cinq cents s'il met son nom. Que décide-t-il? Et puis, à l'adresse de l'opportuniste qu'elle juge sans cesser de l'aimer, vient cette bouleversante mise en garde

« Mais... votre sentiment est-il toujours le même qu'il y a trois mois ? Ne voyez-vous pas le danger que court la France ?... Est-ce le moment de parler mal des Français lorsque les flammes de Moscou menacent Paris ?.. Il n'est plus temps d'exciter les esprits contre les Français, on ne les hait que trop. Quant à l'homme [*Bonaparte*], quel cœur libre pourrait souhaiter qu'il fût renversé par les Cosaques ! Les Athéniens disaient de Hippias : « Nous vous le refusons, si vous nous le réclamez ! »

... Réfléchissez mûrement à ce que vous êtes en train de faire. On peut tout dire dans un grand ouvrage, mais dans un pamphlet qui est une action, il faut bien choisir le moment. On ne doit pas dire du mal des Français lorsque les Russes sont à Langres. Que Dieu me bannisse de France plutôt que de m'y faire rentrer à l'aide des étrangers !

... Je vous ai dit mon opinion. Dorénavant, vous pouvez compter que je vous servirai avec exactitude et empressement. Écrivez-moi, je n'ai pas cessé de vous écrire, je ne cesserai jamais.

... Vous m'avez fait beaucoup de mal, et plus je vis ici, plus je vois que votre caractère n'est pas moral. Mais j'estime le talent qui est en vous et le sentiment qui a rempli mon cœur pendant tant d'années — aussi serai-je pour vous toujours une amie, vous n'en devez jamais douter.

... Quelle crise, ce moment ! La liberté est la seule chose qui est dans le sang de toutes les époques, dans tous les pays et dans toutes les littératures — la liberté, et ce qu'on n'en peut séparer, l'amour de la patrie.

... Mais quelle combinaison qui vous fait trembler [*qui fait qu'on tremble*] devant la défaite d'un tel homme ! La France n'a-t-elle pas deux bras : un pour chasser l'ennemi et l'autre pour renverser la tyrannie ? Pourquoi le Sénat n'appellerait-il pas le prince de Suède comme négociateur de la paix ? Il devrait être le Guillaume III de la France. Pourquoi n'allez-vous pas le voir ? Pourquoi ne pousse-t-il pas seul avec ses Suédois une pointe vers Paris ? Cela serait possible. Je l'ai vu de près et je le tiens pour le meilleur et le plus noble des hommes qui puissent régner... » (23 *janvier*).

Le 6 février Napoléon, dans une situation qui paraît désespérée, a quitté Troyes. A Paris, on lit sur une pancarte un matin, au bas de la colonne Vendôme : « Attention, il va tomber ! » Chateaubriand écrit *Bonaparte et les Bourbons*, Talleyrand qui s'applique à travailler, « sans trop se compromettre », à aggraver les embarras qui pourraient naître d'un moment à l'autre « et qui se tient prêt à porter le dernier coup s'il s'en présente une occasion bien assurée » a déjà dit : « C'est le commencement de la fin. » Cependant huit jours plus tard, la situation a changé. A Champaubert, Montmirail, Montereau, Napoléon a sa victoire de la Marne. L'espoir renaît, la rente remonte, les théâtres sont pleins, les Bourbons tremblent. La colère des populations de l'Est, victimes de la soldatesque qui a pillé, brûlé, violé, favorise la nouvelle levée en masse réclamée par l'Empereur... Le 26 février, toute l'armée austro-russe a repassé l'Aube.

Dans une lettre du 25 à la cousine Albertine, Germaine regarde la paix comme faite et Bonaparte comme maître de la France. Elle annonce qu'Auguste...

...Dieu merci tout guéri de l'amour de Juliette est allé chez le prince royal pour tâcher de se dispenser de l'Amérique et se voir confier une mission moins lointaine.

« Hélas, je n'ai plus deux fils, explique Germaine, et les séparations me font bien mal; ma santé est fort mauvaise et je suis maigrie à un point qui vous étonnerait. »

Elle se plaint aussi dans sa lettre du 27, à Benjamin.

« ... Ma santé est très mauvaise et je ne sais si je pourrai surmonter l'époque fâcheuse de la vie des femmes où je me trouve.

« Je pense que les Alliés ont mal fait de vouloir aller à Paris, les cœurs français s'en sont révoltés... On a donné l'air du vainqueur au vaincu, enfin on a mal fait, et c'est parce qu'on a compté sur un parti Bourbon qu'on a commis cette faute. Moi-même je ne pouvais plus penser qu'à la France, et *lui* s'est trouvé défendant la liberté, quel blasphème !

« J'ai tant pris d'opium pour ne pas souffrir cette fois physiquement que je suis dans l'état où j'étais quand vous me faisiez mal à l'âme. »

Et puis vient la lettre du 22 mars. Impressionnés par le retour offensif de Napoléon, les Alliés hésitent encore à reprendre la marche sur Paris. Mais des dépêches confidentielles saisies sur un courrier leur révèlent la vraie situation de la France et de ses armées, sans parler du billet de Dalberg inspiré par Talleyrand et porté par

Vitrolles à Nesselrode au quartier général des Alliés. Alexandre qui tient à sa revanche complète et veut faire camper ses Cosaques aux Champs-Élysées, obtient l'accord de l'Autriche et de l'Angleterre pour le rejet des propositions de Caulaincourt et la reprise de la marche sur Paris.

C'est le moment, à Londres, où Germaine, heurtée, blessée par la trop vive satisfaction des gouvernants britanniques, répond à Lord Harrowby qui s'étonne de ne pas la voir se réjouir de la chute inévitable de son ennemi : « Je désire que Bonaparte soit victorieux et tué. »

« Vous me priez de continuer l'exposé de mes idées, écrit-elle à Benjamin, je voudrais vous prier de continuer à exposer les vôtres. Avez-vous oublié ce que vous avez écrit contre les étrangers et vous figurez-vous un roi soutenu par les lances des Cosaques? Vous me dites que je suis désintéressée dans mes vœux, oui, certes; mais vous, vos relations ont fait de vous un chambellan. Croyez-vous donc que Bonaparte ne puisse pas se montrer dans une assemblée de princes! Quarante batailles sont aussi une noblesse!... Je hais l'homme, mais je blâme les événements qui me forcent en ce moment à lui souhaiter du succès. Voulez-vous donc qu'on foule la France aux pieds?

« ... J'ai lu votre mémoire; Dieu me garde de le montrer! Je ne ferai rien contre la France; je ne tournerai pas contre elle, dans son malheur, ni la renommée que je lui dois, ni le nom de mon père qu'elle a aimé. Ces villages brûlés sont sur la route où les femmes se jetèrent à genoux pour le voir passer. Vous n'êtes pas français, Benjamin. Tous les souvenirs de votre enfance ne sont pas attachés à cette terre. Voilà d'où vient la différence entre vous et moi. Mais pouvez-vous vraiment désirer voir les Cosaques rue Racine? Le tyran est encore en ce moment couvert de la gloire militaire des Français; mais que seraient ces Français s'il ne leur restait plus que le souvenir de leurs actes législatifs et de leurs actions civiques? Enfin, si vous craigniez l'invasion des étrangers en 1792, alors qu'on égorgeait tous les jours, alors que la France n'avait pas l'Europe pour ennemie, qu'en est-il à présent? Je sens en moi-même que j'ai raison, car mon émotion est involontaire et contraire à mes intérêts personnels.

« Que faites-vous? Vous verrai-je ici, en Suisse ou à Berlin? Votre livre est très admiré par les connaisseurs. Albertine vous écrira dans huit jours. Renvoyez-moi Schlegel, je ne puis vivre sans lui... »

Toute la correspondance de Germaine, à cette époque, témoigne des mêmes sentiments, fièrement exprimés aux pires ennemis de Bonaparte :

« Je ne souhaite point que les Alliés aillent à Paris, écrit-elle à un diplomate russe, Tatischer qui sur ce sujet l'a froissée. La conquête de la France me fait mal et je souffre des malheurs du pays où je suis née et où mon père a été sept ans le premier ministre. Si les Français étaient entrés en Russie sous le règne de Paul Ier, vous n'auriez sûrement pas désiré même alors le succès des étrangers. »

On donne généralement à « Vous n'êtes pas Français, Benjamin », si fréquemment cité, le ton de l'indignation. Mais le contexte et la fin de la lettre rendent cette interprétation hasardeuse. Il semble que Germaine — et c'est plus grave — fasse avec tristesse la découverte des vraies raisons de la parfaite indifférence de Benjamin qui, cosmopolite, lui, par commodité, ne voit dans le malheur de la France qu'une occasion de se placer. Encore n'imagine-t-elle pas à cette date tout ce dont il est capable...

***

Après le désastre de Fère-Champenoise et le drame des Marais de Saint-Gond, Talleyrand, président du Sénat, n'hésite plus. Le 29 mars Marie-Louise et le roi de Rome, sous la conduite de Cambacérès, ont quitté Paris. Talleyrand se garde bien de les rejoindre. Avant que Napoléon apprenne le 31 mars à Fontainebleau la capitulation de Paris et l'entrée d'Alexandre qu'il accueille dans son hôtel de la rue Saint-Florentin où Caulaincourt, messager de l'Empereur, ne sera pas reçu, Talleyrand a réussi sa manœuvre. Louis XVIII qui est « un principe », qui représente « la légitimité », sera réclamé par le Sénat; la déchéance de « l'illégitime » sera décrétée, et un gouvernement provisoire, présidé par Talleyrand, se constituera en attendant l'arrivée du Comte de Provence. Ainsi l'Empereur se trouvera placé devant le fait accompli et n'aura plus, pour se consoler de tant de trahisons, que les larmes de sa Garde à l'heure des adieux.

Quant à Bernadotte, il est à peine question de lui.

L'intervention du tsar en sa faveur est écartée en quelques mots par Talleyrand qui démontre ce qu'aurait d'indécent et de dangereux l'accession au trône de France d'un ancien lieutenant de Napoléon, devenu son rival et son ennemi. Une telle situation ne pourrait engendrer que des complications. Ce serait une nouvelle phase de la Révolution... Et puis le Sénat ne vient-il pas d'exprimer la volonté nationale? Quand au soir du 31 mars, avant d'aller applaudir à l'Opéra dans une salle comble *la Vestale* de Spontini, le tsar et le roi de Prusse dînent rue Saint-Florentin, la question est réglée.

Certes si, comme le suggérait Germaine, Bernadotte était entré aux côtés d'Alexandre en vainqueur à Paris où il n'était pas sans soutiens, il pouvait batailler et gêner Talleyrand dans sa manœuvre. Mais une certaine indolence, des scrupules et par-dessus tout une immense fierté l'empêchèrent de suivre le conseil de Mme de Staël. La haute conscience de ses mérites, le mépris des Bourbons, une confiance exagérée dans l'appui dont les Alliés l'assuraient lui firent perdre un temps irrattrapable. Il ne quitte Bruxelles — où il a emmené Benjamin et où Auguste le rejoint — que le 1er avril, mais il ne gagne pas Paris. Encore plein d'illusions il attend qu'on lui ait tiré les marrons du feu pour entrer dans sa capitale. C'est le 4 avril à Nancy où est le comte d'Artois qu'il apprend les dernières nouvelles et la ruine de ses espérances. Enfin désabusé, résolu à ne plus être qu'un grand roi de Suède, il rentre aussitôt en Belgique, et s'arrête à Liège avec Benjamin qui, ayant « réfléchi sur les affaires » et constaté que « la liberté n'est pas perdue » ne s'occupe plus de Bernadotte et écrit à Talleyrand une lettre gênante :

« Vous avez glorieusement expliqué une longue énigme, et quelque bizarre, quelque inconvenante que soit peut-être cette manière de vous en féliciter, je ne puis résister au besoin de vous remercier d'avoir à la fois brisé la tyrannie et jeté les bases de la liberté. Sans l'un, je n'aurais pu vous rendre grâce de l'autre. 1789 et 1814 se tiennent noblement dans votre vie. Vous ressemblez dans l'histoire à Maurice de Saxe et vous ne mourrez pas au moment du succès... Il est doux d'exprimer son admiration, quand on l'éprouve pour un homme qui est en même temps le sauveur et le plus aimable des Français. J'écris ces mots après avoir lu les bases de la Constitution décrétée.

« Pardon si je n'ajoute aucun de vos titres; l'Europe et l'histoire vous les donneront avec bonheur. Mais le plus beau titre sera toujours celui de président du Sénat. Hommage et respect. Benjamin Constant. »

Six semaines plus tard, rentrée à Paris, Mme de Staël reçoit la visite du prince de Bénévent qu'elle se reproche douloureusement d'avoir, en 1797, fait nommer par Barras ministre des Relations extérieures... L'apostrophe dont elle soufflette son ancien ami est d'un autre style que la flagornerie de Benjamin :

« ... Que me parlez-vous d'opinion, Monsieur, et comment un homme comme vous ose-t-il prononcer un pareil mot !... De l'argent, encore de l'argent, voilà ce que vous avez toujours cherché. Cela avait un côté d'excuse alors que, je crois, vous n'en aviez pas beaucoup et que vous étiez au-dessous de zéro; mais depuis et dans ces derniers jours, lorsque dans une Restauration même vous pouvez apporter quelque principe et quelque réclamation d'honneur, comment avez-vous été de pire en pire? Non, monsieur, ne vous calomniez pas à ce point en voulant vous targuer d'avoir eu des opinions; vous n'en avez jamais eu, vous n'avez eu et vous n'aurez jamais que des intérêts ! »

Durant le dernier mois qu'elle passe à Londres — elle ne quitte l'Angleterre que le 8 mai — Germaine persiste à se leurrer sur les sentiments de Benjamin. Elle tente naïvement de l'attirer en lui affirmant que Rocca qu'elle dispute et sermonne ne le provoquera plus et se montrera aussi doux, aussi amical que Mathieu... « Il est devenu tout autre et vous ne reconnaîtrez ni ses manières ni sa conversation... *Ne songez donc pas à lui comme obstacle*, mais faites pour vous ce que votre cœur vous inspirera... »

Hélas ! le cœur de Benjamin n'est qu'une fiction qui ne recouvre que l'émotivité et la sensiblerie des intellectuels sanguins. Cela ne va pas plus loin que le derme. Il n'aime et ne regrette Mme de Staël que lorsqu'il manque d'un stimulant pour son travail ou qu'il a besoin d'un protecteur pour son ambition. Or si Bernadotte s'est effondré, d'autres amis de Mme de Staël sont tout puissants. Voilà qui suffit à rendre Benjamin conciliant dans ses lettres et à répondre aimablement au retour de flamme de Germaine. Mais il ne craint pas de dénoncer dans le Journal son « incorrigible intrigaillerie ». La circonstance a développé le tallerandisme du velléitaire dans d'incroyables proportions.

« Arrivé à Paris... Il y a de la ressource pour la liberté... Mon ouvrage fera un bon effet, j'espère. Mais l'horizon n'est pas bien clair. (15 *avril*).

« Revu beaucoup de gens. Bonnes dispositions. Talleyrand bien, dit-on. Servons la bonne cause et servons-nous. (16 *avril*).

« Quelle chute que celle du Béarnais ! Il y a dans tous les Français du ressentiment contre l'étranger. C'est un peu tard. (17 *avril*).

« Rien de Talleyrand. On a bien de la peine à refaire sa situation quand on l'a gâtée. (18 *avril*).

« Mon ouvrage avance [*la nouvelle édition de l'« Esprit de Conquête* »]. Il sera en vente après-demain. Essayons de le présenter à Alexandre... La France ne m'amuse pas beaucoup. (20 *avril*).

« ... Les Français, toujours les mêmes. Vu Talleyrand. Pas mal. » (21 *avril*).

Le 24 avril, Germaine annonce son prochain retour. Sa nostalgie de Paris triomphe du malaise que les pénibles conditions dans lesquelles s'est effectuée la Restauration lui ont fait éprouver. Elle souhaite que Louis XVIII obtienne l'éloignement des troupes étrangères et c'est dans cet esprit qu'elle revient « cocarde blanche » « ... pensant bien plus à l'indépendance qu'à la liberté, dont en vérité les Français ne sont guère dignes... »

« ... Du reste, écrit-elle à Benjamin, la politique est finie pour moi et j'irai en Grèce écrire mon poème sur les croisades de Richard. » Après lui avoir rappelé que Rocca « devenu le plus doux des moutons ne songe plus à une jalousie tout à fait sans motifs », elle ajoute qu'elle sera charmée, si cela lui convient, de recevoir chez elle Mme de Constant...

*
* *

Les deux amants se revoient le 12 mai. Benjamin note :

« Mme de Staël arrivée. Je suis rentré trop tard pour y aller. Je la verrai demain. J'ai peur qu'elle ne dérange mon travail... (12 *mai*).

« Peu travaillé à cause de ma visite à Mme de Staël. Elle a changé, est maigre et pâle. Je ne me suis laissé aller à aucune émotion. A quoi bon? Albertine est charmante, spirituelle au possible, adorable. C'est elle que je regrette. Je voudrais passer ma vie avec elle. (13 *mai*).

« ... Dîné chez Mme de Staël. Elle a changé du tout au tout. Elle est distraite, presque sèche, pensant à elle, écoutant peu les autres, ne tenant à rien, à sa fille même que par devoir, à moi pas du tout. (18 *mai*).

« Lu mon poème à Mme de Staël [*poème allégorique en vers libres « Le Siège de Soissons »*]. On voit bien qu'elle ne m'aime plus, car elle ne m'a presque pas loué. Elle ne loue que ce qui fait partie d'elle-même, l'homme qu'elle entretient, par exemple. C'est un grand poids de moins dans ma vie que de l'avoir revue. Il n'y a plus d'incertitude sur l'avenir, car il n'y a pas trace d'affection en elle... » (24 *mai*).

Le maître analyste qui voit si clair au fond de soi n'est pas ou ne veut pas être très curieux de ce que cache l'apparente indifférence de Germaine qui se confie en août, de Coppet retrouvé, à Juliette :

« ... Vous me dites que Benjamin a été ému de mon grand départ. Pendant deux mois que j'ai passés à Paris, je n'ai pas trouvé de lui le plus léger signe d'amitié, et je n'ai pas conçu la possibilité d'être aussi insensible. Enfin, ce n'est plus là que j'ai mis ma vie, mais quinze ans ainsi perdus sont un abîme que rien ne peut combler. »

Impossible de s'y méprendre. Germaine aime toujours Benjamin qui ne tient plus à elle que pour des raisons d'où le sentiment est exclu. Pour se délivrer de tout remords, pour ne pas risquer de s'attendrir, il décide — une fois n'est pas coutume — qu'*il n'y a pas trace d'affection en elle*, alors qu'il sait parfaitement, éclairé au moins par les lettres de Germaine, que cette attitude n'est que le masque de sa profonde désillusion. Beaucoup d'observateurs en ce mois de mai 1814 — où le salon de Mme de Staël, rouvert rue de Grenelle, devient le rendez-vous des têtes couronnées de l'Europe; où Louis XVIII et la Cour lui font mille politesses, mille avances; où sa victoire sur Bonaparte vaut à la sortie de l'*Allemagne* à Paris un succès prodigieux — se sont étonnés que la plus illustre femme de son temps ne semble pas satisfaite, livre sa tristesse à ses intimes et roule de sombres pensées... Rien ne s'explique mieux pourtant que cette paradoxale réaction. Il y a d'abord le choc de l'occupation alliée. Elle souffrait physiquement depuis dix ans d'être privée de Paris et quand on la presse enfin d'y rentrer et qu'elle s'y voit acclamée, elle trouve la capitale chérie humiliée et tranquille avec, pour remplacer le Corse, un vieux monarque obèse aux Tuileries et l'escalier de l'Opéra garni de sentinelles russes...

« ... En entrant dans la salle, je regardai de tous les côtés pour découvrir un visage qui me fût connu, et je n'aperçus que des uniformes étrangers; à peine quelques vieux bourgeois de Paris se montraient-ils encore au parterre, pour ne pas perdre leurs anciennes habitudes; du reste, tous les spectateurs étaient changés, le spectacle seul restait le même... et je me sentais humiliée de la grâce française prodiguée devant ces sabres et ces moustaches, comme s'il était du devoir des vaincus d'amuser encore les vainqueurs...

... Enfin, tout était trouble en moi, car, malgré l'âpreté de ma peine, j'estimais les étrangers d'avoir secoué le joug. Je les admirais sans restriction à cette époque; mais, voir Paris occupé par eux, les Tuileries, le Louvre gardés par des troupes venues des confins de l'Asie à qui notre langue, notre histoire, nos grands hommes, tout était moins connu que le dernier Khan de Tartarie, c'était une douleur insupportable... »

Cette douleur, Germaine a-t-elle au moins la consolation de la voir éprouvée par les Français qu'elle reçoit, qu'elle visite, qu'elle rencontre? Hélas l'attitude de la plupart des nouveaux messieurs du régime lui donne la nausée.

« En Angleterre, quand le ministère change, tous ceux qui remplissent des emplois donnés par les ministres n'imaginent pas qu'ils puissent en recevoir de leurs successeurs; et cependant il ne s'agit entre les divers partis anglais que d'une très légère différence... Mais en France on se croyait le droit d'être nommé par Louis XVIII, parce qu'on avait occupé des places sous Bonaparte; et beaucoup de gens qui s'appelaient patriotes, trouvaient extraordinaire que le roi ne composât pas son conseil de ceux qui avaient jugé son frère à mort. Incroyable démence de l'amour du pouvoir ! Le premier article des droits de l'homme en France, c'est la nécessité pour tout Français d'occuper un emploi public... »

Du côté des affections, sa déconvenue est plus cruelle encore. Elle n'a plus pourtant les mêmes ardeurs ni les mêmes exigences. L'âge est venu de clore la liste des aventures, de tourner la page. Elle s'y résignerait, à condition toutefois que l'amitié s'élargisse, s'approfondisse et comble le vide de l'amour. C'est le contraire qui se produit. Benjamin ne prend même plus la peine de feindre et de cacher la crainte et l'ennui que leurs tête-à-tête lui inspirent. Elle doit composer son visage pour refouler sa colère et ses larmes.

Prosper, de Vendée et d'Auvergne où est la terre des Barante, lui écrit encore assez régulièrement des lettres intelligentes, réconfortantes sur la politique, mais trop sages. Son père, Claude-Ignace, vient de mourir. Il espère que « cette société d'âmes élevées et d'esprits distingués... ne sera plus dissoute, dispersée, persécutée », mais il se désole de trouver chez les royalistes de Vendée « la sottise et la vanité dans un état violent et stupide d'exaltation. »

Mathieu de Montmorency, l'indéfectible, qu'elle n'a pas vu depuis trois ans, Mathieu lui-même se dérobe. Dans l'ivresse du retour à la « légitimité », il néglige, s'il ne l'oublie pas, son amie. Il est l'aide de camp de « Monsieur » et le chevalier d'honneur de la duchesse d'Angoulême. Il s'épanouit dans le pieux climat de la « miraculeuse Restauration » et l'ambition politique a commencé de ronger sa sagesse. Son maintien, ses propos, ses sourires sont différents. Il aura beau se défendre d'avoir changé; quand elle le retrouvera chez Mme Récamier qui s'emploie à dissiper le malentendu, Germaine qu'on ne trompe pas sur le langage du cœur, saura que des liens de trente années, sans se dénouer, se sont à jamais relâchés.

Juliette, l'exquise, l'ange, la sœur d'élection... qui, volontairement ou non, a déjà fait bien du mal à Germaine et n'a pas fini de lui en faire, est rentrée d'Italie dans un exceptionnel éclat. Elle porte ses trente-huit ans avec une grâce que l'expérience et la joie de plaire n'ont jamais rendue plus efficace. On se bouscule dans ses filets où fretin et pièces de choix frétillent avec la même ardeur. Les deux amies se revoient le 1er juin dans la petite maison de la rue Basse du Rempart où Juliette, chaque jour que Dieu fait, éprouve la caressante satisfaction de reconnaître en ses adorateurs tous les admirateurs de Germaine.

Entre cette reine du charme et cette impératrice du verbe il n'y a plus de confiance possible. Ni les protestations épistolaires ni l'exubérance des effusions ne modifient cette situation; et le fait que Germaine se refuse, dans un parti pris d'aveuglement où s'accordent sa faiblesse et sa générosité, à blâmer Juliette, à lui adresser le moindre reproche, à lui marchander sa tendresse, accuse au contraire ce qu'il y a d'irrémédiable dans l'altération des rapports, en apparence inchangés, de ces deux femmes dont l'une, ravagée, fait fuir les amants et dont l'autre, débordée, ne sait qu'en faire.

S'il y a une époque dans la vie de Mme de Staël où la gloire n'est que « le deuil éclatant du bonheur », c'est bien celle de son retour à Paris dans l'aube trouble de la première Restauration qui modifie si crûment les courants, les éclairages et les perspectives. Elle n'a jamais été aussi entourée et sollicitée et ne s'est jamais sentie aussi seule.

Sans doute avec John, Auguste et Albertine, avec Fanny et même avec Schlegel qui, moins docile pourtant, s'est réinstallé dans sa niche, Germaine dispose toujours de l'eau et du pain quotidiens de l'affection sans lesquels la vie, fût-ce avec le secours de l'opium, lui serait insupportable. Mais ce n'est pas ce brouet qui fermera les plaies que lui ont faites la froideur de Benjamin, l'attitude de Mathieu, l'évolution de Juliette et qui saigneront toujours. C'est Albertine qui a raison. Son drame, c'est qu'elle ne change pas tandis que tout change autour d'elle. C'est que son intransigeance et son patriotisme ne sont plus de mode.

Tout l'incline en 1814, sa gloire comme sa détresse, à se consacrer davantage à son œuvre d'écrivain politique, à se montrer plus sévère pour sa composition et son style, à répondre à la haute idée que l'on a de son talent et de son jugement. Bientôt sa fille et son fils seront mariés. Si le gentil John veut guérir, une autre phase de sa carrière peut s'ouvrir.

Pour doter honorablement Albertine et « la forcer à faire un mariage d'inclination », c'est son mot, elle tente à nouveau, mettant à profit les égards que lui marquent le frère de Louis XVI et son gouvernement d'obtenir enfin le remboursement des deux millions avancés par Necker au Trésor royal.

Elle écrit le 20 juin à la cousine Albertine, à Genève :

« ... J'ai quelque espoir, mais faible; j'ai pourtant vu le roi en particulier hier. Il m'a dit : Je reconnais votre dette et je prendrai des arrangements pour la faire payer. Lord Wellington a passé la soirée chez moi avant-hier, de ses deux jours à Paris il m'en a donné un; c'est sa simplicité qui excite l'admiration... Je pars [*pour Coppet*] le 14 juillet. J'ai sous-loué mon appartement pour le 15... »

Avant de quitter Paris, Germaine se réjouit de n'avoir pas trouvé à Londres de parti convenable pour sa fille. Victor de Broglie, dont elle connaît la mère, lui est présenté et le jeune homme, au cours de fréquentes visites rue de Grenelle, a distingué Albertine. Mme de Staël voit en lui le gendre idéal, « le seul Anglais de France », dira-t-elle à Lady Davy.

« ... Je désire seulement d'être payée [*les deux millions*], écrit-elle à Benjamin, de Coppet. C'est pour Albertine que je le désire, elle est si agréable, elle gagne tellement qu'il n'y a rien qu'elle ne mérite. Je vous l'ai dit, ce que je souhaiterais, ce serait Victor de Broglie. Tâchez de faire parler d'elle devant lui. On peut la louer certes sans exagérer. Sa figure est encore embellie et tous les Anglais ici en sont enthousiastes... » (18 *août* 1814).

***

« Mme de Staël, écrit Victor de Broglie dans ses *Mémoires*, m'accueillit avec bonté; elle aimait les titres de noblesse, les noms historiques, les idées libérales... elle se résignait à la Restauration, sans illusion, sans aversion, sans préjugés favorables ni contraires. J'étais assez son fait sur ces divers rapports. Je la vis bientôt tous les jours ou à peu près; j'allais habituellement chez elle soir ou matin, quelquefois l'un et l'autre, soit à Paris, soit à Clichy où elle s'établit pendant l'été [*au retour de Coppet, c'était l'automne*]. Je me liai intimement avec son fils. J'étais son aîné de plusieurs années [*Victor a vingt-neuf ans en* 1814].

... J'ai peu connu M. Rocca. Au moment où Mme de Staël revint en France, il était atteint d'une maladie mortelle qui le condamnait à la retraite et au silence absolu. On ne le voyait que de loin en loin. Dans le très petit nombre de paroles que j'ai recueillies de lui, il m'a laissé l'idée d'un esprit original, brusque et naïf qui devait avoir quelque chose de singulièrement piquant.

... Mes assiduités dans cette maison n'ayant point paru déplaire, je conçus bientôt de plus hautes espérances et, vers la fin de l'automne, je partis pour les Ormes [*propriété de M. d'Argenson, second mari de Mme de Broglie*] afin d'obtenir le consentement de ma mère qui me l'accorda volontiers et revint avec moi à Paris... »

IV

« *Ah ça, deviens-je fou!* »

Le retour à Coppet vaut à la châtelaine le 19 juillet un accueil attendrissant, avec pétards, fleurs, danses, couplets. Sismondi, à Genève, ironise :

« Elle croyait [*à Mme d'Albany*] si elle pouvait jamais habiter Paris, ne pas dépasser les barrières, et voilà que cet attrait de la Suisse qu'elle sentait, quoiqu'elle n'en voulût pas convenir, la rappelle déjà. »

Ce qu'ignore Sismondi, c'est que dans « cet attrait de la Suisse » il y a l'impatience et la curiosité d'un père et d'une mère pour l'enfant clandestin de leur étrange amour, « petit-nous », un bébé de vingt-sept mois, que la femme du pasteur de Longirod et Fanny Randall sont seuls à soigner et à dorloter.

« ... Ce petit Alphonse... écrit Mme de Pange, est contrefait, un peu boiteux, sa tête est démesurément grosse. La brave Mme Gleyre... quand il a eu un an à peine, a eu la maladresse de le laisser tomber. Depuis ce jour, l'enfant s'exprime difficilement. Il restera toujours un peu bègue. Il est doux, tranquille, mais peu intelligent, affectueux comme un petit chien, avec de grands yeux craintifs. Son père l'adore. Il voudrait s'en occuper davantage, mais Mme de Staël tient à la discrétion !... »

En Suisse, Germaine retrouve Joseph Bonaparte — à chacun son tour d'être en exil... — qui vient d'acheter le château de Prangins à quelques kilomètres de Coppet, où il s'installe avec sa femme et ses deux filles. On surveille l'ancien roi de Naples et de Madrid qu'on soupçonne de conspirer comme on surveillait hier Mme de Staël...; et Germaine s'emploie de tout son cœur, usant de ses hautes relations, à protéger son voisin des tracasseries et des vexations dont elle a souffert si longtemps. Mieux! Elle court un soir à Prangins avertir Joseph en train de dîner avec Talma qu'un attentat est en préparation contre le prisonnier de l'île d'Elbe. Dans une de ces impulsions de générosité qui lui font survoler ses rancunes, elle voudrait avertir elle-même Bonaparte. Talma rivalise de zèle avec elle et se propose. Joseph les remercie, les apaise et expédie à son frère un courrier moins voyant...

***

Dès son arrivée à Coppet, Germaine a écrit très amicalement à Juliette. En revoyant « le petit appartement » de Juliette au château, elle regrette « nos querelles et nos entretiens et toute cette vie qui est en vous ». La réponse de Juliette doit être quelque peu « reprochante », et la mise au point de Germaine cache à peine une épine sous les roses.

« ... Quant à vous juger, il est bien sûr que je vous apprécie beaucoup puisque je vous aime autant. Mais il m'est arrivé avec vous, comme dans un sentiment plus vif, des moments d'enthousiasme et d'autres d'humeur. Il est impossible que l'amitié pour une personne telle que vous, avec de telles qualités et de tels jolis défauts, ne produisent pas ce genre d'agitation de l'âme. »

Ce billet doit être du début de septembre. Le 31 août, Benjamin qui se répand beaucoup — il dîne chez Talleyrand, chez lady Holland, chez la duchesse de Courlande, chez M. de Custine, chez Juliette Récamier; il voit Barante, Garat, Suard, Mackintosh... — a noté dans son Journal : « Dîné au Cercle. Mme Récamier. Ah ça, deviens-je fou? »

Si ce n'est pas un accès de folie, cela y ressemble en

effet beaucoup. Feuilletons les *Journaux intimes* (édit. intégrale, Gallimard 1952) le plus passionnant des romans :

« ... Mon amour me trotte par la tête. Nous verrons demain. (1er *septembre*).

... Mon diable d'amour me tourmente ridiculement. (3 *septembre*).

... Je n'ai été occupé que de Juliette. Joué pour me distraire. Gagné. (4 *septembre*).

... Talleyrand bien pour moi. Mais Juliette m'occupe pardessus tout. (5 *septembre*).

... Journée toute à Juliette. Je ne suis pas encore aimé, mais je lui plais. Il y a peu de femmes qui soient insensibles à ma façon d'être absorbé et dominé par elles. Ceci met un vif intérêt dans ma vie. Je sens dans mes veines une chaleur inusitée. (7 *septembre*).

... Auguste de Staël. Il m'observe. Il dira tout à sa mère. Que diable me fait cette femme? Qu'elle ne s'avise pas de me troubler! Elle m'a fait assez de mal. Juliette est difficile à prendre. Elle doute et elle oublie. Mais elle me trouvera plus aimable que personne. Elle m'aimera. (8 *septembre*).

... Matinée douce. Tout est doux avec Juliette. Je suis parti, mais je la verrai demain soir. Elle anime ma vie. » (12 *septembre*).

Puis, en quelques jours, le climat change.

« ... Mauvaise journée. Travaillé à un singulier mémoire [*en faveur de la royauté de Murat, ami de Mme Récamier*]. Mal de nerfs. Cet amour pour Juliette me tourmente horriblement. Je n'ai pas la force de m'en rendre maître, et pourtant quel peut en être le résultat? Quelques moments de charme, beaucoup de souffrance, et si, par impossible, Juliette était plus sensible que je ne le crois, d'incalculables malheurs. Et ma femme? Aussi, pourquoi n'est-elle pas venue?.. (13 *septembre*).

Je me suis mis en tête une nouvelle tentative de carrière aventureuse. Nous verrons. Je voudrais à tout prix agir. Je suis las d'écrire. J'ai donc vu Juliette. Je la crois une bien grande coquette, plus qu'elle ne le pense elle-même, mais il y a peut-être un fond de sensibilité que je parviendrai à développer. Je lui plais beaucoup, c'est sûr. Il faut qu'elle ne puisse pas se passer de moi. Bientôt, il faudra la mettre à l'épreuve. Gare Mme de Staël si elle découvre ceci ! (14 *septembre*).

Juliette m'avait promis une promenade, elle m'a manqué de parole. Dîné chez elle. Désespoir de ne pas la voir seule. Enfin tête-à-tête. Il ne faut pas la trop tourmenter. Elle est très capable de se défaire de ce commencement de sentiment, s'il la peine. Mais il faudrait savoir me gouverner, et je ne sais pas. Prenons sur nous. Mais il me faudrait des tête-à-tête pour l'amuser, ce qui est le seul moyen de la captiver par degrés. Je ne la verrai que demain soir. Peut-être ferais-je mieux de triompher de moi au point de laisser passer cette journée. Pensons-y. Je souffre absurdement... » (15 *septembre*).

Oui, très absurdement. Il souffrira ainsi toute une année jusqu'en octobre 1815. Cette passion de vieux collégien — il a quarante-huit ans — dont il ne faut s'exagérer ni l'importance ni la sincérité, qui ne l'empêchera pas de se prodiguer, d'écrire, de jouer, de se pousser, de se placer, n'est qu'une fièvre de vanité, empoisonnée par l'irritation d'échouer, lui aussi, là où tous les autres ont échoué et que Chateaubriand lui-même connaîtra, malgré les nuits de Chantilly. Seulement, Chateaubriand fut aimé de Juliette et se montra infiniment habile dans l'art de sublimer les sentiments et de laisser croire à la candide postérité, sensible à sa musique, ce qu'il voulait qu'elle crût.

Quant à Juliette, rien ne la peint mieux, dans ses tristes limites, dans sa perversité de salon, que cette ridicule promenade en barque avec l'ancien amant de la grande amie, numéro prestigieux qu'elle est ravie d'ajouter sur sa liste, entre Forbin et Nadaillac.

Quand Benjamin se croit enfin résolu à regagner la rive, il fait le point en quelques lignes d'une précision impitoyable.

« Revu Mme Récamier. La présence me calme toujours. Elle a une telle impuissance de sentiment et, sans le savoir, une telle naïveté d'indifférence et de sécheresse, non seulement pour moi mais pour tout le monde, que quand on l'entend, on ne l'aime plus. En l'absence, on se la refait à sa guise, et l'obstacle et la difficulté matérielle de la voir montent la tête. Du reste, elle a bonne intention et se croit de l'amitié. Tout en disant ceci, au moindre refus, ma tête se monterait de nouveau et je pourrais me tuer de douleur. Il faut décidément partir pour finir cette démence. » (24 *septembre* 1815).

Prosper de Barante, peu de jours avant que Constant soit frappé — comme il l'a été et comme le furent tôt ou tard, plus ou moins sérieusement, tous les amis de Mme de Staël — écrit drôlement, de sa terre d'Auvergne, à Germaine :

« ... Mme Récamier continue donc toujours à prendre, quitter, reprendre tous les sentiments qui se trouvent à portée? L'an dernier M. de Montlosier m'écrivait de Rome qu'il l'avait trouvée tâchant de devenir pieuse : mais que par malheur, il fallait adorer Dieu, tandis qu'elle eût voulu que Dieu l'adorât. » (23 *juillet* 1814).

Il n'est pas question de condamner Juliette. Elle a de grandes excuses. On ne saurait lui reprocher les satisfactions qu'elle tire de sa virtuosité à jouer des seules armes que la nature lui laisse. Réduite à ses manèges, la ravissante infirme souffre sûrement à sa manière de susciter les désirs sans pouvoir y répondre autrement qu'en les exaspérant. Cette robe de pureté dont elle s'enveloppe, cette légende qu'elle se fera tisser par Benjamin et broder par René, sous lesquelles ne vit qu'une radieuse poupée animée par le seul génie de la coquetterie, privée des joies essentielles — l'amour, le foyer, la passion, les enfants — marquent le regret de Juliette Récamier de n'être que ce qu'elle est, et son brûlant souci de ne pas être jugée sur sa seule frivolité. Cela ne sort pas d'une âme vulgaire, quelle que soit la part de la vanité. Non, il n'est pas question de la condamner. Il est seulement permis de se refuser à tout lui passer. Elle fut belle et compatissante aux petites misères de son entourage. Bravo! Mais la représenter comme un ange de vertu, de délicatesse, de pudeur, et ne voir dans ses perpétuelles manigances qu'une grâce de plus ne paraît vraiment plus possible aujourd'hui.

***

Benjamin ne peut cacher longtemps à Mme de Staël qui le rencontre souvent chez Juliette une aventure à laquelle tout Paris s'intéresse et qui conduit l'amoureux désaxé, humilié, enragé, à réclamer les secours de la jolie baronne de Krüdener dont le crédit mystique est en grande hausse depuis que son tsar l'a choisie pour directrice de confession.

« ... Il lui arrivait [*à Benjamin*] raconte Victor de Broglie, de passer, lui et maints néophytes, des nuits entières dans le salon de Mme de Krüdener, tantôt à genoux et en prières, tantôt étendu sur le tapis, et en extase; le tout sans fruit, car ce qu'il demandait à Dieu, c'est ce que Dieu souffre parfois dans sa colère, mais qu'il tient en juste détestation. Épris de Mme Récamier, belle encore à cette époque, bien que déjà sur le retour, ce que Benjamin Constant demandait à Dieu, c'étaient les bonnes grâces de cette dame et, Dieu faisant la sourde oreille, il ne tarda pas à s'adresser au diable. »

Pour prouver qu'il ne plaisante pas, Broglie fait le récit d'un retour d'Angervilliers à Paris, en voiture, lui, Auguste et Benjamin.

« ... La nuit était noire, le temps à l'orage, le ciel sillonné d'éclairs, le tonnerre grondait dans le lointain; le galop des chevaux et le bruit des roues y répondaient à qui mieux mieux; et les étincelles jaillissaient à profusion du pavé. Ce fut le moment que Benjamin Constant choisit pour nous faire la singulière confidence des efforts qu'il avait tentés et tentés inutilement, Dieu merci, dans le dessein d'entrer en marche avec l'ennemi du genre humain.

« Il entendait un peu se moquer de nous, sans doute, mais il se moquait au fond de lui-même et ne s'en moquait que du bout des lèvres; son front était pâle, un sourire sardonique errait sur son visage; il commença sur ce ton de raillerie amère qui lui était familier; peu à peu le sérieux prit le dessus et, à mesure qu'il nous expliquait les simagrées auxquelles il s'était soumis, ses expériences conçues et déçues, son récit devenait si expressif et si poignant, qu'à l'instant où il le termina, ni lui ni aucun de nous n'étaient tentés de rire : il tomba et nous aussi, je le confesse en toute humilité, dans une rêverie pénible et pleine d'angoisse. Nous rentrâmes dans Paris sans nous être dit un seul mot. »

Un jour d'octobre 1814, le 24, Benjamin se risque à consulter Germaine et son fils qui ont évidemment, elle et lui, une grande expérience de Juliette, sur sa malheureuse passion.

« Causé à cœur ouvert avec Auguste et Mme de Staël sur Juliette. C'est un vrai roué en femme. Que je suis fou ! Il faut prendre une tout autre manière. Cette conversation m'a fait un peu de bien. »

Comment Germaine réagit-elle au spectacle dont on la rend témoin, qui la choque, la déconcerte avant de la brûler? Elle cherche, sans illusions sur les acteurs, à le trouver logique et sans gravité. Elle veut s'en amuser. Elle en rit jaune mais elle en rit, secrètement satisfaite de l'amère occasion de voir les deux complices, toujours si chers à son cœur, sous leur vrai jour...

La voici plus que jamais résolue à sortir elle-même de la zone des orages où elle s'est si longtemps abîmée, à se consacrer à de nobles tâches, à continuer l'œuvre de son père, à travailler par la parole et par la plume, dans la mesure de ce qui lui reste d'ambition et de forces, à la résurrection de la France qui doit redevenir le guide spirituel d'une Europe pacifiée, le pilote exemplaire du monde civilisé.

Elle n'écrit plus maintenant, comme jadis, dans son lit et sur ses genoux, transportant partout son écritoire. Elle a une table, un bureau, un programme, une méthode. Elle travaille régulièrement à *Dix années d'exil* et aux *Considérations sur la Révolution française*, fruit de son expérience politique. En véritable homme de lettres, elle veut envisager, une fois Albertine mariée, une vieillesse active et sereine, entourée des affections qui ne l'ont jamais déçue, le pauvre John dont la vie se consume; Guillaume Schlegel et Fanny Randall, au dévouement sans bornes; la cousine Albertine, aux trois quarts sourde, mais dont l'intelligence et la sensibilité s'avivent avec l'âge. Mme de Saussure vient d'être frappée par un terrible deuil, une fille chérie brûlée vive. Ainsi mourra des suites de ses brûlures, en 1845, quinze ans après Benjamin, Charlotte Constant de Hardenberg qui a déjà failli périr par le feu en 1810, comme la princesse de Schwarzenberg, au cours de l'incendie de la salle de bal de l'ambassade d'Autriche.

***

L'affaire des deux millions paraît en bonne voie. Avant de quitter Coppet, Germaine écrit à Louis XVIII :

« Sire, j'ai vu dans les journaux que Votre Majesté était au moment de régler les dettes dans lesquelles elle a daigné me promettre de me comprendre. J'ose me rappeler à sa bonté suprême et j'attends dans ma retraite avec confiance qu'Elle voudra bien me faire mettre sur la liste de ceux qu'Elle a résolu d'acquitter à présent. Mes enfants et moi regarderons cet acte de justice comme un bienfait, et des sentiments profonds et animés rempliront à jamais nos cœurs de dévouement et de reconnaissance.

Je suis avec respect, Sire, de Votre Majesté, la très humble et très obéissante servante et sujette, Necker de Staël-Holstein. »

Des complications surgissent avant que la décision soit entérinée par la Commission des finances. Mais le roi a promis. Les premiers versements doivent être effectués au printemps 1815. Forte de cet engagement, Mme de Staël s'inquiète maintenant de réduire les difficultés d'ordre religieux qui peuvent retarder encore le mariage d'une protestante et d'un catholique.

Le 28 février elle annonce à son vieil ami Henri Meister, toujours à Zurich, l'union de Victor et d'Albertine comme une chose conclue et le règlement de la dette, sans lequel « ce mariage eût été plus difficile... », comme une affaire terminée...

« ... car le duc de Broglie réunit tout, excepté de la fortune. C'est un homme d'un rare esprit et d'une instruction admirable; je voudrais fort vous le présenter. Il sera à Coppet, je crois, peut-être dans un mois; et cet automne, je compte vous voir ou chez moi ou chez vous; car j'ai formé le projet de voyager dans les petits cantons cette année... »

Le 5 mars, toujours rue de Grenelle à l'ancien Hôtel Lamoignon (dont elle occupe le rez-de-chaussée et M. de Lavalette les étages), vingt-quatre heures avant d'apprendre le débarquement de Napoléon au Golfe Juan, elle écrit à nouveau, à Meister.

« Je me trouve tout à coup dans le cas de vous demander, sous le sceau du secret, des informations importantes. Est-il vrai qu'à Coire dans les Grisons, ou dans les cantons médiats de la Suisse, ou dans les villes allemandes qui touchent à la Suisse, un catholique et une protestante peuvent se marier sans dispense du pape? Nous voudrions n'y pas recourir, par mille raisons trop longues à vous détailler... Prenez garde, en faisant des questions, qu'on ne puisse pas soupçonner qu'il s'agit de nous, et daignez prendre un prétexte quelconque qui en éloigne l'idée... »

Au matin du 6 mars, avertie par un ami de la stupéfiante nouvelle, Germaine après un moment d'effroi déclare à Lavalette : — C'en est fait de la liberté si Bonaparte triomphe, et de l'indépendance nationale, s'il est battu !

Le jour même, elle est décidée à quitter Paris pour Coppet. Les royalistes se moquent de ses craintes... « Il fallait leur entendre dire que cet événement était le plus heureux du monde, parce qu'on allait être débarrassé de Bonaparte, parce que les deux Chambres allaient sentir la nécessité de donner au roi un pouvoir absolu... Comme si cela se donnait !... » Le 9 mars, les nouvelles font défaut à Paris « parce qu'un nuage avait empêché de lire ce qu'annonçait le télégraphe de Lyon... Je compris ce que c'était que ce nuage », écrit Germaine. Le soir, elle est aux Tuileries et fait ses adieux au roi. Elle part dans la nuit, après avoir vainement conseillé à Juliette de la suivre. En route, elle expédie un autre mot à Mme Récamier pour lui recommander de faire partir Benjamin. Rien jamais ne l'empêche, on le sait, d'essayer de sauver amis comme ennemis quand elle les croit menacés. Elle voit déjà l'Empereur faisant arrêter, exiler, fusiller...

Après huit jours d'hésitations, Constant a choisi la mauvaise carte. Il a donné au *Journal de Paris* un article qui paraît le 11, et un autre, plus dangereux encore (pour lui) qui paraît le 19 dans les *Débats*... Il a non seulement stigmatisé l'usurpateur, le tyran, mais il a déclaré qu'on ne le verrait pas, lui, Benjamin Constant, « misérable transfuge », se traîner d'un pouvoir à l'autre pour couvrir l'infamie par le sophisme...

« Grandes nouvelles. La débâcle est affreuse. Mon article

de demain met ma vie en danger. Vogue la galère. S'il faut périr, périssons bien... » (10 *mars*).

« Fait un article pour les *Débats*. S'*il* triomphe et qu'il me prenne, je péris. N'importe. Tâchons de nous souvenir que la vie est ennuyeuse... » (18 *mars*).

Trois jours plus tard, cachant sa peur, il est en Vendée — où règne Prosper de Barante — prêt à s'embarquer pour New York. Mais flairant le vent et commençant à comprendre que la nécessité et la ruse ont peut-être rendu l'Empereur plus libéral que lui, il calcule, en bon cynique, n'entendant parler ni de proscriptions ni de poursuites, que ses injures et ses deux manifestes du 11 et du 19 peuvent le mettre en meilleure posture auprès du Maître que ne l'eussent fait des éloges. Il rentre prudemment, par petites étapes, à Paris.

V

40.000 *francs pour Albertine, s'il vous plaît!*

« ... Le lendemain du départ de celui qu'on laissait partir et le jour de l'arrivée de celui qu'on laissait venir, écrit Victor de Broglie qui était à Paris le 20 mars, fut encore plus triste que la veille. Paris était lugubre : les places publiques désertes, les cafés, les lieux de réunion à demi fermés; les passants s'évitaient; on ne rencontrait guère dans les rues que des militaires attardés, des officiers en goguette et des soldats en ribote, criant, chantant *la Marseillaise*, éternel refrain des tapageurs offrant à tout venant d'un ton goguenard, et presque à la pointe de leur sabre, des cocardes tricolores.

« ... A nuit close, le Maître arriva. Il arriva comme un voleur, selon l'expression de l'Évangile qui ne fut jamais plus juste. Il grimpa le grand escalier des Tuileries, porté sur les bras de ses généraux, de ses anciens ministres, de tous les serviteurs passés et présents de sa fortune sur le visage desquels on pouvait néanmoins lire autant d'anxiété que de joie.

« A peine fut-il assis qu'il entendit retentir à ses oreilles les mots de constitution, de liberté, etc.; il avait lui-même entonné la première note dans ses proclamations. C'était d'ailleurs le mot d'ordre, la lubie du jour, le jargon de la circonstance. Ce fut pour lui une pilule amère qu'il avala d'assez bonne grâce. »

Le 14 avril, un gendarme se présente chez Constant. Que se passe-t-il? S'est-il trompé? Vient-on l'arrêter? Non. C'est une convocation de Napoléon.

« Le Chambellan de service a l'honneur de prévenir M. Benjamin Constant que Sa Majesté l'Empereur lui a donné l'ordre de lui écrire pour l'inviter à se rendre de suite au palais des Tuileries. Le Chambellan de service prie M. Benjamin Constant de recevoir l'assurance de sa considération distinguée. Paris, le 14 avril 1815. »

Dans les *Mémoires sur les Cent-Jours* qu'il compose après Waterloo pour justifier, avec quelle habileté, sa palinodie auprès de Louis XVIII et éviter le sort de Labédoyère (« Je me suis presque persuadé moi-même » dira-t-il en riant à Juliette), Benjamin Constant raconte en excellent journaliste ce que fut le tête-à-tête et résume l'exposé que lui fit Napoléon. C'est un morceau d'une extraordinaire saveur.

« ... S'il y a des moyens de gouverner par une Constitution, à la bonne heure... J'ai voulu l'empire du monde et, pour me l'assurer, un pouvoir sans bornes m'était nécessaire... Pour gouverner la France seule, il se peut qu'une Constitution vaille mieux.

« ... J'ai rarement trouvé de la résistance en France, mais j'en ai rencontré davantage dans quelques Français obscurs et désarmés que dans tous ces rois si fiers aujourd'hui de n'avoir plus un homme populaire pour égal...

« Voyez donc ce qui vous semble possible; apportez-moi vos idées. Des discussions publiques, des élections libres, des ministres responsables, la liberté de la presse, je veux tout cela... La liberté de la presse surtout, l'étouffer est absurde... Je suis convaincu sur cet article... Je suis l'homme du peuple, si le peuple veut réellement la liberté, je la lui dois.

« ... Je ne hais point la liberté... Je l'ai écartée lorsqu'elle obstruait ma route, mais je la comprends, j'ai été nourri dans ses pensées... aussi bien l'ouvrage de quinze années est détruit, il ne peut se recommencer. Il faudrait vingt ans et deux millions d'hommes à sacrifier... D'ailleurs je désire la paix et ne l'obtiendrai qu'à force de victoires. Je ne veux pas vous donner de fausses espérances; je laisse dire qu'il y a des négociations, il n'y en a point. Je prévois une lutte difficile, une guerre longue. Pour la soutenir, il faut que la nation m'appuie; mais en récompense, je crois, elle exigera de la liberté. Elle en aura... la situation est neuve. Je ne demande pas mieux que d'être éclairé. Je vieillis. On n'est plus à quarante-cinq ans ce qu'on était à trente. Le repos d'un roi constitutionnel peut me convenir. Il conviendra plus sûrement encore à mon fils... »

En écoutant ces déclarations, en recevant ces offres qui lui ouvrent de si flatteuses, de si échauffantes perspectives, Benjamin jubile en secret. Cette fois, il ne se trompe pas ! Il ne s'agit plus de Bernadotte ! Il peut se moquer de Talleyrand déconfit à Vienne... Il tient un atout maître ! « Servons la bonne cause, et servons-nous ! » Et quand, déjà au travail, attelé avec quelques juristes à la rédaction de l'Acte additionnel, ravi d'être en faveur « me voilà donc de la nouvelle Cour... », usant de sa particule et de son blason, mais gêné par sa mauvaise presse et le rappel de ses virulents articles du 11 et du 19 mars, il reçoit les reproches indignés de Mme de Staël (qui le dispute aussi, on le verra, sur des questions d'intérêt) Constant s'emporte et s'indigne à son tour : « Quelle furie !.. Je l'attends et je l'écrase ! »

Victor de Broglie use de ce spirituel raccourci pour évoquer l'attitude de Benjamin :

« Rassuré par ses amis, il revint. L'Empereur, plus malin que lui, qui pourtant l'était beaucoup, voulut le voir. Il le vit, et Benjamin Constant sortit de l'entrevue aussi convaincu des bonnes intentions impériales qu'il pouvait l'être de quelque chose, ce qui, à la vérité, n'était pas beaucoup dire. »

Pour bien connaître l'homme, il faut suivre Constant dans la jonglerie dialectique des *Mémoires sur les Cent-Jours*, exercice de haute voltige intellectuelle et politique qu'il exécute en se jouant pour une galerie qu'il méprise et qu'il s'applaudit d'éblouir et de duper.

« ... ma pensée dominante, mobile unique de toute ma vie : celui de voir la liberté constitutionnelle s'établir paisiblement parmi nous... Lorsqu'on n'a d'autre but que de dire ce qui est vrai et de concourir à ce qui est utile, on peut supporter bien des inimitiés et rester indifférent à bien des menaces...

« ... Tout à coup, je me suis rallié à l'homme que si longtemps j'avais attaqué. Celui sous lequel j'avais refusé de servir quand l'assentiment universel l'appuyait, je l'ai servi quand il était l'objet de la haine européenne; celui dont je m'étais éloigné quand il disposait des trésors du monde, je m'en suis rapproché lorsqu'il n'avait plus que des périls à partager avec ceux qui s'associaient à sa destinée. Assurément si ma conduite n'eût été dirigée que par des motifs d'intérêt personnel j'aurais fait le calcul le plus absurde et j'aurais agi non seulement en citoyen coupable, mais en insensé... D'autres considérations me décidèrent, comme elles décidèrent une foule de bons citoyens. Nous crûmes qu'il ne fallait pas, en refusant tout concours à Bonaparte, maître de l'empire, le contraindre à rester dictateur et à recommencer le despotisme de 1812... »

Mme de Staël repousse avec vigueur cette argumentation spécieuse qu'elle condamnera catégoriquement dans les *Considérations :*

« ... Si c'était un crime de rappeler Bonaparte, c'était une niaiserie de vouloir masquer un tel homme en roi constitutionnel; du moment qu'on le reprenait, il fallait lui donner la dictature militaire, rétablir la conscription, faire lever la nation en masse, enfin ne pas s'embarrasser de la liberté quand l'indépendance était compromise. L'on déconsidérait nécessairement Bonaparte, en lui faisant tenir un langage tout contraire à celui qui avait été le sien pendant quinze ans...

« Quelques amis de la liberté, cherchant à se faire illusion à eux-mêmes, ont voulu se justifier de se rattacher à Bonaparte en lui faisant signer une Constitution libre; mais il n'y avait point d'excuse pour servir Bonaparte ailleurs que sur le champ de bataille. Une fois les étrangers aux portes de la France, il fallait leur en défendre l'entrée : l'estime de l'Europe elle-même ne se regagnait qu'à ce prix. »

Mais ce langage si ferme, il faut le noter, n'est pas celui que tient tout de suite Germaine. L'affection qu'elle garde, en dépit de tout, à Benjamin et la connaissance si précise qu'elle a de ses faiblesses la portent sans altérer sa clairvoyance à une relative indulgence. Elle lui écrit le 11 août après avoir lu et fait lire à quelques intimes le manuscrit des *Mémoires :*

« ... Votre justification est parfaite et je me suis sentie ébranlée en la lisant, il n'y a pas une possibilité de vous attaquer légalement, il n'y a que vos amis qui peuvent s'affliger de l'extrême mobilité de votre caractère, vous avez des réponses excellentes à vos ennemis...

« Tout le monde a dit que sans l'article du 19 [*mars, Débats*] il n'y aurait rien à dire contre vous. C'est l'éclat de votre talent qui a fait votre tort. Dieu a voulu que vous eussiez tout dans vos mains et qu'une fée malfaisante vous fît tout rejeter. Ayez cependant du courage, soutenez la cause de la France, ne vous abandonnez pas vous-même et faites-vous des principes immuables. L'esprit de parti par degrés s'apaise et les grandes couleurs de votre vie, l'amour de la liberté et le talent reparaîtront... Supportez ce que vous n'avez pas, vous avez tant fait pour vous débarrasser de ce que vous aviez... »

Germaine s'est elle-même trouvée, à la fin mars, exposée aux tentations et invitée par Joseph, de la part de l'Empereur, à rentrer sans crainte à Paris. Napoléon, très sensible au geste de Mme de Staël courant au château de Prangins et voulant courir à l'île d'Elbe, cherche à signer la paix et à se concilier les bonnes grâces de la trop célèbre dont il a méconnu la générosité, et surtout sous-estimé le pouvoir. Mais Germaine, quoique touchée, ne se laisse pas séduire et ne perd pas le nord. Elle met à profit les bonnes dispositions de l'Empereur pour rappeler à Joseph et à Fouché sa malheureuse dette que Napoléon n'a pas laissé au pauvre Louis XVIII le temps de régler...

Joseph répond le 5 avril à Germaine une lettre habile et bien faite pour la troubler.

« Madame, j'ai reçu votre lettre du 30 mars : je serai bien heureux de contribuer à vous faire rendre la justice que vous réclamez; les dispositions pour vous sont très bonnes et je ne doute pas du succès... la France est aujourd'hui une avec l'Empereur; il veut donner plus de liberté que vous n'en voudrez; ses sentiments, ses opinions sont d'accord avec ses paroles et les désirs des gens sensés, et les gens sensés aujourd'hui me paraissent être la France entière; jamais, même en 89, il n'y eut une pareille unanimité d'opinion et de mouvement vers un ordre de choses fixe et raisonnable...

« ... Vos sentiments, vos opinions peuvent aujourd'hui se manifester librement, elles sont celles de toute la nation et je me trompe fort si l'Empereur ne devient pas dans cette nouvelle phase de sa vie plus grand qu'il ne l'a été... Si on le laisse en paix, il fera le bonheur de la France et contribuera puissamment à celui de l'Europe.

« ... Vous serez sans doute contente d'apprendre que j'ai entendu dire à l'Empereur lorsqu'il a détruit la Censure « Il n'y a pas jusqu'au dernier ouvrage de Mme de Staël que les censeurs ne m'aient fait prohiber; je l'ai lu à l'île d'Elbe;

il n'y a pas une pensée qui dût le faire défendre. Je ne veux plus de censure; que l'on dise ce que l'on pense, et que l'on pense ce que l'on voudra. »

Cette si prompte promesse au sujet des deux millions, cet aimable mensonge au sujet de l'*Allemagne* (que Napoléon a bel et bien fait interdire *malgré* l'avis des censeurs) vont impressionner quelques jours Germaine, tout de suite prête à croire ses amis sur parole.

« Je ne tiens pas au parti royaliste [*à Benjamin*, 17 *avril*]. Si l'Empereur donne la liberté, il sera pour moi le gouvernement légitime, mais depuis le voyage d'Antibes, je ne sais qui pourrait lui résister en face. J'en serais moins capable à présent qu'autrefois, jugez de la nation ! »

Mme de Staël écrit le même jour à Juliette qui n'ignore rien de ses démarches et les appuie auprès des amis influents. Auguste, resté à Paris pour surveiller les affaires de sa mère, vient régulièrement en parler avec Mme Récamier pour le plaisir peut-être de voir un Benjamin, à demi-chauve et bedonnant, souffrir à sa place...

« ... S'il [*l'Empereur*] accepte ma liquidation, écrit Germaine, il est bien sûr que ma reconnaissance m'empêchera de jamais rien écrire ni rien faire qui puisse lui nuire. C'est tout ce qu'il me faut et ma santé a tellement besoin de repos et du Midi que je ne pourrais retourner à Paris que par dévouement pour Albertine. La fortune de M. de Broglie est si petite que, sans une dot considérable, je ne sais comment ils iront. »

***

Cette affaire des deux millions qui ne se dénouera qu'après le retour de Louis XVIII, soucieux de tenir sa promesse, va provoquer durant les Cent-Jours la crise la plus désobligeante et la plus triviale qui ait jamais traversé les relations de Germaine et de Benjamin.

Malgré sa volonté d'être aimable, Napoléon ne peut songer à disposer, dans une Trésorerie difficile, d'une somme relativement importante à un moment où toutes ses ressources sont réclamées par la campagne qui se prépare. Mme de Staël devra donc attendre la victoire.

Or la situation de l'Empereur ne fait pas longtemps illusion à Germaine qui connaît la détermination et les moyens des Alliés avec lesquels elle reste en correspondance. Elle s'effraye de ce nouveau mécompte qui peut compromettre la conclusion, déjà traînante depuis un an, du mariage d'Albertine. La « dot considérable » annoncée par Mme de Staël n'est pas exigée, du moins on l'espère, par le fiancé (« Je trouverais triste [*Germaine à Benjamin*] qu'une si charmante personne fût marchandée... ») mais elle constitue un solide argument pour les opposants au mariage.

« L'assentiment cordial et empressé de ma mère, raconte Victor de Broglie, m'était fort nécessaire pour faire tête à l'orage que ma résolution excitait au sein de ma famille. Tel était le courant de l'opinion dominante et la folie des préjugés nobiliaires fraîchement exhumés qu'on y regardait mon mariage avec la fille d'un grand seigneur suédois comme une mésalliance. On rappelait l'opposition entre le maréchal de Broglie et M. Necker en 1789; il semblait que nos deux familles fussent des Capulet et des Montaigu; mon oncle Amédée, à qui j'avais des obligations réelles et récentes, me traitait d'ingrat; bref, la rumeur était extrême et croissait d'heure en heure. »

Ce que Broglie ne peut ni ne veut écrire, c'est que la filiation suédoise d'Albertine, avec ses cheveux carotte et ses taches de rousseur, dut susciter de sérieuses contestations... Mais deux millions de dot permettaient d'écarter l'objection.

On conçoit l'inquiétude de Germaine qui n'avait pas alors, déclare-t-elle, le moyen de rassembler la somme ou d'en payer le revenu. Que faire? Elle a hâte d'assurer l'avenir de sa fille, hâte de se libérer de ce grand devoir, hâte aussi de recouvrer le droit de s'occuper d'elle-même. Elle se tourne alors très naturellement vers Benjamin. N'a-t-il pas le même intérêt de sentiment à voir Albertine heureuse?

Le 21 mars 1810, ils ont signé à Coppet, on s'en souvient, un acte de règlement pour solde de tous comptes. Aux termes de l'acte, Benjamin Constant de Rebecque reconnaît devoir à Mme la baronne de Staël-Holstein, née Necker, une somme de 80 000 francs, payable — il s'y engage par testament — à son décès, à lui, Constant, « pour capitaux et intérêts présents et futurs ».

L'acte est rédigé à la demande expresse de Benjamin, comme l'atteste cette phrase d'une lettre à sa tante, Mme de Nassau :

« ... Il m'importe d'obliger Mme de Staël à recevoir ce que je lui dois et je ne le puis qu'en réglant les comptes jusque dans le détail, car quand je l'ai priée de me dire ce que je lui devais, elle a toujours répondu qu'elle n'en savait rien et, soit comme amitié, soit comme vengeance et comme mélange de tous deux, elle ne demanderait pas mieux que de partir, en me laissant son débiteur. »

Eh bien, doit demander Germaine au conseiller d'État Benjamin Constant qui a Victor de Broglie pour secrétaire, étant donné les circonstances, ne pouvez-vous régler tout de suite, au profit d'Albertine, la moitié, soit 40.000 francs, de ce qui ne doit être versé qu'à votre décès?

« ... Je reçois une lettre de vous, écrit-elle le 10 avril 1815, dans laquelle vous ne me dites pas un mot de Victor ! Mais ce qui est plus surprenant encore, c'est que depuis l'arrivée d'Auguste, nous n'avons pas reçu un mot de lui. Ceci est tellement étrange que je ne puis me l'expliquer. Je vous prie *si* ce mariage a lieu et *si* je ne reçois pas mon argent, de vous donner la peine de payer ou bien 40.000 francs ou bien 2.000 francs de revenu. Si même je réunissais tous mes moyens, je ne pourrai pas dépasser cent mille écus à cause de mes pertes en Italie qui sont complètes, de celles que j'ai essuyées en Angleterre et de ce que le total est menacé. Tâchez de me faire savoir (sans en parler à qui que ce soit au monde) comment il se fait que Victor se conduise d'une façon inexprimable; tâchez de lui parler. »

Il semble que Benjamin accepte. Germaine l'en remercie le 17 avril :

« ... Je ne pense qu'à ma pauvre Albertine, mais c'est un supplice dont vous n'avez pas idée que la complication des devoirs, des sentiments. Ah ! mourir arrangerait tout. Je suis fâchée d'accepter le sacrifice des 40.000 francs que vous voulez faire à mes intérêts actuels; mais en vérité si le mariage a lieu et que mon paiement ne soit pas fait, leur situation l'exige. Cela *seul* pouvait me déterminer, vous le savez, à vous le demander. »

Cependant Benjamin, tout à l'Empereur, note le 20 avril (lendemain d'une lecture d'*Adolphe* chez Mme Récamier) :

« ... Ma nomination [*conseil d'Etat*] signée. Le saut est fait. J'y suis tout entier. Lettre de Mme de Staël. Elle voudrait que je ne fisse rien pour ma fortune et que je lui donnasse le peu que j'ai. Jolie combinaison ! Ni l'un ni l'autre. »

Il revient sur sa promesse ou conteste qu'il ait promis. Elle commence à se fâcher dans une lettre du 30 avril après l'avoir blâmé pour son travail à l'*Acte additionnel.*

« ... votre conduite au sujet de mon affaire est bien moins pardonnable... Vous m'avez *promis* les 40 sur les 80..., et je les ai promis à M. d'Argenson... Vous m'écrivez dans votre avant-dernière lettre que vous vous êtes engagé envers moi et Albertine dans l'espoir de devenir député. Maintenant, vous êtes conseiller d'État, cela rapporte plus... Vous venez maintenant avec l'invention que votre situation ne saurait avoir de durée, mais puisque vous dites vous-même que l'Empereur est invincible, que craignez-vous ?... »

et elle termine par ce trait :

« Aimez donc la, *elle*, au moins ! »

On lit dans le Journal de Benjamin, à la date du 6 mai :

« Lettre de Mme de Staël. Quelle harpie ! Elle n'aura pas si bon marché de moi qu'elle croit. »

La colère s'empare de Germaine. Elle écrit le 15 mai :

« Vous osez vous servir de la générosité que j'ai eue envers vous quand je vous aimais comme d'un droit !... Vous me dites que mes enfants auront la plus grande partie de votre fortune après vous — votre ? La mienne, puisque je vous prête ces 80.000 francs sans intérêts votre vie durant...

« Si je n'avais pas promis cet argent à M. d'Argenson *d'après votre promesse*, répétée dix fois à Paris [*sans doute à Auguste*] je vous laisserais à tout ce que vous faites, et à tout ce que vous êtes. Mais si je le puis, je vous ferai tenir votre promesse.

Si je ne le puis pas, nos deux conduites seront connues. Cela complétera vos mémoires. Vous savez qu'une partie de cet argent a été avancée par moi à votre père — au reste vous l'avez traité comme vous me traitez. Quant à votre fortune, je ne conçois pas pourquoi vous me dites ce qui est faux, quand je la sais comme la mienne. Vous êtes aujourd'hui plus riche que moi — vous n'avez soin de personne, vous n'êtes obligé à rien envers qui que ce soit.

« ... Vous avez daté du 9 mai ! [*anniversaire de l'entrevue Germaine-Charlotte à l'auberge de Sècheron, en* 1809].

Benjamin note le 19 dans le Journal : « Lettre de Mme de Staël. Voilà donc la guerre entre nous. Je le veux bien. Je la ferai de bon cœur. » On peut lui faire confiance. Il excelle à blesser.

« ... Quel homme, écrit Germaine le 25 mai, qui fit autant de mal à la fille qu'il en a fait à la mère ! Quel homme ! — Du reste tout est fini entre vous et moi, entre vous et Albertine, entre vous et quiconque est encore susceptible de sentiment. Je ne vous parlerai plus que par l'intermédiaire des avocats et comme tutrice de ma fille. Adieu. »

« Lettre furieuse de Mme de Staël, note Benjamin le 27. Dieu sait où s'arrêtera sa furie » et comme Auguste rentre à Coppet, il lui confie un mot de dégradante riposte qui fait à nouveau exploser Germaine.

« ... Vous me menacez de *mes lettres*. Ce dernier trait est digne de vous. Menacer une femme de lettres intimes qui peuvent compromettre elle et sa famille pour ne pas lui payer l'argent qu'on lui doit, c'est un trait qui manquait à M. de Sade (1).

« Sans doute si telle est votre intention, comme Albertine en souffrirait et que mon fils en serait irrité, quand il sera prouvé aux yeux de l'Europe que vous me devez 80.000 francs dont 34 *à mon père* pour Hérivaux, 18 pour votre billet pour Vallembreuse, etc., point d'intérêts depuis dix ans, je déclarerai qu'une femme ne peut pas s'exposer à la menace d'un homme de publier ses lettres et ce nouveau genre de moyen de s'enrichir sera connu, car avant vous personne n'eût osé le concevoir.

« Ce manque de fortune que vous affichez, quand vous avez joué tout l'hiver comme vous avez joué, est une moquerie. Il vous plaît de dire de moi que je ne veux pas me gêner pour Albertine, oubliant que ma fortune est réduite de moitié par

(1) Le marquis était mort fou à Charenton, quelques mois plus tôt.

l'exil et que je suis chargée de 20.000 francs de pension y compris Schlegel et Mlle Randall.

« ... Je trouve votre conduite tellement atroce que, sachant parfaitement que ni l'honneur, ni l'amitié, ni le désespoir que vous avez répandu sur ma vie, ni le mal que vous faites à ma fille tout cela n'est rien pour vous, et que l'argent seul dispose de votre vie politique et privée, je tâcherai de vous faire rendre ce que vous me devez parce que je sais que si ma fille et moi nous mourions de chagrin demain, cela vous ferait beaucoup moins que d'avoir payé vos dettes. »

« Quelle furie ! » note seulement Benjamin le 2 juin. Enfin, le 12 juin, dernière lettre de Germaine ulcérée.

« Vous me dites que depuis 6.000 ans les femmes se sont plaintes des hommes dont elles n'ont pas été aimées... Vous me dites que ma douleur autrefois vous faisait plus d'impression. Voulez-vous me dire si elle vous a empêché de vous marier malgré une promesse de mariage à moi et de porter à une autre à mon insu la fortune que vous teniez de mon père et de moi ?

« ... Il n'y a pas une place de mon âme qui ne soit ravagée par votre persévérante haine. Je m'étais réfugiée dans le passé; il vous a fallu dire à ma fille et à moi que vous n'aviez jamais aimé une femme [*plus de*] trois mois, misérable propos de roué que vous deviez épargner à l'innocence d'Albertine.

« ... Vous qui avez acheté des maisons, qui les payez de votre jeu, m'avez-vous dit, vous ne savez pas faire un sacrifice à la fille d'une personne qui vous a donné 80.000 francs..., etc. »

Sans doute ce sont là de bien tristes échanges, mais ce qu'il y a de sordide dans cette dispute a trop vite fait conclure certains des biographes de Benjamin Constant à une âpreté et à une mesquinerie qui ne sont ni dans les habitudes ni, surtout, dans la nature de Mme de Staël. Qu'on se rappelle ses lettres à Maurice O'Donnell de 1808 : « ... Ah, je mépriserais bien la délicatesse qui, plaçant l'argent au-dessus de tout, accepterait le cœur et pas la fortune... »

Si l'on prend soin de bien situer l'affaire, on constate qu'elle est beaucoup plus le fait de la passion que de l'intérêt. Comment croire d'ailleurs que le versement des 40.000 francs qu'elle réclame à Benjamin puisse compenser le non-paiement des *deux millions* de Necker? Comment croire, même si sa fortune est réduite de moitié, qu'elle ait réellement besoin de ces 40.000 francs et qu'elle ne puisse les fournir elle-même?

L'énorme disproportion entre la dette de Benjamin et la dette du Trésor royal permet d'avancer que l'argent n'est que le prétexte d'une querelle qui a son origine dans l'amertume et le dépit. Le caprice de Juliette pour Benjamin et la folie de Benjamin pour Juliette, dont Germaine feint de s'amuser, l'ont pourtant mortifiée et brûlée. A ces atteintes sont venues s'ajouter le malaise et l'indignation que lui inspire l'opportunisme insolent du courtisan-collaborateur. Les fugitives illusions de Mme de Staël, qui lui montraient un Napoléon assagi par l'expérience, se sont dissipées au cours du mois de mai. L'avenir de la France, que l'Empereur gagne ou perde, apparaît des plus sombres. Germaine souffre de voir l'homme qu'elle aime toujours s'engager dans une voie détestable où elle ne pourra plus jamais le rejoindre. Tous ces sentiments dont elle a plus ou moins conscience l'accablent d'une tristesse sourde qui va fermenter et se répandre en colère à la première occasion.

On n'a pas assez remarqué qu'au lendemain de Waterloo, dès que Louis XVIII est réinstallé aux Tuileries, que les craintes politiques et privées de Mme de Staël commencent à s'estomper et que le mariage d'Albertine paraît enfin possible, le ton des lettres de Germaine à Benjamin s'apaise brusquement, et ses fureurs fondent comme neige au soleil.

Un mois après le terrible 18 juin, tandis qu'on veut espérer en la générosité des vainqueurs, que Mathieu donne de ses nouvelles, qu'une amélioration se produit dans la santé de Rocca, Germaine écrit amicalement à Benjamin qui, avec La Fayette et la Commission des plénipotentiaires dont ils font partie, vient d'être reçu au quartier général russe par les diplomates alliés.

« Je voudrais que vous crussiez que je suis mieux pour vous que je ne l'étais. Il y a sûrement des points dans lesquels nous sommes en sympathie, mais il me semble que la conduite du ministère doit vous paraître bonne et l'on ne peut s'empêcher, ce me semble, à présent, de désirer le maintien du roi et de la France, il n'y a d'espoir pour l'un que par l'autre.

« Je ne sais ce que je ferai. Écrivez-moi l'état de Paris. Cela me décidera.

« Je vous conseille à vous deux choses : d'être élu [*député*] si vous le pouvez, si vous ne le pouvez pas de finir votre ouvrage sur les religions et de le publier... Votre talent vous soutiendra toujours.

« ... J'espère que nous serons payés et alors je m'en tiendrai à vous prouver par la consultation de Secrétan [*l'avocat suisse de Mme de Staël, à qui elle avait soumis leur différend*] que j'avais raison *en droit* contre vous; mais il n'est plus question de cela à présent... »

et le 1er septembre :

« ... vous pouvez à jamais compter sur ma fille et moi, non telles que nous voulions être, mais telles que vous nous avez permis d'être — en amies — et vous finirez par trouver que c'est encore ce que vous avez de mieux.

... vous me dites que tout le monde croit que je serai payée, je l'espère aussi, mais j'ai pris une telle habitude de la crainte que je ne dépenserai pas un louis sur ces deux millions. S'ils arrivent, j'espère que Victor de Broglie pensera à nous, vous voyez que je suis modeste. Si vous, vous pouvez servir à cela, faites-le, je m'en remets en entier à votre fierté comme à votre zèle dans ce qui concerne Albertine. »

Est-ce là le langage d'une créancière avide et vulgaire et que rien, fût-ce Waterloo, n'aurait pu distraire de sa créance? En aucune manière. C'est la parole d'une amie fidèle qui, après une ultime révolte, est en chemin de renoncer définitivement aux ivresses et aux tourments de la passion. C'est la parole de l'amoureuse vaincue qui déclarera bientôt : « La porte de mon cœur est fermée. »

Il paraît beaucoup plus difficile d'excuser l'attitude de Benjamin Constant, la publique comme la privée. Quelques-uns de ses admirateurs, et non des moindres, persistent à le trouver énigmatique, indéchiffrable, afin semble-t-il, de ne pas être contraints de l'accabler, de le condamner. La psychiatrie sert ainsi, comme dans certains procès, à faire dériver l'opinion, à estomper les effets en troublant sur les causes. Toute mise au point, toute prise de position apparaissent alors arbitraires ou sacrilèges.

Ce n'est pourtant pas attaquer l'écrivain, qui est du premier rang, ce n'est pas diminuer la valeur de l'extraordinaire document humain que sont les *Journaux intimes*, ce n'est pas sous-estimer l'action du député de la Sarthe, de Paris, de Strasbourg, que d'enregistrer les flottements, les appétits, les calculs, les mufleries, les cruautés, les jeux de veste de ce malade d'ambition qui, lorsqu'il se risque à agir, n'obéit qu'à des mobiles déplaisants où l'égoïsme le dispute à la vanité et la rancune à l'intérêt.

Il a traité bien vilainement trois femmes qui l'ont passionnément aimé et dont il s'est servi comme de tout ce qui pouvait favoriser son plaisir ou sa réussite. Les émotions fugitives qu'il éprouvait, les larmes d'homme de lettres qu'il versait ont fait croire à sa sensibilité et il en fut la première dupe. Il ne s'est intéressé — supérieurement il est vrai — qu'à lui-même, et l'on s'émerveille à bon droit de sa science d'étalagiste et de la scrupuleuse complaisance avec laquelle il recopiait sur des registres ses notes quotidiennes qui offrent au lecteur le tableau clinique des ravages exercés sur une âme faible par les poisons de l'intelligence.

Enfin il faut tout de même rappeler qu'à différentes reprises il a insolemment traité le pays qu'il avait choisi pour s'y pousser, et qui lui a fait et lui fait encore si bonne mesure de gloire. *Adolphe* est un chef-d'œuvre et *Cécile* révèle un des plus subtils précurseurs de la psychanalyse, mais cela ne suffit pas à faire de Constant un homme qu'on puisse estimer.

Le jugement sévère d'Albert Sorel, bien que datant de soixante-dix ans, demeure malheureusement équitable. « ... sa vie n'a été qu'une série d'avortements. C'est qu'il lui a manqué dans l'amour la sincérité; dans les choses de la politique le caractère, et la tenue dans celles de la pensée ».

Et s'il y a excès de sévérité, ou grave méconnaissance d'un esprit complexe, à retenir le jugement d'Albert Sorel plutôt que celui de Charles du Bos, seul en reste responsable Benjamin Constant qu'on voudrait aimer autant qu'on l'admire et qui vous en détourne à tout moment.

VI

Un grand mariage à Pise

« ... Elle a cru qu'il y avait méprise dans la destinée lorsque les beaux jours ne se succédaient pas », disait plaisamment Necker de sa fille en 1800. Mme de Staël ne le croit plus. Ce n'est plus une enfant gâtée, ce n'est plus une amoureuse déchaînée, c'est une femme assagie, mûrie, qui a vu naître et s'écrouler l'empire de son persécuteur. Elle porte maintenant sur la vie des regards plus posés. Les Cent-Jours et la chute de Bonaparte resteront liés dans sa mémoire aux reniements et aux insultes de Benjamin. Elle n'imaginait pas que sa liberté de mouvement et de pensée lui serait rendue dans des circonstances aussi cruelles. Elle ne pensait pas qu'elle retrouverait Paris pour y recevoir, à sa table, les souverains, les généraux, les diplomates dont dépend le sort de la France. En cette dramatique occasion la fille de Necker se réveille. Puisqu'elle a, par chance, l'oreille et l'estime des vainqueurs, elle veut en profiter pour peser de toute sa foi, de tout son talent, sur les entretiens de Londres, de Paris, de Vienne...

Déjà, de Londres, elle avait écrit au tsar Alexandre. Elle le tient pour le plus fin et le plus influent des Alliés. Elle pense qu'en le flattant dans sa vanité de libérateur de l'Europe, de restaurateur des libertés françaises sur le modèle anglais, elle l'inclinera à se montrer plus généreux encore et à freiner les appétits de la Prusse et de l'Angleterre.

« Sire, la Constitution anglaise a été regardée de tout temps par tous les publicistes, Montesquieu, M. Necker, etc. comme le plus haut point de perfection auquel la Société humaine pût atteindre. Votre Majesté en a proposé les bases à la France et, dans le moment où l'invasion étrangère faisait tout craindre, c'est un roi légitime et un gouvernement libre que vos armes victorieuses ont donnés; c'est un événement sans pareil dans l'histoire et qui n'est dû qu'à vous seul... » (25 *avril* 1814).

De retour à Paris, elle poursuit activement sa campagne personnelle. Elle rêve d'un traité de paix qui ne punisse pas les Français pour les fautes de l'Empereur. Elle s'élève contre l'occupation militaire, s'effraie de sa durée — on parle de sept années — recommande le respect des territoires français, s'inquiète des menées des ultras, insiste sur la nécessité de maintenir une Constitution libérale... Elle organise, comme au temps de la Révolution, des réunions et des dîners. Elle ménage rue de Grenelle à La Fayette une entrevue avec le tsar.

« ... Le Gouvernement actuel est très doux, écrit-elle à Lord Harrowby, et je vivrais volontiers sur cet état de choses si la Constitution, telle qu'elle est, était maintenue...

« ... Le besoin de repos, la légitimité, les vertus de plusieurs de nos princes, la duchesse d'Angoulême, mille souvenirs, mille sentiments peuvent et doivent attacher à eux, mais cet établissement-ci ressemble à ce que défend l'évangile — des pièces neuves à un habit vieux... » (30 *juin* 1814).

Mais un an plus tard, ces douces espérances, balayées aux ides de mars 1815 ont fait place à des inquiétudes grandissantes.

Elle écrit de Coppet à Lord Harrowby :

« Souffrez que je ne désire pas tous vos succès. Que ferez-vous si vous arrivez encore une fois à Paris? Que deviendrons-nous si vous partagez la France? Dieu nous préserve d'une victoire de Bonaparte ! Mais si vous devenez maître de la France, quel avilissement pour cette nation...

« ... Je reviens au même souhait que j'osai vous prononcer en Angleterre : *victorious and killed.* Ce que j'entends par victorieux, c'est défendre l'ancienne France. Nous ne pouvons la voir envahie par les armées étrangères sans douleur... Je ne parlerai point du passé, des fautes de votre Congrès qui ont si bien servi Bonaparte, mais dans l'avenir, ne démembrez pas la France, ne l'humiliez pas ! Quoiqu'elle soit terriblement susceptible de bassesse de l'intérieur, elle ne supporte pas l'humiliation qui lui vient du dehors.

« ... Les armées étrangères se sont fait haïr si vous en exceptez les vôtres qui paient et respectent les habitants. Je me suis brouillée avec Benjamin Constant et je suis en froid avec Sismondi. Ce m'a été une grande peine que le parti libéral fût entaché par des éloges de cet homme. Il me semble que l'on pouvait repousser les étrangers sans le louer. Cette affreuse alternative de trahir son pays ou de seconder un tyran me condamne à l'inaction la plus absolue. Je suis seule ici avec mes enfants. J'achève mes *Considérations sur la Révolution en France*, en laissant un grand blanc pour ce qu'il va arriver... »

En même temps, elle reprend la correspondance avec le tsar. L'intégrité de la France, une Constitution libérale, ce sont ses deux principaux objectifs. Elle lutte pour eux avec une dignité passionnée. Comme elle est à l'aise dans l'accomplissement de la mission qu'elle s'est assignée ! Comme elle se sent de plain pied avec les maîtres du monde ! Comme elle est heureuse de se sentir inspirée par l'exemple d'un père chéri !

« Sire, écrit-elle, dix jours avant Waterloo, dans la crise où l'Europe se trouve de nouveau, il ne manquera pas de gens qui vous diront que votre générosité a été cause de nos malheurs actuels. Je viens de passer un an en France et je puis affirmer à Votre Majesté que c'est uniquement pour n'avoir pas suivi ses conseils que nous avons perdu le bonheur que nous avons recouvré... L'homme que nous détestons n'aurait pu compter sur l'opinion du parti nombreux qui l'a reçu, si l'on eût adopté vos plans, soit sur la Constitution en elle-même, soit sur la manière de l'établir.

« ... La France ne saurait être démembrée dans la moindre partie sans que des troubles toujours nouveaux y renaissent; elle ne saurait obéir qu'à un roi constitutionnel, et si l'on se proposait cette fois d'abolir tous les principes de la liberté, on ne ferait qu'enterrer le volcan, et son explosion ne serait que plus terrible dans la suite... » (8 *juin* 1814).

La réponse d'Alexandre est aimable, distante et, semble-t-il, teintée d'une ironie légère :

« J'ai été on ne peut plus sensible, Madame, aux sentiments exprimés dans votre lettre. Les vœux que vous formez pour le bien de l'Europe et de la France auront, je l'espère, leur accomplissement, quelle que soit la complication des circonstances qui ne sauraient toutefois altérer les principes immuables de la justice et de la liberté. Je conçois sans peine que les événements qui ont mis fin à la dernière guerre vous aient paru un sujet digne d'occuper vos loisirs. Cependant je désirerais que cette époque, à laquelle j'ai pris une part active, fût soustraite au jugement prématuré de mes contemporains qui ne sauraient, quelques efforts qu'ils fassent, se placer à la distance de la postérité. »

Germaine ne reçoit cette lettre qu'avec un grand retard, qui n'est pas imputable au tsar. Deux mois ont passé, chargés d'événements — Louis XVIII encadré par les deux compères dont il se passerait bien, Talleyrand-Fouché, « le vice appuyé sur le crime », est rentré aux Tuileries, et Napoléon est en route pour Sainte-Hélène — quand Mme de Staël se décide à rappeler son mot du 9 juin à Alexandre.

« J'ai pris la liberté d'écrire à Votre Majesté par Mme de Krüdener, il y a près de deux mois. Si vous avez daigné me conserver quelque bienveillance malgré mes craintes, je n'en ai pas moins, Sire, le plus vif désir de vous revoir. Daignez me rassurer en recevant mon fils avec bonté.

« Sire, la France est bien malheureuse. La France à qui Pierre le Grand a dû les lumières qui ont civilisé son peuple, la France à laquelle l'Europe a dû ses jouissances sociales, ses lumières philosophiques et, dans des temps plus reculés, son esprit de chevalerie, a-t-elle perdu tous ses droits au respect de la terre parce qu'un étranger s'est servi de son enthousiasme militaire pour l'égarer? Sire, tous les hommes éclairés espèrent en Vous; cette seconde époque de votre vie est plus difficile que la première, mais c'est par cela même qu'elle sera plus glorieuse encore... »

La réponse du tsar parvient à Mme de Staël avec celle, retardée dans sa transmission, qu'on a lue plus haut. Elle est datée du 13 août. C'est le moment où Alexandre (par Capo d'Istria et Rasoumowsky) fait prévaloir ses vues à la Conférence de Paris, où il manœuvre pour obtenir de l'Angleterre (Wellington et Castlereagh) et de l'Autriche (Metternich et Wessenberg) qu'elles combattent avec la Russie les prétentions haineuses de la Prusse (Hardenberg et Humboldt) qui veut une paix de vengeance.

« ... Les considérations que vous suggère un sentiment bien légitime pour cette France à laquelle vous consacrez des talents héréditaires dans votre famille et les souvenirs que vous rappelez, Madame, sont de nature à fixer l'attention. Je ne puis cependant me départir de la conviction qu'on ne saurait se flatter de mettre un terme aux malheurs de la nation française et de consolider son bien-être qu'autant qu'on s'appliquera à chercher les garanties du nouvel ordre de choses dans des institutions sagement combinées, au lieu de faire dépendre sa stabilité de tel ou tel individu...

A cette date, Mme de Staël est déjà entrée en correspondance avec Wellington qu'elle encense et presse de protéger la France

« contre les ressentiments de ceux qu'elle a jadis vaincus. Il ne faut pas humilier 24 millions d'hommes si l'on veut rendre la paix au monde... » (9 *août* 1815.)

***

Germaine, qui pensait monter à Paris, remet de semaine en semaine le voyage qui fatiguerait Rocca et finalement reste en Suisse, ...Genève, Coppet, Lausanne.

« Eh bien, maintenant que nous sommes en paix en Suisse et qu'à l'honneur près nous avons tout sauvé, ne penseriez-vous pas à nous faire une petite visite... Je ne me sens pas grand goût pour la France dans l'état où on l'a réduite... Mon fils va y aller, nous verrons ce qu'il m'en écrira; je l'envoie comme un corbeau après le déluge... » [*à Meister*, 2 *août* 1815].

« ... Vous m'avez dit que Mme de la Riandrie [*fille adoptive de la Clairon — Meister était resté lié avec la Clairon jusqu'à sa mort*, 1803] avait, de l'héritage de Mlle Clairon, des lettres de M. de Staël qui pourraient me faire de la peine. Ne pourriez-vous pas l'engager à me les remettre à Paris? Elle acquerrait ainsi des droits à ma reconnaissance; et qui sait si je ne pourrais pas la lui témoigner? Enfin, voyez mon digne ami, si vous ne pourrez pas arranger cela avec votre grâce bienveillante. »

Septembre donne quelque espoir. C'est le mois où Louis XVIII tente de se raffermir, de se délivrer de ses dangereux tuteurs... Il nomme Fouché ministre à Dresde et il contraint Talleyrand, aussitôt remplacé par l'honnête duc de Richelieu, à donner sa démission. Les Alliés qui vont signer le traité de la Sainte-Alliance semblent avoir cédé à la pression d'Alexandre. Germaine voudrait bien être à Paris, mais l'état de John, les conseils des médecins, les bonnes nouvelles qu'elle a, par Auguste, de son paiement, la décident à aller passer l'automne et l'hiver en Italie où son malade se rétablira et où sa fille se mariera.

« ... Je mène une si cruelle vie, écrit-elle à Benjamin, toujours inquiète de la santé de la personne sur qui tout mon bonheur repose, que j'ai quelquefois des instants de véritable désespoir. Croyez-moi toutes les choses politiques ne sont rien à côté de ce qui tient au cœur... »

Elle conseille vivement à Benjamin, objet de vives attaques à Paris après la publication des *Mémoires sur les Cent-Jours* de se rendre à Londres où ses livres sont en faveur et où il pourra publier ce qu'il voudra.

« ... Le talent efface bien vite ce qui est inconsidéré, mais pas coupable. Dans ce pays aussi [*la Suisse*] vous seriez très bien...

« ... Victor et mon fils viendront me rejoindre en Italie dès qu'ils auront les bans. J'ai reçu deux lettres de l'empereur Alexandre en réponse aux miennes dont l'une surtout est vraiment superbe...

« ... Sismondi est ici malade et triste à un degré qui fait pitié. Je l'ai recueilli chez moi. Que signifierait l'amitié si l'on ne se retrouvait pas dans le malheur? D'ailleurs, dans les affaires politiques, je trouve qu'il n'y a que les battus avec qui l'on puisse causer. Mandez-moi ce que vous pensez de l'avenir. » (3 *septembre* 1815).

Le 25 septembre, veille du départ, Albertine écrit de Lausanne à Benjamin une lettre charmante :

« Je ne veux pas quitter la Suisse sans vous dire adieu, quoique vous ne me donniez pas signe de vie. Nous partons demain pour l'Italie... Je voudrais savoir ce que vous faites, à quoi vous vous décidez, vous m'oubliez sûrement beaucoup, mais il n'est pas en votre pouvoir de m'empêcher de penser à vous, de regretter le temps où nous vivions ensemble et de me dire souvent que je n'en aurai peut-être jamais de plus doux. Vous avez tant agité l'existence de ceux qui vous ont connu intimement que, lors même que les liens sont rompus, on conserve un profond ébranlement sur tout ce qui vous regarde. Vos chers parents que vous aimiez tant autrefois sont les plus violents du monde contre la France, je me suis beaucoup disputé avec votre cousine Mme d'Arlens qui remue sa petite vieille tête avec une véhémence extraordinaire. Cependant j'aime assez Lausanne, on sent que des gens d'esprit y ont passé et cela laisse une certaine trace, lors même que les habitants actuels n'en ont guère. Vous devinerez aisément que je suis très française et que hors un certain point (sur lequel il m'amuserait beaucoup de vous entendre parler) nous serions tout à fait d'accord. Ma mère se trouvera peut-être obligée de revenir de Milan pour ses affaires. Je voudrais pouvoir croire que Paris sera alors moins *peuplé* qu'aujourd'hui. Adieu, si vous voulez, vous pouvez donner une lettre pour moi à Auguste. »

Germaine ajoute à la lettre ces mots :

« Je n'ai pas reçu une ligne de vous depuis un mois (et notre liquidation ?) Depuis que j'ai renoncé au procès, on dirait que vous n'avez plus rien à me dire. Il faut pourtant être animé par un autre principe que celui des injures. Vous voyez souvent, m'a-t-on dit, Mme de Krüdener. J'adore son souverain et j'espère que vous lui parlez de liberté et qu'elle l'aime. J'ai reçu une lettre de l'empereur Alexandre que mon père aurait signée, je ne puis rien dire au-delà... »

Pendant plus d'un an, d'Italie, de Coppet, de Paris, Mme de Staël maintient le contact avec le tsar, Wellington, Harrowby. Elle s'abuse autant sur la sincérité du libéralisme d'Alexandre que sur les bonnes intentions de Wellington qu'elle irrite plusieurs fois par ses demandes, jugées « indiscrètes... » (Corres. publiée par Victor de Pange).

Cependant, en franchissant les Alpes italiennes pour la seconde fois avec Albertine et Schlegel, et si vif que demeure en elle le sentiment de la mission, Germaine comprend qu'elle est en train de se dégager de la politique comme elle s'est dégagée de la passion. La chute de Bonaparte la délivre d'une charge oppressante, mais elle l'éloigne aussi de la terre. Comme un ballon subitement délesté, elle prend de la hauteur et cela ne va pas sans mélancolie. Faite pour la résistance et les combats, Mme de Staël ne s'adapte pas si facilement à la liberté tranquille, dans l'atmosphère bourgeoise aux plafonds bas de la Restauration. Son évolution et son état d'esprit apparaissent déjà dans la lettre qu'elle adresse de Milan à Juliette le 27 octobre, quinze jours après l'exécution de Murat au Pizzo.

« ... J'ai reçu enfin une bonne petite lettre de vous et je vous remercie de l'article [*de Benjamin*] que vous m'avez copié. Quelle force d'amertume ! C'est là son talent. Je ne sais s'il le déposera aux pieds de la croix ou aux vôtres. Je n'entends plus parler de lui. Il y a une absence de tout dans ses rapports avec moi qui doit le mettre mal à l'aise. Il a perdu ma vie. Mais dans l'abîme du passé, si Dieu pardonne, qu'importe d'avoir souffert. Vous avez la bonté de me dire que je ferais mieux d'être à Paris. Non, en vérité, je n'aimerais pas à jouir des *franchises* du peuple, moi qui crois les nations affranchies nées. Je prononcerais net de certains mots qui ne sont point à la mode. Et je me ferais des ennemis sans nécessité. Quand tout sera arrangé pour le mariage d'Albertine, je vivrai à Paris solitairement ; mais, dans ce moment, j'ai bien fait, croyez-moi, de me faire représenter par Auguste. Mathieu, que je ne veux pas blesser, est dans une ligne tout exagérée. Les étrangers qui sont bons pour moi me font mal à Paris. Les divisions de parti sont telles qu'on ne peut les réunir dans une chambre à moins d'être comme vous un ange de paix qui couvre tout de ses ailes et de ses roses... »

Tandis que s'achève la rédaction du traité de paix qui sera signé à Paris le 20 novembre, mettant fin à vingt-trois ans de guerres, Germaine descend sur Gênes avec son phtisique, son savant et sa fille. « L'air de Gênes a fait du bien à John, écrit-elle le 19 à la cousine Albertine, mais le fond de la maladie subsiste toujours... il se trouve bien des pilules de ciguë et c'est un remède qui paraît efficace et calme le pouls... »

Puis la petite caravane traverse tristement, « dans des chaises et sur des mules, la Corniche du Levant » et arrive à la fin de l'année à Pise. Auguste de Staël et Victor de

Broglie sont encore à Paris. Le futur gendre de Mme de Staël qui vient d'avoir trente ans a siégé pour la première fois avec voix délibérative à la cour des pairs le 4 décembre à l'occasion du procès de Ney et il a été un des seuls à répondre non à la question : — Le maréchal s'est-il rendu coupable du crime de haute trahison? « Non, point de crime sans intention criminelle, a déclaré Broglie, point de trahison sans préméditation ! »

Benjamin, toujours très attaqué à Paris, s'est décidé à suivre le conseil de Mme de Staël et à se faire oublier quelques semaines. Il se rend en Angleterre et arrive à Londres le 27 janvier 1816, irrité d'avoir dû s'encombrer de Charlotte. « Quel embarras qu'une femme ! »

Germaine lui écrit de Pise le 14 :

« ... J'ai enfin la dispense de Rome et je l'ai envoyée légaliser à Paris. Victor de Broglie et mon fils nous la rapportent...

« ... Nous voulons être tous réunis à Coppet dans le mois de juillet. C'est là que les ailes de notre saint [*Necker*] s'étendent sur nous. J'ai commandé la statue de mon père à Carrare, à Tieck, et je la placerai sur le grand escalier de Coppet jusqu'à ce qu'on vienne me la prendre pour la mettre à l'hôtel de ville [*de Paris*] cela sera quand il y aura de la liberté en France, et comme il y en aura, cela sera. Bonaparte a été le véritable ennemi de la liberté dans le monde : il est bien malheureux qu'il ne soit pas mort à Fontainebleau, nous serions en route au lieu d'avoir reculé. Quel spectacle que l'Italie ! Je ne la reconnais plus, parce que les débris y absorbent les ruines.

« Si vous restez en Angleterre, je vous y verrai; il faut, si je vis, que je marie mon fils à une Anglaise, belle, aimable et riche. Ils feront de Coppet une belle habitation après moi où le nom de mon père présidera. Plus j'approche de mon départ à moi-même, plus je sens sa main s'étendre vers moi... »

Dans les derniers jours de janvier, Auguste de Staël et Victor de Broglie arrivent à Coppet où le notaire Bary a établi le contrat de mariage qui est signé par Sismondi et Frédéric de Châteauvieux. Après quelques visites à Genève et un dîner chez Mme Rilliet-Huber, les trois hommes repartent pour Pise où Germaine et Albertine les attendent anxieusement, et qu'ils atteignent le 10 février.

Dès leur arrivée Germaine écrit avec l'émotion que l'on imagine à tous ses amis de France, d'Angleterre, de Suisse, d'Amérique, d'Allemagne, d'Italie... pour leur annoncer la grande nouvelle du mariage de Victor et d'Albertine qu'elle est fière d'avoir mené à bien et qui se déroulera en trois cérémonies, la civile, la catholique, et la protestante... la plus chère à son cœur neckrien.

« ... C'est un prêtre anglais [*à Lord Harrowby*], the archdeacon Meath qui donnera la vraie bénédiction, et je ne saurais vous dire combien je suis touchée de marier ma fille en anglais, car bien que votre traité avec nous blesse tous mes sentiments, j'adore toujours votre religion, votre Constitution et vous-même, c'est-à-dire les hommes dont vous êtes le vrai représentant...

« ... La France est aujourd'hui représentée par des émigrés et gouvernée par des étrangers... C'est pour ne rien voir de tout cela et ne pas disputer *contre* que je suis venue en Italie. »

Le 19 février, deux heures après l'office, Germaine envoie un mot à la malheureuse cousine Albertine qui après avoir perdu sa fille cadette brûlée vive est à Nice, soignant l'aînée, épouse de Charles Turrettini, atteinte du même mal que Rocca.

« A quatre heures, c'est fait, chère amie. La première cérémonie, celle du prêtre catholique, ne m'a pas émue le moins du monde; je crois en vérité que la veille, le Code civil m'avait plus attendrie, mais quand les paroles de la liturgie anglaise ont été prononcées, mon cœur a été comme brisé. J'avais le portrait de mon père et j'ai depuis sans cesse pensé à vous... John était à la cérémonie. Le bon Dieu m'a épargné la douleur de son absence dans ce moment. Il y a huit jours encore qu'il n'aurait pu y être. Donnez-moi des détails de la santé de votre fille. »

Avant de quitter Pise pour Florence, elle envoie quelques lignes à Benjamin dont elle est sans nouvelles depuis qu'il est à Londres.

« Je laisse ma fille vous annoncer son mariage, ses sentiments pour vous sont entiers et je n'ai point cherché à les diminuer... Je vous souhaite tout le bonheur que vous pouvez conserver... le mien dépend du sort d'Albertine et de la guérison de mon ami. Si le reste des souhaits vient, ce sera du luxe... »

« Ma mère a raison de vous dire, écrit Albertine, que mes sentiments pour vous n'ont pas diminué, toutes les grandes émotions de ma vie me donnent le besoin de penser à vous et de vous parler. Je bénis Dieu du choix que j'ai fait... C'est un bien grand bonheur que ce sentiment de parfaite confiance dans la noblesse d'âme de l'homme qu'on épouse... Son cœur est si pur que, lors même qu'il n'est pas aussi religieux que je le voudrais, il me semble qu'il est impossible que la protection de Dieu ne tombe pas sur lui...

« ... Adieu, cher ami, quelle triste combinaison de circonstances il a fallu pour que vous n'assistassiez pas à mon mariage; je ne l'aurais pas cru il y a six ans... »

Benjamin, recevant cette page le 16 mars, note seulement : « Lettre d'Albertine mariée ». De Florence, où elle verra souvent la grande amie de Sismondi, la comtesse d'Albany, veuve d'Alfieri que Victor de Broglie tient, malgré sa haute naissance, pour une brave femme assez commune... et une véritable commère, tenant boutique de caquets et de médisances..., Mme de Staël écrit à Alexandre pour lui faire part du mariage. N'oubliant pas les grandes affaires elle ajoute : « Que n'avez-vous influé plus directement, Sire, sur le sort de la France ! », à quoi le tsar, rentré à Pétersbourg, répond le 16 avril, après l'adresse de ses félicitations à la jeune duchesse : « Je n'hésite pas à le répéter. Je n'ai omis aucun moyen *légitime* pour concourir au bien-être de la France. Je n'en négligerai aucun à l'avenir. »

De tous les correspondants de Germaine, c'est la cousine Albertine, dont la surdité s'aggrave, qui reçoit ses impressions les plus sincères.

« Ne pensez pas à votre surdité..., ce n'est rien. J'ai été en société tout l'hiver avec une femme parfaitement sourde, mais qui avait adopté l'usage du cornet, et l'on ne s'apercevait pas du tout de son infirmité...

« ... Auguste et Victor sont à Rome pour la semaine sainte et reviennent dans quatre jours. Le ménage va bien; ce n'est certainement pas l'idéal de l'amour, mais peut-être ce qui manque à l'expression passionnée de Victor excite l'imagination et un peu l'amour-propre d'Albertine; le mieux de tout cela, c'est qu'elle est vraiment religieuse et que cette disposition suffit pour conserver ce qu'il y a dans le cœur. Schlegel est tombé amoureux d'une Allemande et il est insupportable d'humeur et de solennité. J'ai toutes les nuits la maladie de ma mère et cette absence de sommeil rend la vie trop longue;

il n'y a pas assez d'intérêt pour vingt-quatre heures. Florence comme Italie est nulle; il y a quelques étrangers qui passent et vous donnent des nouvelles de la vie; les Italiens n'en sont pas pour moi. Je travaille assez, et c'est de l'avenir... Je me fais un vif plaisir de rentrer dans mon élément en revenant vers vous, et Coppet se présente à moi toujours sous des couleurs plus douces. Adieu, chère sœur de père, d'esprit et d'âme... » (13 *avril* 1816).

Le 30 mai, prête à quitter Florence avec John et Schlegel (les jeunes mariés rejoindront plus tard à Coppet) Germaine écrit à Benjamin une des toutes dernières lettres qu'il recevra d'elle.

« ... Envoyez-nous quelques lignes sur vos plans ou sur l'absence de plans, car peut-être vous sentez-vous si bien en Angleterre que vous vouliez y rester. Tôt ou tard, je vous y reverrai. Mais d'abord mon fils passera par l'Angleterre en automne pour se rendre en Amérique. Je compte rester à Coppet jusqu'à mon retour à Paris.

« ... J'ai toujours l'intention d'aller ensuite en Grèce afin d'écrire avant ma mort un dernier ouvrage qui représentera ce que je peux avoir en moi de nouvelle imagination. Cependant ma santé s'affaiblit et plus encore mon intérêt pour une vie qui ne sera plus que très courte. J'y suis maintenant très attachée pourtant, parce qu'elle est heureuse et je regrette beaucoup la perte de temps que m'a ravi le malheur... L'Italie est d'un séjour agréable depuis que les Anglais y voyagent, on y jouit tout ensemble de leur société et du soleil, rare combinaison... »

Albertine ajoute :

« ... Victor vous salue bien des fois. Je crois que vous ne pensez plus à moi et vous avez tort, car il faudrait bien peu pour me rendre l'amour que j'avais pour vous, mais vous avez tout oublié. »

Aucune allusion dans le Journal à cette lettre à laquelle Benjamin ne semble pas avoir répondu.

***

Heureuse? Oui, Germaine est relativement heureuse quand, au début de juin, elle s'engage sur la route de Turin et du Mont-Cenis. Sa vie si chargée de tendresse et d'orages s'est appauvrie en s'allégeant, en se pacifiant. Elle a perdu Bonaparte qui n'a pas voulu l'aimer et Benjamin qui n'a pas su. Elle voit s'écarter Mathieu qui critique le libéralisme et Prosper qui a choisi le bourgeoisisme. De tous les hommes qu'elle a adorés, de tous les héros qu'elle s'est fabriqués qui incarnaient pour elle la jeunesse et la beauté, l'intelligence et l'originalité du talent, il ne lui reste plus que les deux doublures dérisoires qui ont repris avec elle le chemin de Coppet, celui que Chateaubriand appellera « la nueuse idole », John Rocca, le moribond, ombre vacillante de l'amour, et Guillaume Schlegel, le pédant fidèle, caricature de la passion... Mais elle a marié à un pair de France, petit-fils du maréchal de Broglie, la petite-fille de Jacques Necker. Et elle espère qu'Auguste de Staël dont les incartades l'inquiètent encore — n'est-il pas à nouveau amoureux fou, de Mme de Saint-Aulaire, qu'il a hâte de revoir à Paris? — dont elle redoute, bien à tort, qu'il ne devienne un homme à femmes, s'établira bientôt, lui aussi, et se rendra digne de son grand-père. Ceci dans son cœur compense cela. Le problème de l'éducation de ses enfants l'a tant troublée, l'a tant hantée vingt ans durant ! Elle a souvent tremblé de faillir à ce grand devoir. Elle s'était juré, à leur naissance, de ne jamais les traiter avec la rigueur dogmatique qu'elle avait reprochée à Suzanne Necker et qui l'avait éloignée de sa mère. Mais déplorant de voir grandir ses fils et sa fille « dans une atmosphère, leur disait-elle souvent, qui n'est pas bonne pour votre âge » elle s'était très vite trouvée devant l'alternative de les mêler à sa vie ou de les en exclure. Après y avoir beaucoup réfléchi et pris ses risques, elle estima qu'étant donné précisément ce qu'était sa vie et qu'elle n'en pouvait changer, il y aurait moins de danger à les y mêler qu'à les en exclure. Ainsi verraient-ils de près ce qu'elle était et ce qui primait en elle, et l'aimant pour sa bonté et sa justice, ils ne seraient pas gênés par ses faiblesses et elle pourrait obtenir d'eux dans l'amitié et l'abandon ce que Mme Necker n'obtenait pas d'elle par l'autorité et le protocole.

Mme de Boigne, s'étonnant de la bousculade dans laquelle les enfants de Mme de Staël avaient poursuivi leurs études, note justement dans ses Mémoires :

« ... Il faut bien cependant qu'ils eussent des heures de retraite, car ce n'est pas avec ce désordre qu'on apprend tout ce qu'ils savaient, plusieurs langues, la musique, le dessin... et une connaissance approfondie des littératures de toute l'Europe. Au reste, ils ne faisaient que ce qui était dans leurs goûts. Ceux d'Albertine étaient très solides; elle s'occupait principalement de métaphysique, de religion et de littérature allemande et anglaise; très peu de musique et de dessin. Quant à une aiguille, je ne pense pas qu'il s'en fût trouvé une dans tout le château de Coppet... »

Les méthodes d'éducation de Mme de Staël s'inspiraient de Jean-Jacques et de Pestalozzi qu'elle a connu à Zurich et dont elle a reçu les disciples à Coppet. Elle faisait continuellement appel à la raison de ses enfants. Elle avait besoin de leur approbation.

« Elle réunissait, écrira Albertine de Broglie, une extrême liberté de délibération à une grande énergie de volonté. La franchise la plus complète était la base de tous ses rapports, les défauts de ses enfants, les siens même, tout cela était discuté devant eux et avec eux...

« ... Peut-être demandait-elle à des natures faibles plus qu'elles ne pouvaient exécuter, parce que la puissance de ses facultés la trompait sur celle des autres; tout au moins exigeait-elle qu'on tirât de soi-même tout ce qu'on pouvait tirer. Aussi son approbation était-elle une jouissance de cœur et d'amour-propre dont il est impossible de donner l'idée : l'obtenir, c'était posséder la garantie de sa propre distinction, soit comme âme, soit comme intelligence... »

VII

« *Voltaire n'a jamais rien eu de pareil...* »

Les quatre mois que Mme de Staël va passer à Coppet de la mi-juin à la mi-octobre 1816, marqués par un temps affreux — été de tempête, automne de disette, neige en août sur le Jura, chemins et moulins inondés — constituent la dernière grande saison de Coppet, celle qui consacre la haute renommée de l'auteur de *Corinne* et de l'*Allemagne*, que nul ne songe plus à nommer « la trop célèbre »; sa célébrité a perdu son clinquant et ne paraît plus abusive ni tapageuse à personne. C'est l'apothéose. Il y a quatre ans, elle était une proscrite qu'on préférait éviter. Aujourd'hui elle est une souveraine à qui l'on vient, de près et de loin, faire sa cour. La situation de Genève, redevenue libre, est un des grands thèmes des discussions du château. Les Suisses libéraux, Étienne Dumont en tête, attaquent les patriciens de la cité de Calvin qui poussent le gouvernement à faire de Genève une république réactionnaire. Il y a avec Dumont, Guillaume Favre, de Châteauvieux, Charles de Constant, Bellot, de Candolle, mais il n'y a pas le sage Pictet de Rochemont qui vit retiré, Rochemont dont les travaux sur l'agronomie inspireront bientôt Auguste de Staël.

On discute aussi philosophie, morale, lettres, politique, Constitutions... Il y a des altesses, des hommes d'État, des poètes, des savants, des peintres, des étudiants... Il y a des

Anglais, des Allemands, des Suisses, des Français, des Russes, des Polonais, des Grecs... Il y a Stendhal qui dira : « Voltaire n'a jamais rien eu de pareil. Il y avait sur les bords du lac six cents personnes les plus distinguées de l'Europe... » et qui déclarera avoir su siéger à Coppet « les états généraux de l'opinion européenne ». Il y a Byron installé à la villa Diodati qui domine Genève et où il écrit, entre autres œuvres, le troisième chant de *Child Harold.*

Ce n'est pas sans mal que Mme de Staël qu'il n'aimait guère et trouvait à Londres si fatigante peut l'attirer au château. « ... Le fameux Byron est ici, il occupe beaucoup le canton, mais nous ne l'avons pas vu... » écrit à Benjamin, le 3 juillet, Albertine dont le poète a sans doute fait l'Aurore de son *Don Juan.* Mais Germaine veut avoir Byron à Coppet et forcer son amitié. D'abord, naturellement, parce qu'il est célèbre, jeune, Anglais et poète. Ensuite, parce qu'il est seul, dans tout Genève, à l'ignorer. Enfin parce qu'il est malheureux, exilé et victime de l'opinion publique comme sa *Delphine.* Elle lui fait tenir des lettres qui le touchent. Il se fait prier quelque temps mais il vient, avec ou sans Polidori, quelquefois en bateau, quelquefois à la nage. Il crée une grande sensation parmi les hôtes de Mme de Staël. Mais les Anglais, tous favorables à Lady Byron, qui représente le conformisme offensé, affectent de le fuir, si curieux qu'ils soient de lui. On ne s'étonnera pas que Germaine, passionnée par l'étrange histoire de son mariage et de sa séparation, réveillée par l'invincible attrait de l'amour, entreprenne aussitôt, de Coppet, de réconcilier Annabella et Byron ! Il ne s'y oppose pas. Il lui pardonne « ses terribles bonnes intentions ».

« Personne n'était plus sincère que Mme de Staël, écrira-t-il à Lady Blessington, sa bonté de cœur était réelle..., elle était souvent brusque et indiscrète dans ses questions... mais elle ne blessait jamais... Elle prit le plus grand intérêt à ma querelle avec Lady Byron et je crois que, si elle l'eût connue elle eût pris quelque influence sur elle qui eût peut-être balancé celle de sa mère. Elle fit les derniers efforts pour amener une réconciliation entre nous. C'était la meilleure créature du monde. »

Quand elle reproche à Byron de ne rien tenter pour se disculper, il lui répond par une phrase de *Delphine:* « Un homme doit savoir braver l'opinion, une femme s'y soumettre. » — Il ne faut pas faire la guerre au monde, réplique-t-elle, je l'ai essayé moi-même dans ma jeunesse, mais cela ne m'a pas réussi.

La lettre que Byron envoie à Mme de Staël le 24 août de la villa Diodati marque bien sa confiance et son amitié :

« Notre séparation peut avoir été de ma faute, mais elle a été de son choix. J'ai tout essayé pour la prévenir et je ferais autant et plus pour y mettre fin. Un mot pourrait le faire, mais il ne m'appartient pas de le prononcer. Vous m'avez demandé si je pensais que Lady Byron me fût attachée. A cette question je puis seulement répondre que je l'aime. Je suis absolument incapable d'ajouter un mot de plus sur ce sujet; et j'aurais beau en dire dix mille, ils aboutiraient à la même conclusion et seraient aussi inutiles que sincères. Je ne puis terminer sans vous remercier encore une fois de vos bienveillantes dispositions à mon égard... »

« *Adolphe, anecdote trouvée dans les papiers d'un inconnu et publiée par M. Benjamin de Constant* » paraît simultanément, au début de juin 1816, chez Colburn à Londres, chez Trôttel et Wurtz à Paris. La vente sera faible; c'est un succès d'estime et de curiosité. En Angleterre, on soupçonne l'auteur d'avoir raconté « une histoire vraie, et par conséquent choquante ». Benjamin ennuyé s'en défend aussitôt et affirme dans le *Morning Chronicle* que les ressemblances éventuelles avec des personnes vivantes seraient pure coïncidence... Par contre, à Paris, où l'on s'amuse dans les salons à mettre des noms sur les modèles, les journaux demeurent discrets. Mais Benjamin a hâte de connaître la réaction des intéressés. Que pense Coppet qui ne connaît encore que le premier aspect de l'œuvre, « l'épisode » de 1807?

Dans la même lettre (3 juillet) où elle parle de Byron, Albertine écrit à Benjamin :

« ... Nous avons reçu ici votre roman que tout le monde a trouvé très spirituel, mais je ne me suis pas senti grande sympathie avec le héros, je n'ai pas encore souffert du malheur d'être trop *aimée* pour compatir à ses douleurs, je vous avoue que j'ai eu un sentiment d'humeur en le lisant, mais peut-être ceux qui ne sont pas vos amis n'auront pas ce sentiment-là. Mon impression n'est en aucune façon un jugement sur l'ouvrage, car elle est purement individuelle...

« Je suis avec la famille de Victor dans les limites de la simple politesse, mais ne désire pas autre chose. Je suis loin de dire la même chose de l'autre partie de la famille. M. d'Argenson qui est venu passer quelques jours ici a déjà pris beaucoup d'empire sur moi, il a quelque chose de passionné et de contenu qui lui donne un grand charme. Victor vous aime beaucoup et moi aussi, mais il faut pour cela que je croie qu'Adolphe n'est pas vous tout à fait, quoique malheureusement il y ait des traits semblables. »

La lettre de Germaine, qui ne paraît pas avoir été publiée, rassure Benjamin. Il note le 17 juillet : « Lettre de Mme de Staël. Mon roman ne nous a pas brouillés », et il écrit le 17 août, de Spa, à Juliette « *Adolphe* ne m'a point brouillé avec la personne dont je craignais l'injuste susceptibilité. Elle a vu au contraire mon intention d'éviter toute allusion fâcheuse... »

Victor de Broglie connaît bien le roman. Il a assisté le 19 avril à la lecture que Benjamin en a fait chez Juliette devant une quinzaine d'invités. Après trois heures de lecture, Constant ne put contenir son émotion qui croissait avec sa fatigue. Il éclata en sanglots, «la contagion gagna la réunion ». Ce ne furent que pleurs et gémissements; puis les sanglots convulsifs tournèrent en éclats de rire nerveux, insurmontables... Victor a-t-il osé dire à Benjamin ce qu'il a consigné dans ses *Souvenirs?*

« ... De tous les romans, ceux qui me déplaisent le plus, ce sont les *romans-confession* où l'auteur, sous le nom de son héros, se déshabille moralement devant le public, étale aux yeux avec une orgueilleuse componction les misères et les guenilles de son âme... »

Les impressions de lecture de Sismondi qui veut reconnaître Germaine dans Ellénore sont révélatrices de ce que devaient penser, négligeant Anne Lindsay, les intimes de Mme de Staël. Sismondi a lu *Adolphe* deux fois, à la suite.

« ... Vous trouverez que c'est beaucoup, écrit-il à la comtesse d'Albany, pour un ouvrage dont vous faites assez peu de cas et dans lequel, à la vérité, on ne prend d'intérêt bien vif à personne. Mais l'analyse de tous les sentiments du cœur est si admirable, il y a tant de vérité dans la faiblesse du héros, tant d'esprit dans les observations, de pureté et de vigueur dans le style, que le livre se fait lire avec un plaisir infini...

« ... Il est très possible qu'autrefois il ait été plus réellement amoureux qu'il ne se peint dans son livre, mais quand je l'ai connu il était tel qu'Adolphe et avec tout aussi peu d'amour, non moins orageux, mais non moins amer... Il a évidemment voulu éloigner le portrait d'Ellénore de toute ressemblance... Mais à l'impétuosité et à l'exigence dans les relations d'amour, on ne peut la méconnaître. Cette apparente intimité, cette domination passionnée, pendant laquelle ils se déchirent par tout ce que la colère et la haine peuvent dicter de plus injurieux, c'est leur histoire à l'un et à l'autre... L'amie officieuse qui, prétendant le réconcilier avec Ellénore, les brouille davantage, est madame Récamier... »

Depuis avril Benjamin se croit enfin à l'abri des sortilèges de la belle des belles. De l'exaspérant échec de ses assauts infructueux, il a tiré, littérairement, ce qu'il a pu. Il a rédigé les trompeurs mémoires de la traîtresse et pour se racheter de cette mystification il lui a adressé des pages sévères où il lui dit superbement son fait, en long et en large. Maintenant il peut trouver le courage de s'éloigner. Il note le 22 avril :

« Ma passion pour Juliette est passée. Je ne sais quand je me retrouverai dans la même ville qu'elle, mais je ne la reverrai de ma vie. Je n'ai et ne puis avoir aucune amitié pour elle. J'accepte la sienne parce que je ne dois aucune franchise à un être aussi malfaisant. Elle a joué mon repos, ma carrière, ma vie. Malédiction sur elle. Que j'ai été fou ! Mais tout est fini. Lui écrire, à la bonne heure. La revoir, jamais. La servir, jamais. Tout au plus ne pas lui nuire. Encore ! »

A Juliette qui, trop entourée, n'a pas voulu faire le voyage de Coppet, Germaine écrit plusieurs fois durant l'été. La dernière lettre à l'irrésistible amie qu'elle excuse toujours est d'une grâce particulière :

« ... Puisque vous me dites avec vos douces paroles que Mathieu m'aime encore, je lui ai écrit hier. Mais s'apercevait-il que je ne lui écrivais plus ? Et n'est-il pas dans la troisième période des enthousiasmes de sa vie ? Liberté, religion, ambition...

Enfin, Dieu veuille qu'il soit heureux, sans que son bonheur se compose de ce qui, selon moi, serait funeste à la France.

«... Si je suis à Paris cet hiver, je serai tellement en arrière de l'esprit de parti que j'espère m'en tirer. La dissolution [*de la Chambre introuvable*] m'a fait grand plaisir. Je suis encore incertaine sur mes projets de la fin de cette année, car le commencement de l'automne a fait retomber M. de Rocca dans ses anciennes souffrances. J'espère encore que cela n'est que passager. Mais, avec ma fille grosse, lui malade, que ferais-je?

« ... Vous ne me dites rien de vous; telle est votre habitude. Mais on me mande que vous êtes plus charmante et plus adorée que jamais. Voilà donc Benjamin qui va revenir! Je voudrais bien que vous ne le laissassiez pas se mettre avec vous dans ces rapports qui vous ont valu déjà tant de tracasseries. Vous êtes une personne généreuse, fière, élevée. Vous seriez trop parfaite si vous aviez une certaine religion d'amitié que votre charme incomparable rend peut-être trop difficile...

Peut-on exprimer son amertume avec plus d'élégance et de délicatesse?

« ... Si je plaisais autant que vous, aussi vite que vous, saurais-je m'en défendre? Et quel est le souverain qui n'abuse pas? Mais que tirerez-vous de Benjamin, d'un homme qui n'aime que l'impossible?... Et sa femme au moins ne la voyez pas. C'est assez de se compromettre pour Benjamin. Enfin, comme vous voudrez. Avec votre esprit, vous vous tirerez de tout. Et, vous le savez, votre charme ramène toujours. C'est pour cela que je croyais mon fils à jamais enchaîné. Il est maintenant moins vivement séduit [*par Mme de Saint-Aulaire avec qui il avait « couru la Suisse et l'Allemagne »*]. Mais cela ne s'oppose pas moins à tout plan de vie raisonnable. La crainte d'une mauvaise navigation en automne, dans cette année terrible, m'a fait consentir à ce qu'il ne partît pour l'Amérique qu'au printemps [*la maladie de Germaine fera remettre sine die le voyage*]. Je voulais aussi qu'il fût près de sa sœur à l'époque de ses couches. Enfin il a gagné six mois. Mais ce seront les derniers. Je souhaite qu'à son retour il épouse une Anglaise assez riche pour lui donner ces plaisirs de la vie auxquels il est sensible. Je me réjouis, si je puis me réjouir de revoir vous, Mathieu quand même, Prosper... puis les rues. Écrivez-moi. Je vous serre contre mon cœur » (*fin septembre* 1816).

Quelques jours plus tôt, le 19 septembre, Benjamin, en route pour Paris, notait dans son journal :

« Il y a vingt-deux ans qu'à pareille heure je voyais Mme de Staël pour la première fois. J'aurais mieux fait de ne pas contracter cette liaison, et ensuite de ne pas la rompre. »

***

Mme de Staël a donc décidé de rentrer à Paris. L'extraordinaire animation du château ne l'empêche pas de s'isoler pour travailler à son grand ouvrage sur la Révolution française et ses suites. Entre autres, un mot à Henri Meister évoque ses soucis de documentation.

« ... Est-il vrai que la torture existe à Zurich ! Nous savons qu'elle existe à Fribourg et à Neuchâtel; mais se peut-il qu'un canton comme le vôtre ait rétabli la torture et la roue? Je me trouve dans le cas d'écrire sur l'état actuel des esprits, et il m'en coûterait d'avoir un si grand, un si horrible mal à dire de Zurich. Ayez donc la bonté de me mander ce qu'il y a de vrai dans cela; car l'esprit de parti est si violent dans ce temps-ci qu'on ne sait rien sur rien. »

Le 10 octobre 1816, six jours avant de quitter Coppet où elle ne reviendra plus que morte pour être inhumée dans le monument où reposent ses parents, Mme de Staël épouse secrètement John Rocca au château même, devant deux seuls témoins, Fanny Randall et le frère de John, le juge Charles Rocca. Auguste et Victor ont devancé Germaine à Paris où ils vont lui choisir un appartement, rue Royale. Albertine et Schlegel absents, sont à Genève ou à Lausanne.

A Guillaume Gerlach, ministre de l'Évangile, les promis « Mme la baronne Anne-Germaine-Louise Necker, veuve du baron de Staël-Holstein et M. le Chevalier (de la Légion d'honneur) Albert-Jean-Michel Rocca, fils de Noble Jean-François Rocca, ancien conseiller d'État de la République de Genève « rappellent leur promesse solennelle du 1er mai 1811 qui n'a pu être réalisée « au bout de quelques semaines » comme ils s'y étaient engagés, en raison de « l'exil et de la persécution dont ladite dame Necker était victime à cette époque » « de la crainte continuelle de se voir privée de sa liberté, de la fuite précipitée à laquelle elle s'est vue forcée loin du continent européen et des dangers qu'a courus postérieurement la vie dudit chevalier Rocca »...

Ils déclarent que de leur union est issu un enfant mâle né le 7 avril à Coppet et présenté le 11 mai 1812 à Longirod au baptême comme étant le fils de Théodore Giles de Boston et de Henriette, née Preston... « Le secret nécessité par les circonstances susdites ayant rendu cette supposition de noms indispensable. » Ils veulent que ledit enfant Louis Alphonse, dûment reconnu comme le leur, jouisse de tous les droits d'un enfant légitime. Enfin, ils désirent donner à leur liaison un caractère sacré par la célébration religieuse, résolus qu'ils sont de vivre ensemble comme époux et de ne plus se quitter, mais continuent, pour « des raisons très plausibles », à souhaiter que leur mariage reste inconnu pendant un temps convenu.

Le pasteur Gerlach justifie alors en ces termes la célébration du mariage :

« ... Nous avons jugé les raisons morales à nous énoncées assez fortes pour passer sur la publicité ordinaire; et nous avons béni dans les formes usitées et en présence des dits témoins le mariage... Fort de notre conscience d'avoir agi dans des vues aussi désintéressées que morales, nous avons signé le présent acte... »

Le 12 octobre, bien que l'idée de la mort, quoi qu'elle en écrive, ne l'obsède pas et qu'elle ne soit nullement disposée à disparaître, Mme de Staël rédige longuement, minutieusement son testament, comme si elle sentait que le moment pour un tel règlement, pour une telle précaution, ne peut plus être différé. Un pieux hommage à Necker, précédant l'expression des volontés de Mme de Staël et la révélation du mariage secret, ouvre le testament :

« Je recommande mon âme à Dieu qui m'a comblée de biens dans ce monde et qui m'en a comblée dans la main de mon père, à qui je dois ce que je suis et ce que j'ai, et qui m'aurait épargné toutes mes fautes si je ne m'étais jamais détournée de ses principes. Je n'ai qu'un conseil à donner à mes enfants c'est d'avoir en tout présents à l'esprit, la conduite, les vertus et les talents de mon père et de tâcher de l'imiter chacun suivant leur carrière et selon leurs forces. Je n'ai connu dans ce monde personne qui ait égalé mon père, et chaque jour mon respect et ma tendresse pour lui se sont gravés plus profondément dans mon âme. La vie apprend beaucoup, mais pour toutes personnes qui pensent elle rapproche toujours plus de la volonté de Dieu; non que les facultés s'affaiblissent, mais au contraire parce qu'elles s'augmentent.»

VIII

A l'aube du quatorze juillet

A peine installée rue Royale, Germaine est reprise malgré elle par son goût du monde et l'inquiétude que lui inspirent les affaires publiques dans la France du drapeau blanc, occupée encore par 150.000 soldats alliés, agitée par les remous de la dissolution de la Chambre introuvable, et la lutte des libéraux et des ultras. La façon dont les Anglais compliquent les choses l'irrite au plus haut point. Elle s'enflamme en écrivant à Wellington :

« ... Je suis Française, fille de l'homme qui a le plus aimé la France et le sort de la Pologne me fait horreur pour mon pays. Si j'avais l'honneur d'être Anglaise, il me semble que je ne voudrais pas la destruction d'une nation qui, depuis 500 ans, a mérité la gloire de se battre avec l'Angleterre et qui dans les champs de Waterloo vous a montré du moins, Mylord, qu'elle savait mourir... » (1 *décembre* 1816.)

Ah ! que ce poids de l'occupation étrangère l'étouffe et la brûle ! Elle y voit pour la France encore plus de dangers que de honte ! Elle écrira dans les *Considérations :*

« Il y a des devoirs inflexibles en politique comme en morale et le premier de tous c'est de ne jamais livrer son pays aux étrangers, lors même qu'ils s'offrent pour appuyer avec leurs armées le système qu'on regarde comme le meilleur. »

Elle écrit aussi, en décembre, à Alexandre, et lui expose, dans une très longue lettre, ses vives appréhensions et ses faibles espoirs. Elle se montre indulgente pour Louis XVIII, sévère pour le comte d'Artois, elle craint pour la liberté des cultes; elle termine en insistant sur la nécessité du départ des troupes d'occupation (elles seront réduites de 30.000 hommes en février et retirées en novembre 1818) et remercie le tsar pour l'action compréhensive et modératrice exercée sur les partenaires de la Sainte-Alliance.

***

« Croiriez-vous que Paris ne me plaît pas? écrit-elle à la même date, à la comtesse d'Albany. On m'y traite avec beaucoup de bienveillance, j'y vois beaucoup de monde, mais quelque chose pèse sur l'air qu'on ne peut supporter. Personne ne dit ce qu'il pense, et la nation elle-même semble cacher ses souffrances par prudence... »

Elle aussi souffre. Elle se plaint d'oppressions, de douleurs d'estomac ou de ce qu'elle nomme ainsi.

« ... Elle lutta contre l'invasion du mal, écrit Victor de Broglie dans ses *Souvenirs*, avec une impétuosité héroïque : partout invitée, allant partout, tenant maison ouverte, recevant le matin, à dîner, le soir, tous les hommes distingués de tous les partis, de tous les rangs, de toutes les origines, prenant à la politique, aux lettres, à la philosophie, à la société sérieuse ou frivole, intime ou bruyante, ministérielle ou d'opposition, le même intérêt que dans les premiers beaux jours de sa jeunesse. »

Elle a des entretiens passionnés avec les quelques hommes qui composent l'état-major du ministère, parmi lesquels elle compte deux grands amis, Prosper de Barante et Camille Jordan.

Mais chaque jour le mal progresse. Broglie parle d'insomnies provoquées par « une inquiétude générale dans toute la partie inférieure du corps qui l'obligeait à se relever dès qu'elle était couchée et à marcher rapidement dans sa chambre jusqu'au point du jour ». On retrouve là les signes de la maladie maternelle. « De fort bonne heure, expliquait Necker parlant de sa femme, elle fut soumise à des angoisses nerveuses tellement pénibles que, par degrés, elle perdit le sommeil, et le jour, obligée de céder à un moment d'agitation, elle se tenait debout, même en société, et n'obtenait un peu de repos que dans le bain. » Le duc de Lévis précise qu'on voyait avec étonnement Mme Necker « assister au spectacle debout, au fond de sa loge, se balançant d'une jambe sur l'autre ».

Quel est ce mal auquel va succomber Mme de Staël et que le vieux baron Portal, médecin de Necker, devenu médecin du roi, appelé le premier auprès d'elle, ne pourra diagnostiquer? Le docteur André Finot, conservateur du musée de la Médecine, à la Faculté de Paris, dans un curieux « essai de clinique romantique », *Mme de Staël ou la gynandre* (1939), étudie longuement les traitements et les prescriptions de Portal et de ses collègues. Le docteur Finot croit aux effets de l'insuffisance cardio-rénale. Ce serait une néphrite d'origine gravidique qui, méconnue à cette époque et mal combattue, aurait écourté la vie de Mme de Staël.

« Un soir [*le* 21 *février* 1817], montant l'escalier dans l'hôtel de M. Decazes [*ministre de l'Intérieur*], écrit Broglie, elle était tombée dans nos bras, reportée dans sa voiture et de sa voiture dans son lit, une attaque d'hydropisie s'était déclarée, et cette attaque ne céda qu'en faisant place à un commencement de paralysie. » Germaine est ainsi douloureusement empêchée d'assister le 1er mars à la naissance de sa petite-fille Louise de Broglie, la future Mme d'Haussonville. Mais elle a fait porter chez Victor un portrait de Necker, afin qu'Albertine puisse pendant sa délivrance contempler le grand-père et sentir sa protection s'étendre sur le nouveau-né.

Portal constate que « l'enflure œdémateuse aux jambes a augmenté. Le teint a rembruni. Les yeux sont jaunes. Germaine garde le lit docilement. Elle reçoit ses amis inquiets dans la pénombre des volets à demi clos. Mathieu est arrivé le premier « dévoré de remords et d'anxiété ». « Elle est bien faible, bien souffrante, écrit-il à la cousine Albertine de Saussure. Mais « l'éther nitreux » et les « doux relâchants » ordonnés par Portal ont un heureux effet. En quinze jours, la fièvre tombe. La Fayette rassure Bernadotte à Stockholm. « Elle a été dangereusement malade, mais elle se rétablit... » « Elle est très faible, écrit John Rocca à Mme d'Albany, le 25 mars, mais nous n'avons, grâce à Dieu, plus d'inquiétude, et nous espérons qu'elle commencera dans peu sa convalescence. »

A la fin mars, elle paraît mieux en effet. « Aussitôt l'énergie de sa volonté reprit le dessus, on parvint à la lever, à l'habiller, à la transporter dans le salon où elle recevait une partie de la matinée, prenant intérêt à toutes choses... » Elle donnait souvent à dîner, ses enfants faisaient les honneurs de la table et tenaient son salon le soir.

En dépit des adjurations de prudence, elle fait mille projets. Elle espère être à Coppet en mai, en juin en Italie, en Grèce l'année suivante. Cependant son teint, sa maigreur les taches livides dont ses bras, ses mains, son visage sont couverts ne peuvent plus tromper personne. De passage à Paris, Mme de Boigne qui vient lui rendre visite un matin a le sentiment qu'elle ne la reverra plus.

« Je sentais la pénible impression d'un adieu éternel et sa conversation ne roulait que sur des projets d'avenir... Elle faisait des plans de vie pour l'hiver suivant. Elle voulait rester plus souvent chez elle, donner des dîners fréquents. Elle désignait par avance les habitués. Cherchait-elle à s'étourdir elle-même? Je ne sais. Mais le contraste de cet aspect si plein de mort et de ces paroles si pleines de vie était déchirant, j'en sortis navrée. »

Elle conserve et conservera jusqu'au bout son extraordinaire vitalité intellectuelle. Pas un jour elle ne cessera de s'intéresser à l'évolution de la politique et aux chances du libéralisme en France. Elle a reçu du tsar qui ignore encore sa maladie une flatteuse réponse à sa lettre de décembre :

« ... le prix que j'attache au maintien de l'ordre établi en France est déterminé par la foi des traités et par la conviction intime où je suis qu'il n'y a qu'une persévérance imperturbable qui puisse consolider le résultat de tant d'efforts.

« ... Votre esprit éclairé, votre amour pour le bien qu'aucune prévention n'altère, vous feront partager mes espérances...

« ... Recevez, Madame, l'assurance de mon estime. » (*Pétersbourg*, 24 *février* 1817).

***

Ses jambes, soudain, ne la portent plus. Une paralysie partielle gagne les extrémités. Le 9 avril elle s'excuse d'une lettre dictée, à Mme d'Albany : « J'ai été obligée d'emprunter la main de ma fille pour vous écrire, car l'excès de la fièvre m'a ôté l'usage des mains et des pieds... »

Portal s'étonne. Il a pourtant obtenu d'excellents résultats avec un nouveau traitement :

« ... Les eaux de Vichy suspendues et remplacées par les sucs des plantes, le cresson, la bourrache, le pissenlit, le cerfeuil, le trèfle d'eau, les cloportes écrasés en vie et en grande quantité. Ces sucs, bien dépurés, avec addition de l'oximel scillitique, furent donnés dans la matinée à la dose de cinq à six onces en deux fois. La malade prenait encore dans la journée quelques tasses d'infusion de houblon et de cerfeuil, avec de l'éther nitreux et de la teinture de digitale, qu'on employa aussi en frictions et en poudre dans une liqueur mucilagineuse. »

Benjamin écrit le 17 avril à Rosalie de Constant : « Mme de Staël a été à la mort et je la crois malheureusement encore frappée de manière à ne pas s'en remettre de sitôt, si jamais elle s'en remet complètement. Cet événement m'a causé une peine extrême. » Peine travaillée par ses regrets. Et puis, il souffre d'être empêché d'aller rue Royale.

« ... D'autres la voient, écrit-il à Schlegel... Est-ce qu'elle ne veut pas me voir? Croyez-moi le passé est un spectre terrible quand on craint pour ceux qu'on a fait souffrir. Enfin, dites ce qui en est, je vous en conjure, et faites, si cela ne lui fait pas de mal, que je la voie... »

Est-ce Germaine ou ses enfants qui refusent? On ne sait, mais l'autorisation n'est pas accordée.

Il est le seul des amis de Germaine — privilège négatif mais combien éloquent ! — à ne pas franchir le seuil du 6 de la rue Royale, il est le seul capable de lui faire encore mal par sa présence. Il n'ose pas insister. Il est d'ailleurs très absorbé en cette année 1817. Depuis le 1er janvier, il rédige le *Mercure* avec Jay, Jouy et Lacretelle aîné. Il publie brochure sur brochure. Il se présente à l'Académie au fauteuil de Choiseul-Gouffier, puis à celui de Suard, mais il n'obtiendra que cinq voix au premier tour de chacune des deux élections.

***

Germaine reçoit en souriant la visite de Chateaubriand. Ils ne se sont jamais très bien compris. Ils suivent le même chemin sans se voir. Ils ne se doutent pas qu'on reconnaîtra, qu'on saluera bientôt leur commune et glorieuse responsabilité dans l'éclatant épanouissement du romantisme français.

Germaine a quelque temps fait grief à René d'une lettre de 1810 où de sa petite chaumière de la Vallée aux Loups, il riait de la voir se plaindre d'être prisonnière à Coppet.

« ... Si j'avais comme vous un bon château au bord du lac de Genève, je n'en sortirais jamais. Jamais le public n'aurait une seule ligne de moi. Je mettrais autant d'ardeur à me faire oublier que j'en ai follement mis à me faire connaître. »

Croit-il donc qu'il suffise d'un château pour ne plus souffrir? La vérité, pense-t-elle, est que ce lyrique, où qu'il soit, ignore la souffrance. Mais elle se garde de riposter. Elle n'a de rancune contre personne, et surtout pas contre un homme de talent.

— Bonjour, my dear Francis, je souffre, mais cela ne m'empêche pas de vous aimer, dit-elle rue Royale de son lit en le voyant entrer... Peut-être est-ce ce jour-là qu'elle a ajouté le mot si souvent répété : « J'ai toujours été la même, vive et triste. J'ai aimé Dieu, mon père et la liberté. »

Aux premiers beaux jours, elle réclame du soleil, un jardin, une chambre exposée au midi. Elle se souvient de la jolie maison rue Neuve-des-Mathurins de son amie Sophie Gay qui, en hommage à Mme de Staël, a prénommé Delphine sa fille. Germaine envoie Auguste chez Sophie Gay pour négocier la location.

« ... Je refusai d'abord, écrit la mère de Delphine, mais le baron de Staël étant venu me prier de ne pas résister au désir de sa mère, je cédai à ses instances... C'est donc chez moi, dans la chambre que j'habitai quinze ans, dans mon lit, que Mme de Staël a rendu le dernier soupir. »

Rue Neuve-des-Mathurins nº 9 est tout près de la rue Basse-du-Rempart où habite au nº 32, Juliette Récamier. Les deux amies n'ont cessé de se voir depuis le retour de Germaine et d'échanger de tendres billets. Les visites de Juliette seront maintenant plus fréquentes encore. Mais c'est la maladie de Germaine et la compassion de Juliette qui prêtent une apparence de vie à l'ancienne amitié. Il n'y a que des femmes qui soient capables, par la vivacité des effusions et la chaleur des adjectifs, d'animer ainsi d'une braise artificielle des sentiments éteints. Juliette aura d'ailleurs, quand l'heure de la suprême séparation viendra, une raison supplémentaire de pleurer son irréprochable amie. C'est rue des Mathurins, le 28 mai, que Mme Récamier est la voisine de table de Chateaubriand, revenu ce soir-là aux nouvelles. C'est rue des Mathurins, tandis que Germaine repose dans sa chambre, veillée par Fanny, que Juliette soupe au côté du seul homme qui fera enfin battre son cœur et lui permettra de connaître, à défaut des autres, les jouissances de la jalousie. Pendant trente et un ans, jusqu'à la mort de René, entre les amants blancs de Chantilly, planera, visible au moins pour Juliette, l'ombre bienfaisante de Germaine.

***

La gangrène a fait son apparition aux pieds et aux jambes. Les mains, encore sensibles à la douleur, bougent à peine.

« Nous épuisâmes inutilement, écrit Broglie, toutes les ressources médicales que possédait Paris, depuis le vieux Portal... jusqu'à Lerminier, élève de Corvisart, le médecin de Napoléon. »

Accompagné par le docteur Esparon, Victor vient appeler tour à tour au chevet de l'illustre malade les médecins les plus réputés. Comme Germaine se plaint « d'un resserrement dans la partie supérieure de la poitrine » Victor court chercher un de ses condisciples de l'École centrale des Quatre Nations, un jeune docteur qui semble se spécialiser dans l'examen des affections pulmonaires, René Laënnec. Sa porte est « gardée par un cerbère femelle qui ne l'ouvrait qu'à heure fixe ». Enfin, Broglie l'emmène rue des Mathurins. Laënnec « se servant d'un cornet de papier dont il posa la base sur une partie du thorax et dont il introduisit la pointe dans une de ses oreilles crut reconnaître un commencement d'hydrothorax et même entendre dans cette cavité une espèce d'ondulation ».

Mais « cette méthode de reconnaître l'intérieur de la poitrine » parut suspecte à Portal qui déconseilla le remède prescrit par l'audacieux : « deux plaques aimantées appliquées sur la poitrine », et ordonna du lait d'ânesse. Germaine commence à redouter sa fin prochaine. Elle se raidit. Elle veut achever, même infirme, les *Considérations*, les *Dix années d'exil*, la *Vie politique de M. Necker*. Elle veut composer son poème sur *Richard Cœur de Lion*, elle veut aussi tracer le plan d'un grand ouvrage philosophique *L'Education du cœur par la vie*. Maine de Biran l'entend supplier Portal : « Faites-moi vivre, par Dieu, faites-moi vivre ! »

Elle est devenue très religieuse, à sa manière. Elle disait, à trente ans : « Sur tous ces grands sujets, je n'ai jamais eu qu'une pensée bien arrêtée : j'ai cru que les idées religieuses valaient mieux pour le bonheur des hommes, et je me suis traitée comme je crois qu'on doit traiter les autres; j'ai craint de me les ôter. » A présent, elle a rejoint son père. Elle se fait lire *l'Imitation de Jésus-Christ* qu'elle n'a pas toujours recherchée, mais elle ne souhaite le contact avec Dieu que par la prière : « Toutes les fois que je suis seule, je prie », « La prière est la vie de l'âme ».

Elle croit que Butini, célèbre médecin de Genève, pourra la sauver. Victor part aussitôt. Mais Butini, très âgé « jugeant d'un coup d'œil le mal désespéré et la catastrophe prochaine » refuse de se déplacer. Broglie s'adresse alors à un autre médecin genevois, Jurine. Moins célèbre que Butini, il fut aussi « moins inexorable ». Il se décide à faire le voyage, « par affection pour Mme de Staël plus que pour tout autre motif ». Mais impuissant à rien tenter, Jurine se contente de prescrire « l'usage intérieur de la moutarde pour ranimer le système nerveux ». Germaine passe un atroce mois de juin, attentive à ne pas attrister ses enfants, ses amis et surtout son pauvre phtisique que l'idée de lui survivre épouvante, qui se traîne à côté d'elle, tel que le vit Chateaubriand pour la première et la dernière fois « le visage défait, les joues creuses, les yeux brouillés, le teint indéfinissable » et qui, assis ou debout le dos appuyé au mur, la fixe anxieusement, interminablement, de ses yeux suppliants.

« La situation de Mme de Staël est toujours la même, écrit Juliette à Constance d'Arlens le 8 juillet, sans danger immédiat, mais sans espérance de guérison. Son imagination est aussi bien malade. Il est impossible de la voir sans être navré de son état. Elle ne voit plus que ses amis intimes et ne peut même pas les voir longtemps de suite; mais au milieu de toutes ses douleurs, elle conserve toujours encore la grâce de son esprit. Ce soin de plaire, dans une situation où il serait si naturel de n'être occupée que de soi, a quelque chose de si attendrissant qu'il est impossible de ne pas en être émue... »

« Mlle Randall et ma femme, écrit Victor, passaient alternativement la nuit au pied du lit de douleur, mon beau-frère et moi alternativement dans le salon qui ouvrait sur la chambre à coucher... Mme de Staël ne se faisait aucune illusion... Ce qu'elle craignait, c'était de ne pas se voir mourir, c'était en s'endormant de ne plus pouvoir se réveiller. Triste pressentiment ! »

Le dimanche 13 juillet Germaine a, dès le matin, une nouvelle crise d'oppression. Les taches gangreneuses gagnent tout le corps. L'après-midi, souffrant moins, elle se fait porter dans le jardin, peut recevoir le duc d'Orléans quelques minutes et fait distribuer des roses du jardin à ses amis. A la petite Delphine Gay, alors âgée de treize ans, future Mme de Girardin, elle offre un brin de sa plume d'oie et un rameau de la branche de laurier qui ne tient plus entre ses doigts. Le soir, elle bavarde encore avec animation, Fanny Randall la couche. Mais ne trouvant pas le sommeil Germaine exige plus d'opium qu'à l'ordinaire malgré l'interdiction de Portal. Fanny cède. Germaine s'endort enfin et Fanny s'assoupit à son tour en tenant une main de la malade dans les siennes. Dans le salon, Albertine est couchée sur un lit de sangle, Auguste étendu sur un canapé. Rocca et Schlegel sont dans leurs chambres. Victor qui s'est jeté tout habillé sur son lit se réveille en sursaut à cinq heures. Il descend au rez-de-chaussée chez Mme de Staël. Fanny rouvre les yeux. La main de Germaine qu'elle tient encore est maintenant glacée, comme le bras et le corps entier. Tout est fini. La fille de M. Necker est passée à l'aube et sans secousse sur « l'autre bord » où elle sait que l'attend son père. Et pour que son extraordinaire existence ne se termine pas platement, pour que sa mort ait, au moins par la date, une signification, un éclat, la destinée, attentive, a conduit Mme de Staël jusqu'au matin d'un 14 juillet.

« C'est le 14 juillet 1817, écrit Auguste de Staël au seuil de l'édition posthume de *Dix années d'exil*, que ma mère nous a été enlevée et que Dieu l'a reçue dans son sein. Quelle âme ne serait pas saisie d'une émotion religieuse en méditant sur ce rapprochement mystérieux qu'offre la destinée humaine? »

Germaine meurt à cinquante et un ans, l'âge auquel est mort Eric, et où mourra Napoléon.

IX

Dons, legs et omissions

Le dénouement, pour attendu qu'il soit, n'en provoque pas moins la douleur et l'accablement. Le vide d'une telle mort, la disparition d'une telle somme de noblesse et de bonté déchirent les enfants de Mme de Staël et bouleversent, parmi ses intimes, ceux qui s'accusent maintenant de ne l'avoir pas mieux aimée...

Le premier ami alerté par un billet solennel de Schlegel est Mathieu de Montmorency.

« Monsieur, je suis chargé de vous apprendre une funeste nouvelle. Votre illustre et immortelle amie s'est endormie pour toujours ce matin à cinq heures. Si vous venez chez nous, vous verrez une maison remplie de deuil et de désolation. »

« Quelle amie nous avons perdue, vous et moi ! écrit Mathieu le lendemain à la cousine Albertine. Je crois qu'en effet vous et moi avions ses premières affections dans l'ordre de l'amitié. Cette alliance me plaît, mais quelle perte ! Cette amitié pour moi datait de vingt-sept ans ! Sera-ce pour vous un coup de foudre comme ç'a été pour nous, malgré cette longue et terrible maladie ?... »

Juliette arrive en larmes « inconsolable » pour de longs jours...

Benjamin peut enfin revoir Germaine. Il sollicite la faveur, qui lui est accordée, de veiller le corps durant la première nuit.

« Vers la fin de la matinée, écrit Victor de Broglie, lorsque la première explosion de la douleur eut fait place à l'abattement, lorsque les tristes apprêts furent terminés, je conduisis ma femme et mon beau-frère dans l'appartement que j'occupais rue d'Anjou... J'y installai M. Rocca, M. Schlegel et Mlle Randall, et je retournai à la maison mortuaire pour y passer la nuit.

« Benjamin Constant vint m'y trouver et nous veillâmes ensemble au pied du lit de Mme de Staël. Il était touché au vif et sincèrement ému. Après avoir épuisé les souvenirs personnels et les regrets du passé, nous consacrâmes de longues heures aux réflexions sérieuses. Tous les problèmes qui s'élèvent naturellement dans l'âme en présence de la mort furent agités par nous et résolus dans un sens qui nous satisfaisait l'un et l'autre. Il était déiste mais... déiste qui n'échappait guère au scepticisme que par mysticisme. Mes convictions étaient tout autres et bien plus arrêtées. »

Les journaux du lendemain, pressés on dirait de réduire la place de celle qui en avait conquis une si large, mentionnent en quelques lignes l'événement, tandis que la mort du bébé de la duchesse de Berri et l'annonce fantaisiste de la retraite de Mme de Genlis aux Carmélites sont longuement commentés. La raison de ce traitement est évidemment d'ordre politique. La presse des ultras ne veut plus voir en Mme de Staël que « la révolutionnaire impénitente », la fille du « fossoyeur de la monarchie », « l'insupportable frondeuse », que « sa folie de libéralisme entraîne dans l'opposition contre tous les régimes ».

« ... Est-ce de la bonne littérature, demande Jacques de Saint-Victor [*père de Paul*] dans *la Ruche*, que de donner des éloges même mitigés, au style amphigourique et au délire continuel de cette folle effrontée dont vous savez aussi bien que moi que toutes les productions insipides et inintelligibles vont tomber dans les plus profonds abîmes de l'oubli, maintenant qu'elle n'est plus là pour donner des dîners à la clique philosophique et pour prêter son salon aux conspirations révolutionnaires ? »

Un peu plus loin, Saint-Victor déclare, en critique éclairé, qu'aucun des ouvrages de Chateaubriand ne passera à la postérité...

« La mort de Mme de Staël, écrit Edmond Géraud a, dit-on, un peu déconcerté nos grands seigneurs *libéraux* et nos artisans de révolutions dont sa maison était en quelque sorte le rendez-vous et le laboratoire...

... Au reste, M. Benjamin Constant va, je crois, nous donner de son ancienne amie une notice nécrologique qui ne laissera pas d'être curieuse... »

Benjamin publie, sans les signer, deux papiers dans le *Mercure de France*. Le premier, très bref, dans le numéro du samedi 19 juillet; le second, de six pages, dans celui du samedi 26.

Voici le billet du 19, qu'on sent donné en hâte à l'imprimeur.

« Les journaux ont déjà annoncé la mort de Mme de Staël, cette mort, que ne faisaient que trop prévoir cinq mois de souffrances, presque continues, mais dont l'amitié passionnée de ceux qui l'entouraient s'efforçait encore de repousser les présages. Cette amitié ressentie par tous ceux qui avaient eu le bonheur de la connaître, et qui a déjà tâché de lui rendre un faible hommage, recueille aujourd'hui péniblement quelques forces pour faire connaître, autant qu'il sera possible, non ce talent plein d'éclat, ce génie et cette profondeur de pensées que l'Europe admire, mais aussi cette âme pleine de bonté, d'affection, de tous ces sentiments doux et généreux, et ce caractère noble qui n'a jamais vu le pouvoir injuste sans lui résister, le malheur sans le secourir, la douleur sans la plaindre. »

L'article du 26 juillet que Benjamin a pu rédiger à loisir intéresse et déçoit. Il est naturellement chaleureux, intelligent, passionné, mais il ne répond qu'imparfaitement à ce qu'on attend. Il sent la gêne et l'huile. Benjamin s'en rend d'ailleurs compte.

« ... plus j'essaie de remplir cette tâche douloureuse, plus je sens qu'elle surpasse mes forces... et les heures s'écoulent sans que j'aie pu écrire une ligne qui me contente, une ligne qui puisse porter dans l'âme des autres une portion du sentiment qu'il me semble que tout le monde devrait éprouver...

... Enfin, quand faisant effort sur moi-même, je parviens à réunir quelques mots qui rendent à l'une de ses innombrables qualités une imparfaite justice, une amère douleur me saisit.

C'était à elle que ses amis devaient dire combien ils l'aimaient : on ne l'en a pas suffisamment convaincue. On a craint, pour ce corps devenu si faible, l'émotion dont son âme avait peut-être besoin... »

« ... Les deux qualités dominantes de Mme de Staël étaient l'affection et la pitié. Elle avait, comme tous les génies supérieurs, une grande passion pour la gloire; elle avait, comme toutes les âmes élevées, un grand amour pour la liberté; mais ces deux sentiments impérieux, irrésistibles quand ils n'étaient combattus par aucun autre, cédaient à l'instant lorsque la moindre circonstance les mettait en opposition avec le bonheur de ceux qu'elle aimait...

... On peut lui pardonner d'avoir désiré et chéri la liberté si l'on réfléchit que les proscrits de toutes les opinions lui ont trouvé plus de zèle pour les protéger dans leur infortune qu'ils n'en avaient rencontré en elle pour leur résister durant leur puissance. Sa demeure était leur asile, sa fortune leur ressource, son activité leur espérance... »

Benjamin termine en donnant la première place à l'étude de Germaine *Du caractère et de la vie privée de M. de Necker*, publiée en tête des Œuvres complètes de son père.

« ... Tout ici est consacré à porter la lumière sur un seul foyer, à exprimer un seul sentiment, à faire partager une pensée unique.

... C'est la seule fois qu'elle ait traité un objet avec toutes les ressources de son esprit, toute la profondeur de son âme et sans être distraite par quelque idée étrangère. Cet ouvrage peut-être n'a pas encore été considéré sur ce point de vue... »

Il invite tous ceux qui honorent et admirent Mme de Staël à relire cet hommage filial.

« Je les y invite pour eux-mêmes s'ils veulent connaître Mme de Staël; ils ne la connaîtront qu'imparfaitement dans ses autres ouvrages, plus imparfaitement encore dans ce qu'on écrira désormais sur elle. Ceux qui la regrettent faiblement ne sauront la peindre. Ceux qui la regrettent, comme elle fut digne d'être regrettée, ne le pourront pas. »

Dans une lettre du 1er août à Juliette, Mathieu de Montmorency ne cache pas son irritation. Chacun au fond est jaloux de la façon dont il aimait Germaine.

« Je voulais vous parler de cet article du *Mercure;* je l'ai lu avec avidité, mais cela ne prouve rien. Il est des aperçus de sentiment qui m'ont fait grand plaisir, mais qui me donnaient ensuite une sorte d'humeur mêlée d'envie contre le talent; je n'aime pas qu'à lui tout seul il [*Benjamin*] supplée à une sensibilité profonde que je crois n'être pas là, et qu'il trouve des idées et des expressions dont elle serait contente. »

***

« Le corps fut embaumé, écrit Broglie. Le cercueil fut transporté à petites journées sous la garde de M. de Staël accompagné de M. Schlegel. Je pris le devant avec ma femme, ma fille, Mlle Randall et M. Rocca. »

Le 25 juillet, la voiture noire qui ramène à Coppet la fille de M. Necker entre dans la cour du château. Les obsèques sont célébrées le lendemain devant le tout-Genève. Pierre Kohler, dans *Mme de Staël et la Suisse* a rassemblé et fixé les détails de la cérémonie. C'est le pasteur Barnaud de la paroisse de Coppet qui officie. Albertine et Fanny Randall sont à genoux devant le cercueil. Rocca, trop atteint, n'a pu quitter sa chambre. Le cortège se forme. Quatre membres du conseil municipal « voulant honorer la mémoire de la bienfaitrice des pauvres » portent la bière à travers le parc jusqu'au petit mausolée. Albertine est restée au château. Les enfants et les vieillards forment la haie, les hommes sont retenus aux champs par la moisson. Le cortège s'arrête à l'entrée de l'enclos.

La veille, Victor a fait percer en sa présence et par un seul ouvrier la porte murée du monument dont le fronton est orné du bas-relief que Germaine avait commandé à Tieck. Le sculpteur l'a représentée « pleurant sur le tombeau de ses parents, tandis que son père, attiré vers le ciel par Mme Necker lui tend la main pour un dernier adieu. » Victor pénètre seul avec Auguste à l'intérieur du mausolée. Devant la porte « un homme sûr » avait veillé toute la nuit. Dans la cuve de marbre noir, encore à demi remplie d'esprit-de-vin, les deux corps des époux Necker sont étendus l'un près de l'autre, recouverts du manteau rouge. Auguste ne voit point le visage de sa grand-mère, affaissé sous le manteau, mais celui de Necker est à découvert et toujours parfaitement conservé.

Après que les quatre conseillers eurent déposé le cercueil de Germaine au pied de la cuve, Victor fit murer de nouveau la porte d'entrée qui depuis 1817 n'a jamais été rouverte, et ces trois êtres, le père, la mère, la fille, après avoir rempli l'Europe du bruit de leur gloire, se trouvèrent, selon leur vœu, retranchés à jamais du monde des vivants et des morts.

Autour du monument en forme de cube, sans inscription ni croix, dans le petit enclos que j'ai pu visiter, en juin 1955, avec un groupe de la Société des études staëliennes que préside la comtesse Jean de Pange — le petit enclos où Juliette se recueillit devant l'invisible tombeau un jour de septembre 1832 tandis que Chateaubriand rêvait sur un banc en l'attendant... — ont été successivement inhumés la petite Béatrice de Broglie, seconde fille de Victor et d'Albertine; Auguste de Staël, son fils Victor-Auguste et son épouse la baronne de Staël-Vernet; Louis-Alphonse Rocca, et la comtesse d'Haussonville, née Louise de Broglie.

***

Le lendemain 19 juillet, lecture est donnée du testament à la famille qui en connaît déjà les clauses relatives au mariage avec Rocca et à l'existence de Louis-Alphonse.

Germaine a distribué sa fortune entre son mari et ses trois enfants, « Auguste de Staël, la duchesse de Broglie et Alphonse de Rocca ».

Elle lègue à Rocca, qui meurt à Hyères six mois plus tard, en janvier 1818, 82.000 francs suisses (le franc suisse valait alors un franc cinquante français), deux terres de Normandie, Gaville et Bel Hôtel, qu'ils avaient achetées en commun, et 1.000 louis « dans les fonds anglais ».

Alphonse-Louis, « Petit-nous », le plus favorisé, recevra 408.000 livres suisses, « prises sur la moitié de mon bien dont j'ai le droit de disposer d'après les lois du canton de Vaud... Ces explications ne sont données que pour le cas bien peu probable où mon fils, Mme et M. de Broglie mourraient avant moi et qu'ils seraient représentés par des étrangers, car je les connais assez tous les trois pour être assurée qu'ils traiteront toujours l'époux de leur mère, celui qui l'a si bien aimée et protégée dans ses malheurs, comme un ami, et qu'ils traiteront aussi en bon frère l'enfant légitime de leur mère ».

La fortune restante est partagée entre Auguste et Albertine, celui-là recevant trois quinzièmes de plus que celle-ci. Comme le château de Coppet transféré à Auguste, on s'en souvient, depuis la fuite de 1812, est plus une charge qu'un revenu, « il est juste que si ma fille retire 1.200.000 francs de ma succession, sa dot comprise, Auguste en retire 1.500.000, et ainsi de suite... ».

Victor de Broglie reçoit 1.000 écus « en le priant d'en faire un souvenir quelconque de moi ».

La cousine Albertine, « l'amie que je regarde comme ma sœur » reçoit 12.000 francs de France et le portrait de Germaine par Mme Vigée-Lebrun.

Auguste est chargé de faire faire « un portrait de moi pour mon respectable ami M. de Montmorency qu'il me permettra de lui donner en mémoire d'une amitié je l'espère inaltérable ».

Schlegel reçoit 3.000 francs de France de pension viagère « s'il ne m'a pas quittée jusqu'à ma mort » et son appartement à Coppet tant qu'il vivra « personne ne pouvant lui ôter une demeure que sa présence honorera toujours ».

Fanny Randall reçoit 1.400 francs de France, c'est-à-dire 60 louis de pension viagère. Catherine Rilliet-Huber, la première compagne de 1777, dont l'amitié effervescente et vaniteuse fut loin d'être exemplaire, reçoit 2.000 francs de France « et celui de mes schalls qu'elle choisira ».

Cinquante louis au cousin Necker pour une bague. Mille écus au pasteur Gerlach. Cinquante louis au notaire Foucault-Pavant de Paris, désigné comme exécuteur testamentaire. Une bague de vingt-cinq louis au pasteur Barnaud pour les pauvres de Coppet. Cinquante louis à l'hôpital de la République de Genève « qui, j'espère, restera toujours ce qu'elle est ».

Une bague « de mes cheveux de cinquante louis avec mon chiffre à mon cher frère Charles Rocca ».

Une année de gages à ses gens et ses robes et linges à Marie, sa femme de chambre.

Auguste est prié de veiller conjointement avec Schlegel à la publication des inédits, et notamment des *Considéra-*

tions sur la Révolution française. Les sommes reçues pour ce manuscrit seront partagées entre Schlegel et Auguste.

Auguste est chargé « de faire faire une édition des œuvres de mon père et une des miennes ». Mme de Broglie travaillera conjointement avec son frère Auguste et M. Schlegel à la notice de l'une et l'autre édition. « Je souhaite bien que mon fils Auguste puisse un jour parler de son père, le mien, à la France; il sentira que c'est sur cette route qu'il doit marcher. »

Dans un codicille, dicté à trois semaines de sa fin, à Auguste et à Albertine, qu'elle date péniblement du 21 juin 1817 et signe « Necker de Rocca, mon vrai nom », Mme de Staël lègue encore 20.000 francs « à donner à M. Rocca à l'instant même de ma mort » pour amener Alphonse où il lui plaira; et trois années de gages, au lieu d'une, à Étienne et Marie.

On remarque que ni Eugène Uginet, « l'homme de confiance » — qui deviendra intendant des Tuileries sous Louis-Philippe — ni sa femme Olive, née Complainville, ne sont mentionnés dans le testament, ce qui peut donner, nonobstant les Tuileries..., un certain crédit à la gênante hypothèse de l'indignité et de la vénalité du couple.

Mais il est une autre omission qui frappe davantage et fait rêver, celle de Juliette Récamier.

X

Le manteau de Noé

Deux soucis, pareillement impérieux mais quelque peu contradictoires, vont désormais commander l'attitude d'Auguste et d'Albertine. Obéir aveuglément aux volontés d'une mère chérie. Défendre sa mémoire et protéger l'honneur des Staël comme celui des Broglie.

En ce qui concerne Alphonse Rocca, aucune hésitation, aucune arrière-pensée. Dès la mort de John, le très riche et très pauvre petit orphelin difforme est recueilli avec bonté par Albertine qui l'élèvera avec ses enfants dont il est l'oncle. « J'aime cet enfant bien tendrement, écrit la duchesse de Broglie. J'espère qu'il sentira la gloire de sa naissance. »

Une observation scrupuleuse des clauses du testament, relatives à la publication des inédits de Mme de Staël, à la rédaction de la Notice, à la remise des papiers littéraires à Schlegel pose par contre des problèmes de conscience presque insolubles. Le frère et la sœur ne les résoudront que dans le respect d'une autre volonté de la morte, se montrer dignes du Saint, le Grand-Père. A travers toutes ses exhortations, Mme de Staël n'a-t-elle pas en somme dit et répété à ses enfants : « Faites ce que je vous dis, ne faites pas ce que j'ai fait. Ne me prenez pas pour modèle. Vivez comme Il aurait voulu me voir vivre »?

Forts de cette interprétation, justement inquiets de

tout ce qu'on peut écrire de faux ou de vrai sur leur mère et résolus à enterrer tous ses secrets, à lui refaire une réputation toute neuve, Auguste et Albertine, conseillés et soutenus dans leur pieuse ferveur par Victor de Broglie, décident de protéger au-delà de la mort Mme de Staël contre la malice, la médisance, les commérages, fondés ou non fondés. Les obligations de la morale, de la famille, de l'opinion priment maintenant pour eux toutes les autres. C'est dans cet esprit qu'ils vont, en toute bonne foi, sûrs d'être absous là-haut par le Grand-Père, transgresser les volontés expresses de leur mère.

Il convient d'abord d'écarter Schlegel, au moins de le neutraliser. Ce n'est pas qu'ils se défient de lui, mais ils veulent éviter d'avoir à discuter avec un étranger dont le pédantisme et le manque de tact suscitent à tout instant l'irritation, de détails d'ordre familial, d'ordre intime, qu'ils ne lui reconnaissent plus le droit d'aborder. Mme de Pange a longuement exposé dans son livre sur Schlegel et Mme de Staël les très curieuses tractations qui aboutissent le 1er mai 1818 à la signature d'une convention entre Schlegel d'une part, Auguste, Albertine et Victor d'autre part.

En gros, Schlegel renonce à « tous les manuscrits de Mme de Rocca, à tous les ouvrages imprimés ou inédits, et à tous ses autres papiers littéraires », moyennant l'abandon en sa faveur de la part des héritiers sur la vente de la première édition des « Considérations », dont il est ainsi le seul bénéficiaire. Mais son nom, « impopulaire à la suite des polémiques où on l'avait accusé d'être antifrançais » ne paraît pas sur la couverture. On se contente dans l'avant-propos de signaler que la révision des épreuves et « la correction de ces légères inexactitudes de style qui échappent à la vue dans le manuscrit le plus soigné » ont été effectuées « sous les yeux de M.A.W. Schlegel dont la rare supériorité d'esprit et de savoir justifie la confiance avec laquelle Mme de Staël le consultait dans tous ses travaux littéraires autant que son honorable caractère mérite l'estime et l'amitié qu'elle n'a pas cessé d'avoir pour lui pendant une liaison de treize années ».

Ainsi caressé, Schlegel ne songe pas à se fâcher et accepte avec reconnaissance l'hospitalité parisienne que lui offrent le duc et la duchesse de Broglie dans leur hôtel de la rue de Bourbon... jusqu'à son départ pour l'Allemagne où il épousera en août 1818 une jeune fille de vingt-sept ans, Sophie Paulus, qui divorcera six mois plus tard...

Auguste et Albertine sont maintenant libres de procéder à la vigilante révision des inédits de Mme de Staël, de veiller à ce que ceux des écrits qu'ils décident de publier (un dénouement de *Delphine*, quelques pièces de théâtre, quelques morceaux politiques, les *Dix années d'exil* et les *Considérations* dont ils mettront au point les parties inachevées) ne contiennent pas contre les personnes de violence inutiles capables de provoquer de fâcheux remous « dans la société et dans la presse ».

La correspondance fera naturellement l'objet d'examens impitoyables. De nombreuses lettres trop intimes ou dangereusement allusives disparaîtront. Tout ce qui pourra être récupéré sera ou détruit ou bouclé. Les héritiers s'opposeront catégoriquement à tout accès aux archives de Coppet, à toute communication. Sainte-Beuve lui-même, pourtant grand admirateur de Mme de Staël, se heurtera en 1832 à un refus net et blessé d'Albertine de Broglie lorsqu'il insistera auprès d'elle pour obtenir le droit de lire quelques-unes de ces lettres dont il avait justement soupçonné l'extraordinaire valeur psychologique — ces lettres sans la connaissance desquelles Mme de Staël ne peut être comprise, située, aimée.

Quant à la Notice, elle fut rédigée avec autant de finesse que d'intelligence et de sensibilité par la cousine Albertine. C'est une apologie émouvante et nuancée. Mme Necker de Saussure explique ainsi pourquoi elle avait accepté de se substituer à ceux que Germaine avait chargés de la peindre :

« Il eût été à désirer sous plusieurs rapports que les enfants de Mme de Staël eussent eux-mêmes entrepris de faire connaître leur mère... Toutefois, outre que leurs souvenirs n'embrassent qu'un temps bien court, il y a pour eux dans un lien trop étroit et trop sacré, dans une tendresse trop souffrante, trop ombrageuse peut-être, des motifs particuliers de réserve et de silence. Des enfants ne sauraient parler d'une mère illustre et adorée avec une apparence d'impartialité. »

Malheureusement l'ouvrage ne nous est parvenu que

sévèrement censuré. Si voilé et si discret qu'il fût, il parut encore trop précis, trop transparent à l'intransigeant et craintif « Conseil épuratoire » familial. On ne lit pas sans étonnement et sans regret ces quelques lignes de Mme Rilliet-Huber, heureuse de faire l'importante, qui, après s'être faussement vantée dans une précédente lettre d'avoir été la dernière personne dont Mme de Staël ait prononcé le nom avant de mourir, écrit à Henri Meister le 31 décembre 1919 :

« ... Je ne suis point étonnée que vous soyez ravi de la notice faite par Mme Necker de Saussure. Moi qui l'ai vu faire page par page et qui, sans y avoir mis du mien, y ai beaucoup influé par mes éloges, mes observations et mes ciseaux pour en faire disparaître mille choses, j'en suis enchantée. C'est un réservoir d'idées... Je suis charmée de ce que vous approuviez la brièveté et la manière dont le mariage avec Rocca est traité. J'ai beaucoup contribué à l'abréger, trouvant que c'était un des sujets sur lesquels il fallait courir en glissant.

« En général, toute cette notice a passé par des revues multipliées, tant d'Auguste, de M. et Mme de Broglie que de moi. Si vous aviez été ici, vous auriez fait partie du Conseil épuratoire. Il importait trop à la mémoire de celle qui a tenu une si grande place pendant sa vie, que cette notice dise presque tout, et pas tout. Il me semble que ce but est bien rempli. Sans doute c'est plus un éloge qu'une vie; mais une biographie était impossible, et le titre de notice est d'autant mieux choisi qu'il laissait la latitude d'y mettre tout ce qu'on voulait, et rien de ce qu'on ne voulait pas. »

« Je ne crois plus à cette notice, écrit l'auteur inquiète à Albertine. Il y a dix jours que je n'ai pas reçu une première feuille... (30 *septembre* 1819).

« J'augure mal pour la notice de votre silence à vous depuis deux courriers... qu'on y relève des défauts de style ou de forme c'est à quoi je me suis attendue. Moi-même je trouve que dans le début des analyses un peu de timidité vis-à-vis du public m'a fait mettre trop souvent ma robe de cérémonie quand je n'ai pas été emportée par le sentiment. Mais que malgré cela, on revise ce qui a touché et attendri... c'est ce que je ne comprendrai pas... » (3 *décembre* 1819).

Benjamin, à qui Auguste avait communiqué les épreuves du travail de Mme de Saussure, lui écrit le 25 novembre :

« ... J'ai lu la biographie avec bien de la curiosité et un vif désir d'en être parfaitement satisfait; je la crois très propre à faire un grand effet sur quiconque a connu Mme de Staël; mais je crains que ceux qui ne l'ont jamais rencontrée ne s'en fassent pas une idée juste d'après les détails qu'ils trouveront... Peindre un tel mélange de génie et de sensibilité, de mobilité et de charme et d'enfance était impossible. Je ne sais si je le pourrais et je suis encore celui de tous ses amis qui le pourrait le mieux. »

Comment s'étonner après cela que les historiens et les biographes aient attendu si longtemps avant de pouvoir tenter de sortir l'extraordinaire personnage de Germaine de Staël de la convention et du conformisme? Ce n'est qu'après la mort de Victor de Broglie en 1870, et surtout après les trois volumes de Lady Blennerhasset, *Madame de Staël et son temps* (1890) que le voile opaque résolument jeté comme un manteau de Noé sur leur mère et belle-mère par Auguste, Albertine et Victor, commença de-ci de-là à s'effilocher.

***

Auguste n'épousa pas une riche Anglaise. En 1826, il prit pour femme une aimable et sage Genevoise, fille d'un des premiers magistrats du canton de Genève, Adélaïde Vernet, de la famille de ces Vernet qui avaient été les premiers patrons de Jacques Necker à son arrivée à Paris. Il mourut l'année suivante de maladie à trente-sept ans, laissant un fils posthume, dernier des Staël qui, frappé à son tour, ne survécut que quelques mois à son père. Mme de Staël-Vernet, restée seule à porter le nom d'Eric, s'éteignit à Coppet en 1876.

Repu d'agitation et de frivolité, Auguste était devenu un homme actif et très pieux, sous la forte influence du pasteur Cellerier. Il consacra presque tout son temps et une partie considérable de ses revenus à l'amélioration de l'économie rurale. Il se passionna pour l'agronomie et transforma Coppet en terre d'expériences agricoles. Il participa aux travaux de la Société biblique protestante. Comme son grand-père, comme sa mère, comme son beau-frère, il s'associa au grand mouvement de protestation contre la traite des noirs qui agitait alors la France.

Albertine n'eût pas été heureuse avec Byron... Elle ne fut pas moins religieuse qu'Auguste. Elle donna cinq enfants au duc. En vertu d'un accord entre les époux, les deux fils devaient être catholiques et les filles, protestantes. Albertine vécut dix ans de moins que sa mère. Elle mourut en septembre 1838. Victor de Broglie publia le recueil des écrits de sa femme, sous le titre *Fragments sur divers sujets de morale et de religion.* Ils se composaient de préfaces à des traductions d'Erskine (pas l'homme d'État, le théologien écossais) et d'essais sur la foi, le christianisme, les associations bibliques de femmes.

Peut-être le frère et la sœur cherchèrent-ils inconsciemment, dans une fièvre de dévotion, à faire oublier leur jeunesse agitée et l'inconduite de Mme de Staël dont ils commençaient à craindre qu'elle ne compromît son salut. Mais « sur l'autre bord » Germaine, qui ne ressentait nulle honte, dut alors penser qu'ils étaient allés un peu loin.

CONCLUSION

“ *Rien de ce qui est venu d'elle ne peut être comparé à elle-même* ”.

ALBERTINE NECKER DE SAUSSURE.

La dernière chance, la durée, n'a pas été accordée à Germaine de Staël. Elle est partie sans avoir eu le temps de méditer sa douloureuse expérience, à l'heure où elle atteignait la sérénité qui lui avait tant manqué. Elle eût vécu vingt ans de plus, sa place se fût tout naturellement élargie, fortifiée, imposée et la postérité qui a le respect des puissants aurait soutenu plus longtemps son crédit. Elle eût vécu vingt ans de plus, elle se serait pacifiée et dégagée de la souffrance d'avoir trop aimé la gloire, la liberté et Benjamin Constant.

En dépit des apparences, elle n'a été une femme de lettres que malgré elle et ne s'est prise que tard au sérieux. Elle écrivit parce qu'elle fut très vite empêchée d'agir, parce qu'elle n'en finissait pas de s'exalter, de s'indigner, d'argumenter, de philosopher et qu'on se fatiguait de la suivre jusqu'au bout de son éloquence. Elle écrivit, moins par vanité littéraire et pour briller, que par conviction, appétit de justice, excès de vitalité. Pour semer ses idées morales et politiques, politiques surtout qui, souvent redondantes dans l'expression, étaient claires et fortes dans le principe : Indépendance des nations, liberté des individus, liberté des pensées, défense des opprimés, respect des vaincus, condamnation des tyrans et des bourreaux.

Elle plaça en épigraphe à *Des Circonstances actuelles...* la phrase de Rousseau « La liberté d'une nation ne vaut pas la vie d'un homme innocent » qu'elle fit sienne à diverses reprises. Elle avait cru en 1797, avec beaucoup, que Bonaparte était profondément républicain et la Révolution incarnée... Mais elle apprit à ses dépens qu'il n'était que le despotisme incarné. « ... La Révolution incarnée, comme le constate Charles Nodier, c'était Robespierre avec son horrible bonne foi, sa naïveté de sang et sa conscience pure et cruelle. »

Germaine fêtait ses vingt-trois ans quand les États généraux se réunirent en présence du roi et de son père. Elle épousa toutes les illusions des hommes de 89 et ne les rejeta jamais. Elle crut sa vie entière à la vertu des mots à majuscules, à la primauté de l'esprit, à l'union des élites de tous les pays du monde pour le bien des peuples. Les peuples, c'était naturellement la bourgeoisie dont elle était issue, la classe instruite qui seule comptait, le Tiers état que Necker avait favorisé. Pas plus que les philosophes du XVIIIe siècle qui lui avaient appris à penser dès le berceau, elle ne voyait le moyen de réduire effectivement toutes les inégalités. La vraie misère lui apparaissait comme une calamité naturelle et d'autre part elle était dressée contre cette populace qui avait pris son plaisir à promener des têtes sur des piques et à voir fonctionner la guillotine.

Elle ne supportait pas qu'on opprimât le petit peuple, qu'on l'asservît; elle le secourait volontiers ici et là dans son rayon, mais en bloc il lui faisait souvent peur, et elle voulait qu'il restât, libre et mieux traité, à sa place. Elle ne s'inquiétait sérieusement de son avenir que sur le papier et ne l'avait chéri que dans les villages et sur les routes quand il avait acclamé son père. Fille d'un riche parvenu, baronne par alliance, bourgeoise malgré elle, c'était une aristocrate libérale qui n'eût accepté qu'une république athénienne, respectueuse des talents et des titres.

Elle fut une voix, une de ces grandes voix dont les sceptiques font leurs cibles mais qui résonnent profondément dans les consciences et dont le souffle ébranle toujours utilement l'arbitraire et l'injustice. Mais elle n'eût pas admis, eût-elle vécu vingt ans de plus, que la Révolution pût être revendiquée par les masses et que le social prît le pas sur le spirituel sans lequel elle niait le progrès.

Elle n'aurait pas compris que Karl Marx pût un jour relayer Jean-Jacques et que Henri Heine, auteur de cette autre *Allemagne* qui répliquait à la sienne, évoquât la menace du communisme... « ... nom secret de cet adversaire formidable, écrira Heine, qui oppose le règne des prolétaires dans toutes ses conséquences au règne actuel de la bourgeoisie... » mais elle eût été d'accord avec Auguste Comte proclamant dans sa première brochure de 1822 qu'il ne fallait pas remplacer « l'arbitraire des rois par l'arbitraire des peuples ».

Ses nombreux travers étaient sans gravité. Mais ils contribuaient presque tous à rendre sa société fatigante. C'est ce qui indisposa et rebuta les gens mesurés, alimenta la médisance et lui vaut encore une mauvaise presse. On se laisse abuser par ses dehors et on n'attend pas de l'avoir trouvée et comprise pour la condamner ou la fuir. Elle était bruyante, turbulente, étourdissante, autoritaire, intarissable, provocante, inconvenante, accaparante, indiscrète. Aujourd'hui où elle s'est décantée, il est facile de l'aimer, mais on ne s'y risquait pas de son vivant sans de vives appréhensions. Elle ne laissait en repos aucun homme dont elle était curieuse. Elle considérait qu'elle avait droit d'entreprise sur quiconque l'intéressait ou lui plaisait et dès cette minute tout devenait possible.

Mais ceux qui se prêtaient au jeu; ceux qui y cédaient, quitte à se reprendre, oubliaient alors ce qu'il y avait d'antipathique, de désobligeant, d'incivil dans ses façons, car elle gagnait infiniment à être connue dans son essence. Les qualités de son âme, les exquises comme les profondes, créaient alors immanquablement entre elle et ses victimes ravies ces liens d'amitié qui se relâchaient parfois mais que rien ne pouvait briser. Elle s'en était vite rendu compte et c'est ce qui la poussait à établir au plus tôt les conditions d'une intimité hors laquelle elle n'était si souvent qu'esbroufe, tapage et tourbillon.

« Il faut voir cette femme comme un phénomène éclatant, a écrit sa cousine, et penser que tout ce qui sort des proportions si justement calculées par l'auteur de la nature a droit à notre indulgence... » Il ne faut pas oublier non plus qu'elle était laide et qu'elle n'admettait pas que cela l'empêchât de plaire et même d'arracher un amant à sa belle. Bien au contraire ! Elle n'en était que plus exigeante, que plus décidée à séduire.

Barbey d'Aurevilly qui s'est exalté devant son portrait par Gérard déclare que les contemporains de Mme de Staël « qui avaient dans la tête le type de beauté dont Pauline Borghèse et Mme Récamier étaient l'idéal n'ont rien compris à ces traits un peu gros, à ce large nez de lionne, à ces lèvres roulées plus amoureuses encore qu'éloquentes, aux orbes solaires de ces yeux sincèrement ouverts jusqu'à l'âme qui ont trempé tant de fois leurs feux dans les larmes... » mais Barbey, avec beaucoup d'imagination il est vrai, n'avait que six ans en 1817... Non ! Germaine était lourde, épaisse, disgracieuse, et ne l'ignorait pas, et en souffrait.

« ... Sa laideur, écrit Mme de Boigne, lui avait toujours été une cause de vif chagrin. Elle avait pour cette faiblesse un singulier ménagement; jamais elle n'a dit qu'une femme était laide ou jolie : elle était, selon elle, *privée ou douée d'avantages extérieurs*. C'était la locution qu'elle avait adoptée et on ne pouvait dire devant elle qu'une personne était laide sans lui causer une impression désagréable. »

Avec tant d'amour au cœur et un si grand besoin d'être aimée, était-il possible qu'elle fût trahie par son aspect? Elle ne l'admit pas, et l'opinion n'admit pas qu'elle s'insurgeât. Ce fut son drame. Les belles, type Récamier, ont tous les droits, les laides n'ont qu'à se tenir tranquilles ou se cacher. Elle cassa le jugement.

On lui fit grief de son impudeur, de sa vie ouverte et mêlée, de ses caprices multiples, de ses engouements subits et surtout de leur cumul. C'est se tromper sur sa nature. Germaine de Staël fut la pureté même. Elle n'a aimé qu'un seul homme dans sa vie et lui est restée fidèle jusqu'à la mort. Ceux qu'elle a connus avant Benjamin ne l'ont abusée que parce qu'elle ne le connaissait pas. Quant à ceux qui sont venus après, ils lui ont servi, soit à tenter de l'irriter et de le rendre jaloux, soit à tenter de « s'étourdir » et de se détacher de lui. Elle les choisissait de préférence jeunes, cultivés, ambitieux, séduisants, mais cela ne changeait pas ses sentiments profonds. Si l'on croit à un paradoxe, cela tient à ce qu'il n'y a qu'un verbe en français pour tous les degrés de la sympathie et toutes les formes de la tendresse.

Cela tient aussi à ce que Germaine ne fut jamais capable d'aimer d'amitié qui que ce fût sans qu'il se mêlât un peu ou beaucoup d'amour à son sentiment. Cette faculté si commune qui nous permet de distinguer l'amitié de l'amour lui était refusée. Pour elle, dès le départ, tout était amour. Elle ne classait, elle ne cloisonnait rien. Pour elle, le platonique n'était pas plus pur que le sexuel n'était impur. Elle ne reconnaissait pas leurs frontières, et c'est en dame du dix-huitième siècle (elle le resta toujours), en baronne d'ancien régime, qu'elle recevait les hommes à sa toilette, en jupon court, la gorge offerte, sans presque penser à mal. Entre deux êtres intellectuellement attirés l'un vers l'autre, il ne pouvait y avoir de terrain réservé, et elle trouvait, elle, très juste et très bon qu'un seul verbe couvrît toutes les étapes et toutes les métamorphoses de l'amour. Mais cela n'impliquait pas qu'elle se délivrât de la morale courante par indifférence ou libertinage.

Elle se résignait à voir finir où mollir des liaisons d'un an ou d'un jour, elle oubliait les trahisons et les ruptures des autres, mais elle était liée à Benjamin par l'esprit, le cœur, la chair, l'âge. Elle craignit de s'engager lorsqu'elle le rencontra. Elle pressentit immédiatement quelle espèce d'amoureux c'était, un égoïste inquiet, un avare qui veut prendre sans trop recevoir et sans rien donner sauf à son heure, un amant qui a peur d'être aimé. Elle comprenait bien au-devant de quels malentendus, de quelles souffrances elle courait, elle, la prodigue, l'exclusive, l'effrénée. Elle était résolue à ne pas céder avant d'avoir trouvé et éveillé le cœur de Benjamin. Mais à la place de ce cœur il y avait tant d'intelligence et d'esprit, et d'une telle qualité, qu'elle passa outre, et faiblit, et céda, comptant bien un jour avoir sa revanche. Elle l'aima passionnément, maladroitement, désespérément, et n'aima que lui.

***

J'ai la chance de pouvoir divulguer quelques lignes d'une lettre inédite de Germaine à Benjamin; elle fait partie d'une liasse de sept, recopiées par Juliette Récamier et découvertes récemment aux archives de Broglie sous enveloppe cachetée par Mme de Pange qui a bien voulu me les laisser lire et m'autoriser à en reproduire un étonnant alinéa.

On découvre ainsi en passant que Benjamin Constant, amant délicat, ne montrait pas seulement les lettres d'amour de Mme de Staël à Bonaparte pour amuser son maître pendant les Cent-Jours, mais qu'il les communiquait aussi à Mme Récamier, sans doute pour tenter de l'animer et lui apprendre comment on parle quand on aime...

La lettre qui n'est pas datée paraît avoir été écrite au cours du printemps ou de l'été 1809, en tout cas après la rencontre Germaine-Charlotte de Sécheron.

« ... Mais si vous n'avez pas besoin d'être aimé, si des liens passagers ou mercenaires vous suffisent, vous pouvez en effet continuer le même système. Alfiéri auquel vous ressemblez, Alfiéri a donné les plus touchantes preuves d'amour à Mme d'Albany, c'est ainsi qu'il s'est préparé une amitié fidèle et tendre pour le restant de sa vie. Je ne sais si j'ai le bonheur d'être la personne qui vous convient, je le crois quelquefois, mais dussiez-vous me briser le cœur en en aimant une autre, manquer à tous vos serments, briser tout ce qui nous unit, je vous dirais encore : choisissez celle à qui vous devez vous dévouer, mais n'aimez pas incomplètement, en préférant mille petites choses à la seule grande. Le sentiment est une religion terrestre, mais de même que la véritable, il n'est rien s'il n'est pas tout. »

... mais n'aimez pas incomplètement!

Non, vraiment, il n'importe guère que Mme de Staël n'ait pas laissé un vrai chef-d'œuvre et n'ait mis, par force, que son talent et ses idées dans ses livres, sa vie retenant, absorbant son génie. Car ce qui la rend immortelle, c'est ce cœur immense, avide et blessé, ce cœur d'amoureuse qu'on sent battre encore si fort aujourd'hui dans ses lettres.

« Rien de ce qui est venu d'elle ne peut être comparé à elle-même, a écrit la femme qui l'a décidément le mieux connue..., elle avait dans l'âme un foyer de chaleur et de lumière dont les rayons épars n'offraient que de faibles émanations. » Voilà qui explique l'espèce de fascination exercée contre vents et marées par Germaine de Staël sur ceux, amis comme ennemis, qui la regardaient vivre et dont ne cherche pas à se défendre celui qui vient d'essayer, pour vous et pour lui, de la faire revivre.

TABLE

TROISIÈME PARTIE

LA TRISTE VICTOIRE DE MADAME DE STAËL (1812-1817)

ACHEVÉ D'IMPRIMER
SUR LES PRESSES DE
L'IMPRIMERIE NOUVELLE
53, QUAI DE LA SEINE, PARIS
LE 17 OCTOBRE 1958 - N° 585

CALMANN-LÉVY, ÉDITEURS
N° 8702
Dépôt légal : 4e trim. 1958

Mme de Staël a mis ses idées et son talent dans ses livres. Il faut chercher son génie dans sa vie.

Nourrie comme un roman-fleuve, ordonnée comme un drame romantique sur le fond de la Révolution et de l'Empire, la tumultueuse existence de cette femme extraordinaire, qui fut un moment de l'Europe et du monde, est encore mal connue du grand public, car si les essais, les études, les recueils de lettres relatifs à certains épisodes de sa vie, sont très nombreux, les biographies d'ensemble sont rares. Et la surabondance de la documentation staëlienne n'est pas loin de produire le même effet que son défaut. On voit cette femme démesurée sous tant d'angles et par tant de côtés, petits et grands, qu'on la voit mal, qu'on perd sa ligne, qu'on ne la voit plus.

André Lang a tenté dans *Une vie d'orages* d'exposer clairement, sans complaisance ni parti-pris, ce que furent les deux vies mêlées de Mme de Staël, l'extérieure et la profonde, la tourbillonnante et la pathétique, et d'offrir au lecteur l'étonnant portrait d'une femme unique, aux activités multiples, au cœur innombrable, qui s'est égarée souvent, mais n'a vraiment aimé, en dehors de son père, Jacques Necker, qu'un seul homme — Benjamin Constant — et ne fut coupable que d'avoir trop attendu de l'amour, de ses propres forces et de la sagesse humaine.

« Je suis une personne, expliquait-elle, avec laquelle et sans laquelle on ne peut vivre, non que je sois despotique ni amère; mais je semble à tout le monde quelque chose d'étrange qui vaut mieux et moins que le cours habituel de la vie. »

1120/1150 Fr. T. L. C.
10-58